Beatriz y los cuerpos celestes

66
1-03

Novela

Lucía Etxebarria
Beatriz y los cuerpos celestes
Una novela rosa

Premio Nadal 1998

Ediciones Destino

© Lucía Etxebarria, 1998
© Ediciones Destino, S. A., 2002
   Provença, 260. 08008 Barcelona (España)

Ilustración de la cubierta: adaptación de la idea original de Pablo San José
Fotografía de la autora: © Silvia Uslè
Primera edición en Colección Booket: abril de 2001
Segunda edición en Colección Booket: mayo de 2001
Tercera edición en Colección Booket: julio de 2001
Cuarta edición en Colección Booket: abril de 2002

Depósito legal: B. 18.016-2002
ISBN: 84-233-3317-5
Impreso en: Litografía Rosés, S. A.
Encuadernado por: Litografía Rosés, S. A.
Printed in Spain - Impreso en España

Biografía

Lucía Etxebarria (1966) cursó estudios de Filología
y Periodismo en la Universidad Complutense
de Madrid. Ha sido promocionera
en una casa de discos, traductora e intérprete,
camarera y jefa de prensa de varias multinacionales
serias, ha escrito en casi todas las revistas femeninas
del país, y actualmente colabora en *El Mundo*,
entre otros medios.

Es autora de *Aguanta esto*, *Amor, curiosidad,
prozac y dudas*, *Beatriz y los cuerpos celestes*
(Premio Nadal 1998), *Nosotras que no somos como
las demás* y *La Eva futura / La letra futura*, y participó
en el libro colectivo *Ser mujer*. Su última novela,
De todo lo visible y lo invisible, ha sido galardonada
con el Premio Primavera de Novela 2001.
Ha coescrito los guiones de las películas *Sobreviviré*
(dirigida por Menkes/Albacete en 1999),
Un marido para Faby de Antonio del Real
y *Prozac y Dudas*, de Miguel Santesmases.
Sus libros han sido traducidos a diez idiomas.

Este libro es   *para Beatriz Santos*
para Pilar Mateos
y para mi familia.

No me pidas que te deje ni que te dé la espalda
Iré donde tú vayas, me quedaré donde estés
Tu gente será la mía, tu Dios mi Dios
Y nada excepto la muerte podrá separarnos

Ruth a Naomí. RUTH, 1; 16-17

¿Por qué fijaste tus ojos en mí, una extranjera?

RUTH, 2; 10

He aceptado la pureza como la peor de las perversiones

MARGUERITE YOURCENAR

Una mujer no sabe que va a
ser la protagonista de una historia
de terror hasta que lo es.

NAOMÍ WOLF

1. ÓRBITA CEMENTERIO

Yet come to me in my dreams, that I may live
My very life again though cold and death;
Come back to me in my dreams, that I may give
Pulse for pulse, breath for breath:
Speak low, lean low
As long ago, my love, how long ago.

Christina Georgina Rosetti. Echo.

—No entiendo por qué lees esa basura —le dije yo, enfurruñada, no porque censurase realmente sus gustos en materia de lectura sino porque quería llamar su atención. Era una de esas tantas tardes sucesivas que yo pasaba en su casa, tantas que Mónica ya no se sentía obligada a hacerme caso. Su cuarto era el mío, yo lo sabía, y podía hacer allí lo que me apeteciera. Eso sí, Mónica no pensaba darme conversación.

Alzó la vista, se colocó las gafas sobre el puente de la nariz, como si fuera una maestra, y me dirigió una mirada de divertida superioridad.

—No me seas fascista cultural, anda. ¿Qué pretendes? ¿Que me pase el día entero leyendo a Dostoievski o algo así? Anda, olvídame un ratito, por favor —dijo mi luminaria, aquella brillante morena cuya inteligencia alcanzaba proporciones cósmicas, y volvió a sepultar la cabeza en el libro.

Yo estaba acurrucada en una esquina de su cama, la cabeza apoyada sobre las rodillas, ocupada en no hacer nada, demasiado embebida en mi propio aburrimiento como para querer iniciar alguna actividad para combatirlo. La música de fondo, creo recordar, podría ser The Cure o cualquier cosa parecida. Algo muy siniestro, seguro, una canción atormentada en blanco y negro, interpretada por algún jovencito vestido de luto de la cabeza a los pies, el tipo de disco que a Mónica le gustaba escuchar en aquellas tardes inacabables.

Si pienso en Mónica y en su cuerpo celeste imagino enormes telescopios capaces de acercarnos a estrellas lejanísimas, galaxias que se expanden hasta el infinito, materia brillante, fuentes de luz y radiación, supernovas fulgurantes y asteroides en perpetua ignición que albergan en su interior inmensos hornos nucleares.

Hay materia que brilla en el universo, sí, esas estrellas que dan luz y calor, las gigantes rojas y las enanas amarillas; pero también hay materia oscura, agujeros negros, planetas enfriados, estrellas errantes, enanas marrones, lunas desiertas y órbitas cementerio.

Cuando estaba en su habitación, Mónica mantenía las cortinas echadas y las sombras proyectadas por los muebles oscilaban a la temblorosa luz de la lamparita de la mesilla de noche, como si improvisasen extrañas danzas al ritmo de aquella música gótica. El territorio de Mónica, huido del tiempo y del espacio merced a un muy particular túnel de relatividad que ella se había construido a fuerza de voluntad, se mantenía al margen de la rutina que presidía el resto de la casa. Hasta allí no llegaban la cantinela de quejas de su madre, ni el eterno tararear de la asistenta, ni las pueriles discusiones de sus hermanos.

—«A 36.000 kilómetros de la tierra —leyó ella— se halla una órbita geoestacionaria, fija a la atmósfera porque se mueve a la misma velocidad de la Tierra: la Órbita Cementerio, como se denomina a aquella a la que se envían los satélites cuando pierden su vida útil. Todos los satélites disponen de una energía de reserva, de forma que, si se presenta algún problema, este último remanente de combustible se aprovechará para enviarlos a esa órbita, donde quedarán fijos en el espacio sin necesidad de ningún motor que los mantenga en su sitio.» O sea, para entendernos, que los pobres satélites son como elefantes que van a morir a su necrópolis común. No deja de tener su lado poético, si lo piensas. Imagínate, Bea: unos cachivaches enormes cuya labor principal era la comunicación, mudos, aislados para siempre, rodeados de un ejército de cachivaches similares que tampoco podrán comunicarse nunca más. Alucinante, ¿no?

Piensa en eso ahora, Bea, tantos años después. Hace cuatro años que no ves a Mónica. Piensa en la soledad de los satélites, la soledad orbital. Abandonados por aquellos a los que una vez sirvieron. Olvidados y fríos. Rodeados del vacío más yermo y absoluto, en el silencio helado del universo helado, cubiertos de una capa de escarcha que no brilla, que no tiene siquiera ya luz que reflejar. Inmóviles y dignos en su glacial retiro, satélites difuntos, cadáveres exánimes de gélida chatarra, antiguallas que fueron monstruos de acero y hierro, que una vez transmitieron fechas, datos y cifras a los que concedían importancia crucial. Fechas datos y cifras que ahora nadie recuerda. Ni la fuerza del hierro escapa al desamparo. Ahora, incomunicados, herrumbrosos titanes que han perdido su fuerza, condenados a un mutismo eterno y oxidado, jalonan de morralla un sector desolado. Los cables y las tuercas se acabarán desintegrando, aunque quizá falten siglos para que ocurra eso. En cualquier caso, piensa, qué poco importa el tiempo en un paisaje ciego, donde cada minuto es exacto al siguiente, donde a cada segundo sucede otro segundo. Idéntico, inmutable, un segundo apagado para un tiempo marchito. Órbita cementerio. Soledad orbital.

A veces pienso, Mónica, donde quiera que estés, que a mí me ha pasado lo mismo. Que fui enviada al mundo con una misión: comunicarme con otros seres, intercambiar datos, transmitir. Y sin embargo, me he quedado sola, rodeada de otros seres que navegan desorientados a mi alrededor en esta atmósfera enrarecida por la indiferencia, la insensibilidad o la mera ineptitud, donde una nunca espera que la escuchen, y menos aún que la comprendan. A nuestro alrededor giran universos enteros, estrellas, soles, lunas, galaxias, aerolitos, grandes constelaciones, nubes de gas y polvo, sistemas planetarios, materia interestelar. Hasta basura espacial. Pero sobre todo, un silencio insondable que todo lo absorbe. Un vacío enorme y negro, una quietud indescifrable.

Y aunque sé que no debería ser así, el caso es que me siento a millones de años luz de cualquier señal de vida, si la hay, que se desarrolle a mi alrededor. Siento que navego en la órbita cementerio.

2. LA CIUDAD EN RUINAS

El amor pertenece a sí mismo, sordo a las súplicas, inmutable ante la violencia. El amor no es cosa que se pueda negociar. El amor es lo único más fuerte que el deseo, la única razón justa para resistir a la tentación.

JEANETTE WINTERSON. *Escrito en el cuerpo*

No intentes enterrar el dolor: se extenderá a través de la tierra, bajo tus pies; se filtrará en el agua que hayas de beber y te envenenará la sangre. Las heridas se cierran, pero siempre quedan cicatrices más o menos visibles que volverán a molestar cuando cambie el tiempo, recordándote en la piel su existencia, y con ella el golpe que las originó. Y el recuerdo del golpe afectará a decisiones futuras, creará miedos inútiles y tristezas arrastradas, y tú crecerás como una criatura apagada y cobarde. ¿Para qué intentar huir y dejar atrás la ciudad donde caíste? ¿Por la vana esperanza de que en otro lugar, en un clima más benigno, ya no te dolerán las cicatrices y beberás un agua más limpia? A tu alrededor se alzarán las mismas ruinas de tu vida, porque allá donde vayas llevarás a la ciudad contigo. No hay tierra nueva ni mar nuevo, la vida que has malogrado malograda queda en cualquier parte del mundo. Tengo veintidós años, y hablo por boca de otros.

Estas mismas palabras que repito las he leído en libros. Algunos se escribieron hace mil años, otros se publicaron hace dos. Porque al fin y al cabo todo lo que se escribe acaba por ser una nota a pie de página de algo escrito antes. Existe un solo tema, la vida, y la vida es siempre la misma: una misma radiación impregna al universo entero y no está asociada a ningún objeto en particular. Todos nuestros actos, todos nuestros amores, son repeticiones de otros ya acaecidos y por eso siempre encontraremos en un libro la respuesta a alguna de nuestras preguntas. El problema radica en que no entenderemos nada de lo escrito en tanto no lo hayamos vivido de un modo u otro y me parece que yo ahora y sólo ahora empiezo a comprender frases leídas hace tiempo.

Ahora comprendo que la ciudad me sigue, que camino siempre por las mismas calles, y que hace falta desenterrar la angustia para que no se pudra bajo mis pies. Por esta razón dejo una ciudad y regreso a otra, porque sé que en el fondo habito siempre la misma. Creí dejar atrás el sufrimiento y he comprendido que lo llevo conmigo, y ahora vuelvo a la misma ciudad que odiaba tanto.

Tengo veintidós años. Abandoné Madrid a los dieciocho por iniciativa de mi padre. Puesto que yo no tenía muy claro lo que quería hacer con mi vida, y teniendo en cuenta que las tensiones entre mi madre y yo comenzaban a hacerse insoportables, ¿no me vendría bien marcharme a estudiar inglés un año? Por una vez, una sola, me mostré de acuerdo con sus opiniones, porque yo también quería marcharme, quería dejar mi casa y perder por fin de vista a mi padre y a mi madre. Lo había estado deseando durante años y no iba a rechazar aquella oportunidad ahora que me la servían en bandeja.

Existían otras razones que mi padre ni siquiera sospechaba y que me impulsaban a poner tierra de por medio. Sentía a la ciudad como una jaula, malogrados los años que la habité. Había muchas cosas que mi padre no sabía sobre la vida que había llevado allí.

Aquella conversación precipitó la frenética búsqueda de un lugar en el que aparcarme. Nos servía cualquier universidad extranjera en la que me aceptaran, y la elegida resultó ser la de Edimburgo como podía haber sido cualquier otra. Después de muchas conferencias telefónicas internacionales y muchas peregrinaciones de embajada en embajada solicitando información, nos enteramos de que era la única cuya residencia de estudiantes todavía disponía de plazas libres a aquellas alturas de año. Previamente habíamos intentado encontrar un hueco para mí en muchos otros sitios, pero en todos nos dijeron que llamábamos demasiado tarde.

De modo que acabé en Edimburgo por casualidad. En la vida se me había pasado por la cabeza la idea de acabar estudiando en Escocia. Y así me van las cosas... A veces pienso que siempre he tomado las decisiones más importantes sin enterarme.

Llegué a Edimburgo pensando que, con mi mayoría de edad,

la vida se aceleraría, que sería cada vez más rica e intensa. No sospechaba que estaba a un paso de llegar a punto muerto.

A la semana de aterrizar allí se me derrumbó sobre la cabeza la inmensidad de lo que había perdido, y creo que lloré tanto como las nubes de la ciudad que me acogió. Una ciudad armoniosa, de trazado medieval, de piedras mudas y tejados góticos, vigas de madera, puntales en los tejados y farolas en las calles de moderada agitación. Una ciudad que se ha extendido alrededor de su núcleo, mientras la parte antigua ha ido incorporando la nueva, asimilándola a la ya existente con una calma profunda.

Mis primeros meses se me aparecen en el recuerdo como una especie de borrón, un embrollo de horas húmedas y grises que transcurrían en monótona sucesión; un rosario de fechas empapadas de nostalgia, una detrás de otra, sólo diferenciadas por el nombre que el calendario asignaba a los días. Después del viernes tres venía el sábado cuatro, después el domingo cinco, inevitables. La angustia, un buque fantasma, se iba hundiendo lentamente en el tiempo cenagoso; aquella angustia ante lo borrado, lo perdido, que se iba posando dentro, como una lluvia interior. En un intento de acallarla me impuse un programa de estudios espartano, y mi rutina diaria transcurría entre una universidad de paredes de piedra cubiertas de musgo y una habitación helada y lóbrega, con la cabeza enterrada entre libros y cuadernos, porque quería llenarme la mente, atiborrarla de datos, bloquear sus salidas con recién aprendidas palabras y sepultar los recuerdos bajo gerundios y participios y citas de Shakespeare, para no pensar en lo que dejaba atrás. Detestaba aquella residencia, detestaba su cuarto de baño común y sus paredes desconchadas; y detestaba en particular mi habitación, amueblada apenas por una cama que recordaba a los camastros que suelen encontrarse en los albergues de invierno y una mesa que aún conservaba las iniciales escritas a navaja por mi predecesor y su predecesor y quién sabe cuántos pre-pre-predecesores más Me sentía triste, y pobre. Pobre en espacio, escasa en luz, indigente en calma, desposeída de una atmósfera de intimidad, necesitada de todo aquello que hace del hogar del hombre su castillo.

Pero me empeñaba en mantener aquel voto de clausura: sabía que la única forma de quedarme en Edimburgo era superar con notas excelentes el curso de inglés para extranjeros que estaba estudiando. Así me concederían una beca, como sucedió finalmente, y, con la excusa de estudiar una carrera, podría permanecer tres años más en aquella ciudad brumosa, bajo la protección del imponente castillo perennemente velado por lechosos jirones de niebla, y ya no tendría que regresar a la luminosa Madrid que tanto echaba de menos. La añoraba, pero no quería volver; o más bien no podía volver. Me obligué a mí misma a adaptarme, y sometí a la nostalgia demostrando la misma tozudez con la que a los catorce años dejaba en el plato la mitad de la comida, incluso cuando el estómago me dolía de hambre.

Cuando salgo de casa son las siete de la mañana. Cat todavía está dormida. Ayer bebió y lloró mucho. Me he levantado sin hacer ruido para no despertarla. Avanzo de puntillas. El rumor de mis movimientos penetra en la inmovilidad del cuerpo dormido que se estremece, pero no se despierta. Echo una última mirada a su naricita gatuna apoyada sobre la almohada. Sé que se enfadará cuando descubra esta última traición: que me he ido sin despertarla. Pero yo no quiero prolongar la despedida, como quien prolonga con máquinas la agonía de un moribundo en el hospital. A un lado de la cama reposa, apoyado sobre su vientre verdoso, el cadáver de la botella que Cat vació entre súplicas y reproches, y su cuello me apunta acusador como en el juego de la verdad al que mis primas y yo solíamos jugar de pequeñas. Se ha quedado señalando la eterna pregunta de Cat, que formuló mil veces en distintas variaciones: Dime la verdad... ¿tú me quieres? Sólo la verdad. Pero la verdad no es un estado definible e inmutable. La verdad está en la cabeza de cada uno. No depende de datos ni de cifras ni de fechas. Apuro el pasillo a pasos cortos y callados y cierro con cuidado la puerta tras de mí. La estación está cerca, sólo tengo que cruzar Lothian Road.

Todas las tiendas están cerradas a esta hora de la mañana. El cielo cubierto diluye en humedad los oscuros perfiles de las casas. Desde las ventanas de los escaparates todavía dormidos —Boots, C&A, Marks and Spencer, Dolcis, The Body Shop— los cristales me devuelven la imagen de una chica alta y delgada que podría gustarme si no supiera que se trata de mí, y no puedo evitar recordar que, cuando Cat y yo nos conocimos, una de nuestras distracciones preferidas consistía en pasear por esta misma calle, detenernos de vez en cuando en alguna de estas tiendas y comprarnos chucherías la una a la otra. Paseábamos cogidas de la mano y todos los peatones nos dirigían miradas de soslayo. En parte, porque les resultaba chocante la imagen de dos chicas paseando enlazadas. En parte, porque las dos éramos jóvenes y guapas y daba gusto mirarnos. Yo lo sabía y me sentía orgullosa, feliz como una niña que pasea por primera vez al cachorro de aguas que ha sido su regalo de cumpleaños. Atravieso Lothian Road, dejando atrás las casas viejas de ladrillo rojo ennegrecido por el humo y los tejados de pizarra gris. La calle parece alargarse con la niebla y los ojos buscan un horizonte que se ha desvanecido. Arrastrando mi maleta con ruedas, zaguera de mis pies como un perrito fiel, un millón de gotas diminutas me empapan la nariz y los cabellos y no consigo borrar de mi cabeza la imagen de Cat dormida. Pero mi maleta pesa más que el arrepentimiento.

No hay nadie en la estación. Nadie coge hoy el primer tren para Londres. Ni el quiosco de prensa ni la tienda de baguettes han abierto todavía. En el andén recién despertado otras tres sombras esperan a mi tren, difuminadas por el vaho que desprende mi respiración entrecortada. Pasan unos minutos que se me hacen eternos. Un desconocido enciende un cigarro y su mechero provoca un resplandor repentino que ilumina un segundo la perspectiva del andén; otro se sube el cuello de la chaqueta intentando combatir el frío de la mañana; una chica recorre la plataforma con pasitos de impaciencia contenida, cinco hacia delante, cinco atrás, una danza inútil que no la lleva a ninguna parte. Aunque compartimos una tensión común a la espera de un mismo tren que no llega, no intercambiamos ninguna mirada, ningún gesto de solidaridad o simpatía. Llega por fin el tren, justo cuando pensaba que mis manos iban a congelarse. Coloco la maleta en el compartimiento destinado a los equipajes y me arrellano en el asiento. Tensa e incómoda, preparo el cuerpo y la cabeza para las horas de trayecto que me esperan.

El tren arranca con un silbido que corta el aire húmedo de Edimburgo, y el perfil de la estación se desdibuja poco a poco a medida que la máquina toma velocidad. A través de la ventanilla se suceden diferentes variaciones del mismo paisaje aterido. Grandes extensiones de campo en movimiento salpicado de puntos de color: casas pequeñas, invernaderos, cercas que separan los jardines. Verde musgo, verde esmeralda, verde hierba... verde, verde, verde, todas las tonalidades del verde oscuro desfilan ante mis ojos bajo un cielo hecho de gotas de agua y de guiñapos de algodón sucio. Verde como los parques de Edimburgo, verde como los ojos de Cat. Una asocia las cosas que le gustan a las que le gustaron y las afinidades espontáneas están construidas a base de recuerdos: la memoria me asegura que siempre sentiré pasión por el verde.

El constante traqueteo tiende las redes al sueño y las formas se van difuminando hasta convertirse en una pantalla verde uniforme sobre la que dibujo mentalmente la imagen de Cat: ojos rasgados coronados por unas cejas rubias prácticamente imperceptibles que convergen en una nariz pequeña y un tanto respingona apuntando con descaro a cualquier interlocutor; a los lados, unos pómulos altísimos, casi demasiado perfectos, y bajo la nariz una boca de trazo recto y carnoso. Como si fueran briznas de paja unas mechas cobrizas enmarcan el óvalo perfecto de la cara; un óvalo de piel blanca, hecha de frío y leche, que nunca ha conocido un bronceado de agosto. Cat, la chica gato, podría ser una de tantas chicas que salen en las revistas anunciando cremas hidratantes: Tu piel se merece protección. Y tú te mereces amor, ¿crees que no lo sé?

Antes de conocerla jamás me fijaba en las rubias. Supongo que tenía la imagen de Mónica tan metida en la cabeza que me resultaba imposible interesarme por una persona que no se pareciera a ella. Sin embargo, me fijé en Cat desde la primera vez que la vi.

La conocí hace tres años y medio, cuando yo llevaba seis meses en la ciudad, en un club de paredes oscuras y música inarmónica cuya entrada quedaba estrictamente restringida a mujeres, y cuya ubicación me fue revelada a través de un anuncio en *The List*. Me presenté allí, sola, una noche en la que mi existencia conventual empezaba a hacerse insoportable y mi espíritu rebelde exigía a gritos cerveza y humo.

Una mujer, me decía mi madre, no debe ir sola a un bar. Todo el mundo sabe de sobra qué es lo que buscan en los bares las mujeres sin compañía. Por una vez, y sin que sirva de precedente, mi madre tenía razón. Me rechinaba en la memoria el cataclismo que se organizó en Madrid la última noche que salí, cuando me presenté, yo sola, en La Metralleta, buscando a Mónica, y descubrí que en realidad los hombres no habían cambiado mucho desde los tiempos de mi madre. Por eso decidí, la primera noche en que me atreví a salir en Edimburgo, irme a beber a un bar donde no hubiera hombres, lejos de sus inevitables acosos, de los problemas que mi mera presencia desencadenaría. No iba buscando una chica, no fui allí porque me sintiera lesbiana. Sólo buscaba una cerveza y un poco de música.

Al entrar pensé que quizá me había equivocado. Montones de chicas revoloteaban por la pista estrellándose las unas contra las otras, igual que los cuerpos celestes —los asteroides, las estrellas, los planetas— colisionan a veces en el espacio. Sus sombras se confundían bajo las llamaradas de luces que descubrían perfiles y figuras. La mayoría llevaba el pelo corto y vestía pantalones, aunque también había alguna que otra disfrazada de *femme*, con falda de tubo y melena de leona. Si una se fijaba, acababa por comprender que existía una sutil demarcación de territorios. Las radicales resistentes ocupaban el flanco izquierdo, uniformadas en sus supuestos disfraces de hombres, fumando cigarrillos con gesto de estibador y ceño de mal genio, las piernas cruzadas una sobre la otra, tobillos sobre rodilla, en un gesto pretendidamente masculino. En la pista bailaban jovencitas más despreocupadas, que podían haber estado en una discoteca hetero sin llamar en absoluto la atención. Una rubia bastante llamativa se había permitido incluso ponerse un traje largo y coqueteaba con una pelirroja que se la comía con los ojos, mientras correspondía a la conversación de su amiga con una sucesión de carcajadas nerviosas y forzadas.

La timidez me mantenía pegada a la barra, sofocada por la asfixiante pesadez de tanto exceso de estrógeno. Llevaría allí cosa de una hora cuando me fijé en una rubia alta y delgada que llegó precedida por un grupo de chicas. Llevaba, me acuerdo aún, una cazadora de cuero negro. Llamaba la atención. Por lo alta, por lo guapa, por la parsimonia de sus pasos de gata conscientes de su propia elegancia. Lo primero que pensé es que me recordaba a Nastassja Kinski. Estoy segura de que ya se lo habían dicho muchas veces.

El grupo que la acompañaba tomó posiciones alrededor de la pista, mientras la rubia, haciendo de valiente avanzadilla, se dirigió hacia mi rincón, en busca de una copa. Se situó a unos dos metros de mí, y, acodadas ambas en la barra medio vacía, nos encontramos frente a frente, apenas separadas por el aire espesado gracias al humo de cientos de cigarros que se extendía por la sala. Pidió un güisqui a la camarera y me miró. Sonrió. Yo le devolví la sonrisa. Cuando la camarera le sirvió su copa, se volvió a mirarme otra vez, como una pitón miraría a un ratón. Creo que me hipnotizó. Yo sabía que estaba intentando averiguar si le otorgaba vía libre para acercarse a mí. Sonreí otra vez. Entendió que le cedía el paso y se plantó a mi lado en cuatro zancadas arrogantes, como si se sintiera dueña de cada baldosa del suelo que pisaba. Casi no me creí aquel golpe de suerte.

—Tú no eres de aquí, ¿verdad? —me preguntó.

—No.

—Me estaba preguntando, mientras te miraba, de dónde podrías venir...

—Adivina.

—No sé... ¿El cielo?

Una semana después, ella partía a Londres a pasar las Navidades con unos amigos. Yo iba a pasarlas en Francia. Prometimos que nos enviaríamos postales. Mi padre debía viajar a París por cuestiones de negocios y había decidido aprovechar la ocasión para llevar a mi madre y organizar allí una reunión a tres. Navidades en familia, supongo. Nadie sugirió en ningún momento que nos viéramos en Madrid. Razones obvias y sobreentendidas: no íbamos a discutir en territorio neutral. Llevaba meses sin ver a los autores de mis días y los encontré viejos y cansados, aplastados por el peso de los años y los recuerdos. En apenas un año, mi padre había dejado de ser un maduro seductor de sienes plateadas para convertirse en un venerable viejecito de cabeza nevada, mientras que mi madre había rebasado la categoría de señora elegante y estaba a un paso de asumir la de dama digna. El antiguo repicar nervioso de sus tacones había dejado paso a una grave sucesión de pisadas arrastradas.

Cenamos platos de nombres impronunciables en un restaurante muy elegante de la rue Maréchal Font, sitiados por un ejército de cubiertos y copas de distintos tamaños. No teníamos nada que decirnos, y al cabo de media hora los tópicos se habían agotado. De aquella cena sólo recuerdo el tintineo de los cubiertos sobre la loza y las lágrimas asomando en los ojos de mi madre. Las velas arrancaban destellos de luz blanca a su melena francesa y aquella aureola rubia me hizo pensar en Cat. Flotó en aquel momento sobre mí el agobiante peso de los afectos exigentes. En la vida de cualquier persona se suceden casi siempre dos tragedias muy serias que ya he vivido: la falta de amor o el exceso de amor.

Durante aquellos tres días acompañé a mi madre de compras por tiendas exquisitas en las que no creo que jamás hubiese puesto un pie caso de haber viajado allí sola, y dejé que me obsequiara con un jersey azul, cuyo precio equivalía a un mes de alquiler de mi habitación, y que yo sabía que nunca iba a ponerme. Cada tarde mi padre, invulnerable a los promisorios cantos de las boutiques y los almacenes, nos esperaba en el hotel, leyendo periódicos en varios idiomas.

No me apetecía enviarle a Cat una postal con una vista de la torre Eiffel, el Sena o Notre Dame. Antes o después siempre aparece en el buzón de cada uno una postal enviada desde París por un amigo, un amante o un simple conocido, y no quería que la mía se pareciera a ninguna de las que Cat habría recibido o recibiría desde París en toda su vida. El último día de mi estancia allí me detuve, de camino al hotel, en una tienda de cómics mugrienta y diminuta que se parecía demasiado a Metropolis, la tienda favorita de Mónica. Cat recibiría una tarjeta de la nave *Enterprise* que me costó ocho francos. Cuando volví a Edimburgo encontré en mi buzón la tarjeta que Cat me había prometido: un retrato del doctor Spock. Supe entonces que estábamos condenadas a que nuestra historia prosperara.

Unos quince días después de conocerla hice un descubrimiento casi aterrador. Estaba sola en casa de Cat, me había quedado dormida en la cama después de una tarde que habíamos apurado haciendo el amor, y cuando abrí los ojos, con el cuerpo tembloroso de frío, descubrí que Cat se había marchado al restaurante. Una nota sobre la mesilla explicaba por qué, al verme dormir tan plácidamente, no había tenido el valor de despertarme. Ya había caído la noche y la oscuridad había engullido los perfiles de las casas. Abrí los armarios de Cat buscando un jersey con el que cubrir mis huesos ateridos y descubrí tres cajones allí dentro. El primero contenía ropa interior y calcetines; el segundo, jerseys; papeles el tercero. Entre los jerseys encontré un sobre cuya blancura indicaba su reciente llegada al cajón. No pude resistir la curiosidad: lo abrí y me encontré conmigo.

Eran fotos tomadas, al parecer, desde un coche. El tipo de fotos que un detective enseña a su cliente, esas fotos que alguien toma sin que el retratado se aperciba. Alguien que roba tu imagen en silencio, como podría robarte la cartera. Se me veía saliendo de la residencia, esperando en la parada del autobús, subiendo a éste cuando llegaba, bajando frente a la universidad, atravesando a zancadas el parque del campus, apenas un esbozo borroso de mi propia persona manchando de negro el verde de la hierba.

No dije nada. Nunca dije nada, ni entonces ni más tarde. No pregunté, no exigí explicaciones. No quise saber si ella estaba obsesionada conmigo, si quería mis fotos para intentar conjurar a alguna deidad del amor con mi imagen, o si esperaba conocer la presencia de un rival. Callé porque temía un enfrentamiento directo, una confrontación, o quizá lo hice porque no quería saber de la magnitud exacta de su devoción por mí. No dije nada, y dos semanas después me fui a vivir con Cat, sabedora desde entonces de que me querría más que yo a ella.

Les expliqué a mis padres que compartir un apartamento resultaba una solución más barata y céntrica que la residencia, lo que era verdad. No pusieron pegas.

Si yo hubiera llegado a Cat de otra manera, como una hoja en blanco, como un lienzo por pintar, si no arrastrase tras de mí casi veinte años repletos de borrones y tachaduras, quizá lo nuestro hubiese funcionado. Si hubiera caminado hasta ella con los ojos vendados desde el punto de partida ella habría podido abrirme los labios y cerrar mis heridas. Pero Mónica ya había dejado de ser una herida, se había convertido en una cicatriz, y por tanto, imborrable, no podía deshacerme de ella. He pasado muchas tardes de estos tres años resguardada del frío en el seno de angora de mi novia que, enroscada junto a mí frente a la chimenea, suspiraba y se desperezaba cerca del fuego, holgazana como la gata que era; y no conseguí nunca disfrutarlas del todo, porque me resultaba inevitable establecer una comparación entre la tranquilidad de Cat y la efervescencia de Mónica, la dulzura de la primera y el arrojo de la segunda, la receptividad de la una y el empuje de la otra.

Y es que del amor, como de la vida, siempre se espera más y nunca se está satisfecho. Y mi contento se limita a momentos puntuales, probablemente amplificados en la memoria, y casi siempre, en el recuerdo, transcurridos a oscuras. Avanzarán los días y yo seguiré hundiéndome poco a poco en esta ansia de infinito, en esta inapagable sed de absoluto en la que nada es suficiente. Si por mí fuera, me pasaría el día haciendo el amor, y no sólo porque me guste sino porque es entonces cuando parece que las cosas llegan al límite; cuando, aunque sólo sea por tres segundos, huyo, salgo de mí, me hincho de luz y me aclaro, feliz y sin memoria, prendida en labios inventores de espléndidos engaños. Y entonces me digo que sí, que tiene sentido seguir adelante, a pesar de esta certeza de estar siempre sola.

Durante los últimos tres años le he escrito varias cartas a Mónica. Nunca hubo respuesta. No sé siquiera si las habrá recibido. Mi madre me explicó por teléfono que nuestras familias habían roto relaciones, por lo que no podía ayudarme a contactarla. Y aunque hubiese podido, no lo habría hecho, recalcó. Intenté llamar a casa de Mónica, pero no contestaban nunca. En información telefónica me comunicaron que el titular de la línea había solicitado un cambio de número, y que por indicación expresa del propio abonado, no estaban autorizados a facilitarme el nuevo.

29

Hace una semana supe que había acabado la carrera con notas excelentes. Ante mi familia, no me quedaba excusa para justificar mi estancia en Edimburgo. Siendo española, ¿por qué me iba a quedar en Escocia? Aunque podía hacerlo. No sería difícil. Podía buscar trabajo o podía continuar en la Universidad, agotando el ciclo de doctorado. Pero era evidente que, si decidía quedarme, era por Cat. Sólo por Cat.

Pero no con ella. No, al menos, sin aclarar antes un apagón que se hizo en la memoria hace cuatro años, cuando abandoné Madrid. No quería que por las noches, mientras Cat me calentaba la nuca con su respiración pausada, otros cuerpos, otros rostros, vinieran a visitarme en sueños. Hasta ahora nuestra convivencia podía considerarse una solución provisional. Al fin y al cabo, quedó siempre claro que yo estaba de paso. Mis libros, mis discos, mi familia, mis recuerdos, han permanecido durante estos cuatro años almacenados en mi casa de Madrid, esperando mi vuelta mientras se cubrían de polvo. Si decidía quedarme convertiría un acuerdo de conveniencia en un matrimonio. Y yo no quiero comprometerme sin estar segura de lo que siento, porque sospecho que lo peor de mí misma acabaría por residir en esa intersección entre los círculos de nuestras respectivas soledades. No hay peor soledad que la soledad compartida.

Seis horas de tren hasta llegar a la Estación Victoria. Allí enlazo con el Gatwick Express que me deja en el aeropuerto. Llevo sólo una maleta, porque todo lo que he ido acumulando durante estos cuatro años (ropa, libros, discos...) se ha quedado en casa de Cat. Es posible que regrese en septiembre, aunque sólo sea para encargarme de embalar mis cosas y enviarlas a Madrid. Pero no quiero pensar en eso ahora: en los ojos exageradamente abiertos con los que Cat me miraba cuando intenté explicarle lo muchísimo que añoraba mi casa, en la muda protesta que se leía en ellos, en mi propio sentimiento de culpa por no incluirla en mis planes, por no sugerir siquiera que las dos —no yo sola— podríamos mudarnos a Madrid. Dame tiempo, le dije. Déjame volver a casa unos meses y después decidiré.

Espera de una hora en Gatwick que entretengo mirando las ofertas de la Body Shop que hay en la zona libre de impuestos. Me detengo frente a un bote de Activist, la colonia que usaba Caitlin, una fragancia de hombre que imita al Antaneus de Chanel. Me rocío con una nube de perfume en el dorso de la mano y de improviso evoco la imagen del cuerpo elástico de Caitlin abrazado a mi espalda, la carne lisa y plástica en contacto con la mía. En un arranque de sentimentalismo compro un frasco (siete libras) y me asalta la idea de que no llevo en la maleta ni en la cartera una sola foto de Caitlin, y que durante los próximos dos meses, o quién sabe durante cuánto tiempo, sólo podré recordarla a través de un olor.

En el avión me toca sentarme al lado de una pareja insufrible. Ella, mechas y pantalones de Fiorucci. Él, gafas Rayban y camisa de rayas. Cogidos de la mano. Han pasado un fin de semana idílico comprando ropa de marca y sacando fotos al Big Ben. Siempre me lo he preguntado. ¿Para qué quiere este tipo de gente sacar fotos a los monumentos cuando existen las postales? ¿Por qué desean inmortalizar edificios que probablemente les sobrevivirán?

Alguien debería sugerir a las compañías aéreas un sistema de compatibilidad de asientos. Uno rellenaría un formulario al hacer la reserva de billete, que se entregaría con la tarjeta de embarque. Edad, grupos preferidos, periódico que lee. Tres cosas que se llevaría a una isla desierta. ¿Viaja usted solo? ¿Cree usted en el arte colectivo? ¿Es vegetariano? ¿Tiene hijos? ¿Le gustaría tenerlos? ¿Ha practicado el sexo en grupo? ¿Qué opinión le merecen: Carlos de Inglaterra, Cindy Crawford, K.D. Lang; diseñador favorito, perfume, artista conceptual? ¿Lo abandonaría todo por amor? Las respuestas se cotejarían en un programa de ordenador con las del resto de los pasajeros y de esta manera se establecería la colocación de los viajeros.

Si este formulario se impusiese, la compañía habría sentado a esta parejita al lado de una profesora de inglés solterona y a mí me habrían colocado junto a una pareja de maricas o un chico guapo que viaja a Madrid para olvidar a su novia y enseñar inglés en una academia. La cháchara de la parejita se me hace insoportable, se me cuela en la cabeza por más que intente concentrarme en la lectura. Él disfruta suministrándole datos de Londres, que sin duda ha recogido en una guía de viajes Anaya. Los comentarios con los que ella le responde me hacen sospechar que no ha leído un libro en su vida, ni siquiera una guía de viajes Anaya. Inclino la cabeza sobre mi libro y no la vuelvo a levantar excepto durante los quince minutos en los que me dedico a picotear sin demasiado entusiasmo la comida de plástico que la azafata me sirve en una bandeja del mismo material.

Llegada al aeropuerto. En cuanto cruzo las puertas de cristal que separan la zona pública de la reservada a viajeros, vislumbro la silueta de mi madre, vestida de negro de la cabeza a los pies. Su melena corta rubia y su traje sastre de corte impecable le confieren, de lejos, un aire a lo Marlene Dietrich. Esta impresión se desmiente en cuanto me acerco a ella. Sus arrugas delatan que ya no tiene edad para hacer de mujer fatal, aunque a punto de cumplir sesenta años todavía mantenga un tipo espléndido. Cuando me ve, me abraza con una efusión que me deja rígida porque no sé muy bien cómo corresponder. Ni siquiera sé por qué me siento tan extraña. La culpa es como un iceberg: la mayor parte de ella permanece sumergida.

Cogemos un taxi. Ella le indica la dirección al taxista, comprueba su imagen en el espejo retrovisor y se atusa la melena con coquetería. Acto seguido vuelve la cabeza hacia mí. Su aroma, la misma fragancia que lleva usando durante años —porque mi inconstante madre, que renueva su guardarropa cada año y la tapicería de sus sillones cada tres, sólo le es fiel a su marido, a su religión y a su perfume— me envuelve en una atmósfera familiar y experimento a mi pesar una oleada de cariño retrospectivo que me inunda por dentro. Ella me explica, aunque yo no he preguntado, que mi padre no ha venido porque no se encontraba del todo bien; y me informa en un susurro destinado, supongo, a escamotearle al taxista una información privada —hacia la que él, por otra parte, dudo que albergue el más mínimo interés— que últimamente mi padre ya no es el que era. No te lo quise decir por teléfono, ni por carta, me advierte, pero es muy probable que haya que operarle en breve. Los médicos creen que habrá que hacerle un *bypass*. Yo no digo nada. En realidad no tengo la menor idea de lo que es un *bypass*.

Acto seguido pasamos a su disertación habitual, la que constituye su monotema desde hace años: mi aspecto. De hecho, me sorprende que haya tardado tanto en sacarlo a relucir. Estoy demasiado delgada, opina, y no me sienta bien el pelo tan corto. ¿Por qué me empeño en raparme de esa manera? Y, ¿es necesario que lleve siempre esas botas de pocero tan poco femeninas? En mi interior repito las palabras mágicas: *Tú no eres responsable de mi vida. Yo no soy responsable de la tuya*, e intento convencerme de la eficacia de su hechizo para no dejarme arrastrar otra vez por esa dolorosa mezcla de resentimiento y desesperada compasión que me ha tenido ahogada durante años. Creo en la magia, en el poder de las palabras, de los mantras salvadores. Si no, no leería. Así que procuro escuchar su cantinela como quien oye llover y contemplo el paisaje que me espera a través de la ventanilla. Unos horribles bloques de hormigón y cemento se suceden los unos a los otros, clavados como postes de empalar sobre un suelo amarillo y reseco. El cielo no es azul, sino blanco. Es cierto que el sol brillante todo lo ilumina, el paisaje y el ánimo, pero este horizonte, en contraste con el recuerdo de Edimburgo —los elegantes edificios de piedra, el cielo húmedo y la vegetación que se hacía con los muros y los parques—, me resulta pobre y árido, poco prometedor, un mal presagio.

A medida que nos internamos en la ciudad la sensación se intensifica. De pronto, descubro que Madrid es una ciudad sucia, gris, mal planificada, sin personalidad. No percibo en ningún edificio la mano de un arquitecto, ninguna calle parece tener una historia que contar. ¿Qué me está pasando? ¿Acaso no es ésta la misma ciudad que tan dolorosamente he añorado durante los últimos cuatro años?

El taxi se detiene frente al portal de mi casa. Hasta el día de hoy nunca me había fijado en lo feo que es este edificio sucio, solemne, mal iluminado. El ascensor desvencijado, vestigio de tiempos mejores en los que esta cabina accionada por poleas debía de ser el último grito de la técnica, se ha convertido en una especie de ruleta rusa, y los chirridos que emite al moverse sugieren todo tipo de catástrofes inminentes.

Mi casa sigue igual que la dejé, pero con más polvo acumulado. El salón parece haberse instalado en otro siglo. Paredes enteladas, sillones de nogal tapizados en terciopelo, lámparas de bronce con tulipas de vidrio, un enorme armario de luna modernista. Cuando vivía aquí nunca caí en la cuenta de que estos muebles son auténticas piezas de anticuario. La luz que se filtra a través de los pesados cortinajes de terciopelo hace juegos de sombras en las aristas del mobiliario, y le confiere a la estancia un aspecto más espectral si cabe. Avanzo por el dormitorio arrastrando mi maleta como si se tratara de un cadáver y voy recogiendo, sin darme cuenta, migajas de infancia, desperdigadas por los rincones de mi antigua casa.

Mi dormitorio, lo advierto ahora por primera vez, se pasa también de recargado. Todos los muebles son de nogal macizo, combinado con plafones de raíz. El remate de la cabecera de las camas hace juego con los del tocador y el cuerpo central del armario. Antes, cuando vivía aquí, era incapaz de apreciar la solidez de estos muebles, la pátina de tiempo sobre la madera, su solera, su sonora belleza, su valor. Los admiro ahora, después de haber dormido estos años en un colchón barato de borra, sin muelles, colocado sobre un precario armazón de madera hecho por la propia Cat; pero el hecho de que valore la belleza de los muebles no quiere decir que la habitación me resulte acogedora, en absoluto. La cama está perfectamente hecha, y mi madre ha colocado encima una colcha blanca, limpísima. El aire monacal de la habitación revela que nadie ha dormido aquí desde hace tiempo. Mis libros siguen apilados en las estanterías, pero, por lo demás, se han borrado todos los rastros de mi presencia. Cuando yo vivía aquí había papeles desperdigados sobre la mesa, fotos pinchadas en la pared con chinchetas, pósters decorando los muros; ahora, alguien ha vuelto a pintar de blanco las paredes desnudas, desprovistas de mi impronta, vacías de personalidad y de contenido.

Mi padre está durmiendo, según me informa mi madre, ya tendré ocasión de saludarle a la hora de comer. Lo mejor, opina ella, es que me vaya a dar una ducha y me cambie. Debes de estar agotada después del viaje, cariño. Efectivamente, estoy agotada.

Los lujos de mi casa no dejan de sorprenderme, todas esas maravillas en las que hasta ahora no había reparado. Esta ducha, por ejemplo. El agua se mantiene a temperatura constante, no se enfría de pronto convirtiéndote en un carámbano, ni te escalda sin avisar. El chorro es potente y enérgico, torrentes de agua caen sobre mí. Nada que ver con el hilillo raquítico de la casa de Cat, aquella ducha chapuza que habíamos hecho empalmando un tubo de goma con dos salidas, una especie de estetoscopio, a los grifos de agua caliente y fría, porque en las casas antiguas de Escocia hay bañeras, pero no duchas.

Salgo de la ducha y me envuelvo en una toalla de rizo americano enorme, mullida, que huele a limpio y a Mimosín. Me enfrento con la sombra borrosa de mi imagen en el espejo empañado. Con el dorso de la muñeca retiro las gotitas de vapor condensadas sobre el cristal y aparezco más nítida, yo misma. Estoy delgada. Flaca, como diría mi madre. Los huesos de las caderas se marcan tanto que no me cuesta lo más mínimo imaginar mi esqueleto. Me tapo los pechos con las manos y cruzo una pierna por delante de la otra. Me alegro al comprobar que mi cuerpo bien podría ser el de un adolescente, uno de los modelos de Calvin Klein.

Recuerdo una noche en Edimburgo, en la pista de Cream. Bailando entre las sombras oscilantes de los cuerpos que bailaban conmigo y me rodeaban, me di de bruces con una aparición, descubierta de improviso por la luz de un foco que cayó sobre ella. Una chica delgada, muy delgada, que balanceaba la cabeza de un lado a otro al ritmo de la música. La melena corta le caía como una cortina dorada sobre los ojos. Llevaba una camiseta muy ceñida que dejaba al descubierto su ombligo perforado, el epicentro marcado de un vientre liso como una tabla de lavar, y que llevaba impresa una leyenda sobre su pecho nivelado: *Monogamy is unnatural*. Aquella chica había conseguido, de alguna manera milagrosa, congelar en su cuerpo ese momento inaprensible en el que la infancia confluye con la adolescencia; y se mantenía en un presente inmóvil, en un territorio propio, ajeno al lento fluir de los minutos y al inevitable deterioro que éstos traerían consigo. Me pareció la visión más erótica que había visto en la vida. Ahora me miro en el espejo y me doy cuenta de lo mucho que aquella desconocida y yo nos parecemos, eternas adolescentes, cuerpos andróginos, permiso de residencia en el país de Nunca Jamás, visado sin fecha de caducidad.

No sé si me quedaré así para siempre, pero sí recuerdo que hubo un tiempo, en mi primera adolescencia, en que me sometí a una prueba de hambre voluntaria, en aquella época en la que apenas comía. Frente a la comida sentía una náusea maligna, plena del placer del rechazo. Mis costillas eran ganchos, mi columna una cuchilla y mi hambre una coraza, la única con la que contaba frente a las frivolidades que se me adherirían al cuerpo como garrapatas en el instante en que diera un mal paso hacia el mundo de las mujeres. El ayuno constituía una prolongada resistencia al cambio, el único medio que yo imaginaba para mantener la dignidad que tenía de niña y que perdería como mujer. No quería ser mujer. Elegía no limitar mis decisiones futuras a las cosas pequeñas, y no dejar que otros decidieran por mí en las importantes. Elegía no pertenecer a un batallón de resignadas ciudadanas de segunda clase. Elegía no ser como mi madre. Este cuerpo enflaquecido que tengo frente a mí es el resultado de una decisión consciente, de una absurda prueba de fuerza.

Apenas me da tiempo a vestirme cuando mi madre me avisa de que la comida está preparada. Y en el comedor me encuentro, por fin, con mi padre, que se acerca a saludarme arrastrando los pies sobre la alfombra. Su aspecto me impresiona. Parece haber envejecido veinte años desde la última vez que le vi. Ha adelgazado exageradamente, el cabello blanco le ralea en las sienes y una infinidad de pequeñas arrugas le surcan la frente. Parece un cuadro de Munch. Casi no reconozco al que fuera en su día un galán maduro, un sesentón de buen ver. De su antiguo atractivo sólo conserva los ojos de un azul inmaculado que todavía brillan con luz propia. Intercambiamos un abrazo escueto y contenido antes de sentarnos a la mesa. Me pregunta cómo estoy y percibo un cambio en su voz, en la que ya no quedan notas graves, y en la que los registros parecen limitados a una delicada ronquera, un sonido monótono y laringítico.

Y la comida transcurre entre preguntas tópicas que se suceden —¿he tenido buen viaje?, ¿estoy cansada?, ¿he pensado qué voy a hacer ahora que ya me he licenciado?— mientras la luz del mediodía, que se filtra a través de las persianas bajadas para evitar el calor, proyecta extrañas sombras en las paredes. El peso de los recuerdos que flotan por la casa amenaza con aplastarme contra la mesa. Y no sé si me siento muy feliz de haber vuelto.

Mi novia, la chica que me espera en Edimburgo (pronúnciese Edímborah), es una joya, un corazón de oro, un diamante en bruto. Eso opinan al menos todos los que la conocen.

Nació y creció en una granja cercana a Stirling, una pequeña localidad escocesa donde el agua se helaba en los jarrones, y que luego se haría tristemente famosa cuando un loco furioso se presentó en la escuela, la misma escuela en la que Caitlin había aprendido a leer, y se llevó por delante a tiros a casi veinte niños. Si conocieras Stirling, no te extrañaría nada, me decía Cat. Aquello es un infierno. Cualquiera se vuelve loco viviendo allí.

Me transmitió algunos recuerdos de su infancia: una madre permanentemente malhumorada; sabañones en los dedos todos los inviernos; el cobertizo de los cerdos, oscuro, húmedo y frío; el aire espeso y dulzón de los establos. El día que su padre la llevó de caza por primera vez y le enseñó a disparar un rifle. Una noche de invierno en que su madre le obligó a salir a la cuadra para comprobar si las vacas estaban bien, cómo Caitlin niña resbaló en la escarcha y se hizo un corte en una ceja, y cómo a su madre pareció no importarle su dolor. La ambulancia que vino a buscar a su padre, cuando Caitlin aún no había cumplido once años. Él nunca regresó del hospital, y su madre volvió a casarse al año, pues hace falta un hombre para llevar una granja. A partir de entonces, las cosas no pudieron ir peor. Las tensiones con su madre se agudizaron y su hermana mayor, el único apoyo con el que hubiera podido contar, anunció que se casaba con un gañán de manos rojas y cintura de barril cuyo único mérito aparente parecía ser la seguridad de que en un futuro sería capaz de llevar la granja, y se mostró mucho más interesada en ganarse el favor de la madre que en arreglarle los problemas a la pequeña.

Así que a los dieciocho años Caitlin se largó a Edimburgo. Después de pasar tres días durmiendo en la estación conoció a Barry, el Virgilio que la guió a través de los sucesivos círculos del infierno que bullían en los sótanos de la ciudad. Entre visita y visita a la ventanilla del subsidio de desempleo, Caitlin probó todas las drogas que cayeron en sus manos. Trapicheó con éxtasis, estafó a turistas, durmió en *squats* y en pisos de estudiantes y acabó trabajando en un *peep show*. De aquel trabajo obtuvo la seguridad de que nunca se acostaría con un hombre y el apodo con el que se la anunciaba a la entrada del garito y que aquella *Pussycat Girl** se había ganado por sus movimientos felinos: Cat. Gato. Aquello fue mucho antes de que yo la conociera, estable ya, con un domicilio fijo y un trabajo remunerado en el que la esperaban cada tarde.

Este apodo tan sugestivo y este pasado presuntamente borroso no dejaban de tener su gracia, porque, en realidad, Caitlin no era, al menos aparentemente, una mujer sexual. No exhibía su cuerpo, no llevaba nunca ropas que permitieran adivinar cómo eran sus músculos o sus curvas, no se maquillaba, no se arreglaba el pelo, no estaba tatuada, ni siquiera llevaba pendientes, y mucho menos *piercing*. En suma: nunca intentaba destacar ninguna parte de su anatomía. Su belleza —sus ojos, su piel, su pelo, su gracia— se imponía por sí sola, y su atractivo sexual no se limitaba a determinados órganos de su cuerpo, sino que era, más bien, como un aura que la rodeaba, una pulsación que la recorría. No hacía falta que destacase su cuerpo, que hiciera notar que participaba o que deseaba participar en coitos. Esa cualidad me enganchó inmediatamente.

Un dato gracioso que leí en un libro de texto: En la antigua Roma las bailarinas de Lesbos eran las preferidas para animar los banquetes, y muchas, por el solo hecho de proceder de la isla, se sentían autorizadas a cobrar una tarifa más alta que el resto de las mercenarias del amor profesional. Pero la fama erótica de las muchachas de Lesbos no se debía a sus habilidades acrobáticas,

* *Pussycat Girl* significa chica de *striptease*.

sino a otra especialidad: el sexo oral, que según los griegos había sido inventado en la isla. Una habilidad que las lesbianas se enseñaban las unas a las otras.

Cualquier mujer —u hombre— en su sano juicio se hubiera sentido más que feliz de contar a su lado con una compañera como Cat. No sólo por su belleza sino porque era encantadora, con una simpatía, derivada de la naturalidad y no del esfuerzo, que la hacía irresistible.

Cuando la conocí, trabajaba como *chef* en un café «de ambiente», una mezcla de pub, restaurante y punto de encuentro que se pretendía muy sofisticado y continental. Cat había conseguido que la contrataran después de aprenderse de memoria un manual de *nouvelle cuisine* francesa y haciendo valer más su belleza y sus contactos que sus habilidades gastronómicas. La clientela era mayoritariamente gay, y allí se comía escuchando música de Orbital, The Shamen, The Prodigy, The Orb... Conocía los nombres de los grupos porque Cat traía cintas a casa de cuando en cuando. Atmósferas inquietantes creadas por ordenador, ritmos que se adaptaban al latido del corazón. Ambientes hormonales, secuencias ciberchic. Los habituales se saludaban con saludos sonoros y ofrecían al aire besos exagerados para hacer honor a su sobrenombre de alegres, un ritual de los besos que me recordaba a Madrid, porque en Edimburgo, como en toda Gran Bretaña, la gente no se besa al saludarse; pero los parroquianos de aquel café habían adoptado la costumbre continental para dejar patente su sofisticación y su carácter de colectivo unido ante el exterior.

Al principio le hacía visitas al café. Me sentaba en un taburete y disfrutaba contemplando cómo correteaba de un lado a otro de la barra, con la sonrisa siempre puesta y la gracia felina con la que disimulaba las prisas. Pero con el tiempo dejé de ir, porque me aburría. No conseguía entender a aquella panda de mariquitas histéricas y repintadas que gorjeaban tonterías entre risitas de damisela. En aquel café se me hacían eternos los minutos, y no veía la hora de marcharme a casa a leer un libro y disfrutar de la soledad. Pero cuando le decía a Cat que no aguantaba el exceso de frivolidad del local, ella se enfadaba como si el comentario estuviese directamente dirigido a ella. La frivolidad no tiene nada de malo, me decía. Además, la frivolidad es una característtica esencial de la cultura gay; y es normal que lo sea, puesto que es la mejor forma de esconder el sufrimiento, o de sublimarlo. Me asombraba escuchar de sus labios tan encendida y apasionada defensa, puesto que ella no era nada frívola, aunque sí parecía haber sufrido mucho. No sé en qué se lo notaba. Quizá en aquella desesperada necesidad de gente a su alrededor, o en su incapacidad de quedarse a solas, como si en el fondo no se aguantara o se diera miedo a sí misma.

Me contó entonces, entre risas, que un grupo de jovencitas asiduas del local habían organizado un Club de Fans de Cat, y no me sorprendió en absoluto. A mí me gustaba tanto que me parecía que toda la ciudad debía acompañarme en esa euforia, compartir el sentimiento que Cat me inspiraba, y daba por hecho que todo el mundo habría de amarla como yo la amaba.

Al principio, era como si yo pudiera sentir en mí misma lo que le hacía a ella. Era una sensación desconocida y tremenda, a veces desgarradora: entendía perfectamente todas las necesidades de su cuerpo, me sentía sumergida en sus fluidos. Entonces, cuando sentí dentro de mí cómo ella también me quería, me asusté. Tuve miedo al advertir que, al contrario que Mónica en su día, Cat esperaba algo de mí. Y me aterré, porque no quería perderme a mí misma. Consideraba nuestra intimidad un tesoro, pero empecé a pensar que lo estaba pagando demasiado caro. Supongo que Cat me recordaba demasiado a mi madre, así que en seguida empecé a distanciarme e hice todo lo posible por no quererla, y a veces me pregunto si de verdad la quise mientras viví con ella. Pero recuerdo que la amé, o casi la amé, si esa palabra tiene algún significado, durante los primeros días, antes de encontrarme con aquellas fotos. Si Cat hubiese sido lista, habría aprovechado aquel momento. Debió explotar el instante primero en que me tuvo a su merced, debió haberme agarrado del corazón entonces, debió haber jugado las estrategias de seducción que suelen jugar los amantes, los celos, las inseguridades, los repliegues distantes sucedidos de sobredosis de sexo salvaje. Pero no lo hizo. No hubiese sabido. Ella era demasiado buena persona. Y me perdió.

He de hacer constar que en realidad, no planteamos nunca nuestra convivencia como una decisión trascendente, sino que surgió como una opción sensata, lo más razonable que convenía hacer dadas las circunstancias, puesto que el piso de Cat era suficientemente grande para alojar a dos personas y, como ya he dicho, a mí no me gustaba nada la residencia de estudiantes en la que vivía. Caitlin apareció como caída del cielo.

Me gustaba aquella chica dulce y amable que me encontró perdida, ávida de compañía. ¿Se me vino a la cabeza la palabra amor cuando trasladaba mis dos maletas? Por increíble que parezca, ni siquiera lo recuerdo. Ya se me había pasado la emoción de los primeros momentos, ya había edificado mi muralla de reserva, ya me sentía a salvo de la amenaza de la dependencia. Ella parecía encantada con la idea de tener garantizada mi presencia en su cama, pero tampoco aquella alegría significaba mucho si se tenía en cuenta que Cat había convivido con numerosos compañeros, amigos, amantes o relaciones sin especificar, y que, de hecho, en el momento en que conocí a Cat, la última inquilina, Shelli, acababa de dejar la casa para marcharse a emprender un viaje a Thailandia, una aventura en la que había invertido todas las propinas que había ahorrado trabajando de camarera durante un año, y en la que había depositado su última esperanza de encontrarse a sí misma, según me contó Cat con un deje irónico en la voz. Nunca me atreví a preguntar si la tal Shelli era o no su novia, y, en cualquier caso, mi estancia en la casa se revistió desde el principio de un aura de provisionalidad: la casa era de Cat, ella pagaba la hipoteca, y, además, yo no pertenecía a la ciudad. Había ido allí a estudiar. Y punto.

Cat necesitaba gente con la misma desesperación con la que otros requieren de alcohol, de drogas o de libros. No podía vivir sin el contacto humano. No sabía estar sola, y de hecho casi nunca lo estaba. Si estaba en casa, alguien debía estar cerca, fuese yo, por supuesto, o alguno de sus amigos. En el bar la rodeaba una horda de conocidos y admiradoras. Puesto que no practicaba ninguna actividad que requiriese de la soledad (no escribía, ni escuchaba música intentando descifrarla, ni estudiaba, ni conocía de ninguna tarea que precisase concentración o aislamiento), no la necesitaba. Es más, la temía. Si yo no estaba en casa, o si me encerraba en el cuarto a leer, como hacía tantas veces, se abalanzaba sobre el teléfono para llamar a alguien que se pasase a hacerle compañía. Odiaba quedarse sola. Repetía muchas veces que le daba miedo morir sola, y yo no podía comprenderla. ¿A qué venía semejante obsesión con la muerte? La muerte está casada con el género humano, y no existe el hombre que la haya engañado; hay que aceptarlo. Yo nunca la he temido. Es más, en muchos momentos la he deseado. La idea de la muerte se me aparecía como una promesa infinita de paz, una cálida nada donde ya no existirían las preocupaciones del día a día. Y tampoco tengo miedo a la soledad, que me parece, al igual que la muerte, un espacio acogedor.

—*Pensar en la muerte con tranquilidad sólo tiene valor si lo hacemos en solitario* —le intenté explicar una vez—. *La muerte en compañía no es la muerte, ni siquiera para los incrédulos, porque lo que más duele no es dejar la vida, sino abandonar lo que le da sentido.*

—No, no creo que sea eso lo que siento. Nunca lo he pensado así. Es algo más animal, menos elaborado: un terror básico, instintivo —respondió ella.

Por supuesto, ella no entendía lo que yo le decía. Ni siquiera sabía que yo estaba citando, que me había aprendido aquellas palabras de memoria, a los diecisiete años. ¿Qué iba a saber ella, que apenas leía? No, ella no me entendía, ni yo a ella. Quizá ella tenía razón y sus pies, bien pegados a la tierra, la conducían por territorios más seguros que los que yo conocía. Quizá yo no era sino una tonta pretenciosa condenada a tropezar y tropezar, una pedante que no podía comprenderla; y peor aún, creo que secreta, íntimamente, una parte de mí la despreciaba, aunque otra parte de mí la necesitara a su lado.

Cat atraía a la gente a su alrededor, como la luz atrae a las polillas; es decir: ejercía sobre la gente el mismo efecto que ejercía Mónica, pero por razones muy distintas. Cat despertaba afecto porque lo buscaba, porque estaba tan necesitada de compañía que sabía pagar bien por ella; y se mostraba siempre dispuesta a escuchar cualquier miseria ajena, a hacer lo que estuviera en su mano para aliviar la tristeza de un amigo o solucionarle un problema. La gente pensaba que Cat era buena. Mónica, sin embargo, no mostraba excesivo interés por nadie, pero poca gente sabía resistirse al influjo casi lunar que ejercía esa confianza en sí misma que transmitía: Mónica parecía capaz de triturar piedras con las manos de habérselo propuesto. Si a Cat se la amaba por razón de su bondad, a Mónica se la adoraba pese a su aparente maldad. Cat era pasiva y Mónica activa. Cat era mejor persona, en teoría. Mónica, mucho más interesante.

Nuestra casa estaba siempre llena de amigos y amigas, la mayoría de ellos gays, que venían a que Cat escuchara sus problemas. Ella irradiaba una serenidad especial que congregaba a la gente a su alrededor. Se convertía en su confidente, en su confesora, en su hermana. Jamás revelaba un solo secreto de los que le habían sido confiados, ni siquiera a mí, y eso la hacía merecedora de la gratitud y devoción incondicional de su panda de acólitos. Y digo *su* porque sus amigos siempre fueron sus amigos, no los míos, puesto que nunca llegué a intimar con ninguno de ellos. Me aceptaban en su círculo, es cierto, pero no creo que me hubiesen mirado jamás si yo no hubiese sido la pareja de Cat. Tengo la impresión de que de alguna manera se notaba mucho que no me sentía a gusto entre aquella congregación de petardas y marimachos que consumían comida macrobiótica y bebidas inteligentes, que llevaban el pelo rapado al uno y teñido con peróxido, que vestían camisetas de talla infantil y chaquetones de peluche y zapatillas de jugador de fútbol búlgaro, que se anillaban hasta la mortificación, que hacían exagerados esfuerzos por mostrarse originales y distintos cuando en realidad se parecían tanto los unos a los otros. Quizá se veían como un cuerpo de combate, la avanzadilla de lo chic y lo moderno, y por eso se empeñaban en lucir un uniforme.

Dos de ellos constituían el núcleo central de esta cofradía, el cuerpo de excelencia, la cabeza pensante del ejército. Eran los amigos más cercanos de Cat: Aylsa y Barry.

Aylsa era una muchacha pequeña y delgada, poco atractiva, de cráneo rapado sobre una frente amplia sobre la cual nada parecía haber sido escrito. Sus ojos azules resultaban prodigiosamente inexpresivos y apagados, un reguero de pecas surcaba su nariz respingona y su boca constituía una línea apenas dibujada que remataba aquella carita triste y anodina, un rostro que recordaba al portal del edificio donde yo había vivido en Madrid: largo, vacío y apenas iluminado, oscurecido por la sombra de tristeza que planeaba sobre él y que sugería desgracias y abandonos tempranos. Hablaba poco, y por lo general, en cualquier conversación no hacía sino subrayar las afirmaciones de Cat con un *um* o un *mmm* o cualquier otro monosílabo irrelevante mientras contemplaba a *mi* gata con la boca abierta de pura admiración. Se comportaba como si fuese un pedazo de arcilla que Cat hubiese moldeado con sus manos, y al que hubiera concedido después con su respiración el aliento de la vida; pero creo que a Cat le resultaba poco más que un insignificante mosquito que zumbaba a su alrededor. De vez en cuando, Aylsa pinchaba discos en algún club de ambiente —tenía bastante gusto, he de reconocerlo, y un excelente ojo para las novedades—, pero sospecho que la mayor parte de sus ingresos provenían del subsidio de desempleo. Creo que me detestaba y me temía a la vez. Si coincidíamos en algún sitio evitaba enfrentarse con mis ojos al saludarme y sonreía lastimeramente a sus zapatos, pero después solía pasarse la velada dirigiéndome de refilón miradas cautelosas y evasivas. A mí me parecía tan poca cosa que no me dignaba siquiera a sentir celos; pese a que yo supiera que estaba enamorada de Cat y que se había empeñado en conseguirla algún día.

Y luego estaba Barry, el proveedor. Proveedor de drogas para todos, proveedor de calma para Cat. Trabajaba de DJ en Negotians, un club de niños bien que estaba frente a la universidad, pero todos sabíamos que su principal fuente de ingresos se la proporcionaba el trapicheo.

Era un tío listo, poseedor de un sentido del humor muy escocés, sarcástico e incisivo. Indiscutiblemente atractivo, aunque quizá no se le notase mucho a primera vista, debido a su desaliño habitual. Era muy alto, tan alto que resultaba imposible no reparar en él. Su figura se erguía vertical e imponente sobre la marea humana de la pista de Negotians, y por las enormes espaldas le caía una descomunal masa encrespada de greñas rastas como alambres rojizos, a los que las luces del bar conferían reflejos tornasolados. Su boca fina y crispada dejaba entrever, cuando sonreía, dos pequeñas filas de dientecillos amarillos y puntiagudos, y en ella llevaba dibujada casi siempre una media sonrisa perezosa y fanfarrona, alumbrada por un desdén impersonal en la curva plácida de los labios. Sobre aquella sonrisita se erguía una naricilla chata y pecosa que separaba unos ojillos de ratón, pequeños y vivaces, brillantes en exceso, iluminados por fulgurantes chispas color esmeralda que hacían pensar en unos ojos simpáticos, o en unos ojos drogados. Sus facciones resultaban excesivamente angulosas debido a su extrema delgadez, que no conseguía ocultar ni siquiera con la superposición de camisetas y jerseys que acostumbraba a llevar. Esta delgadez excesiva, asociada a su altura exagerada, le concedía un aire deslavazado y levemente cojitranco, de forma que cuando andaba sus miembros parecían deslizarse de forma pendular, como si bailasen una extraña danza asincopada, adaptada a un ritmo propio que sólo Barry conocía.

Barry poseía el título de dentista, y eso le permitía hacerse legalmente con la novocaína que utilizaba para cortar la mierda de coca que pasaba. Yo desconfiaba de él como del fuego. Pero sus éxtasis, eso sí, eran excelentes. Lo mejor de Edimburgo. Barry no era tonto, ya lo he dicho. Tenía muchísimo cuidado con lo que hacía. Pasaba a poquísima gente, muy seleccionada; jamás a desconocidos. No tenía teléfono, y sólo se le podía contactar dejándole una nota en Negotians, el club en el que pinchaba y que le servía de tapadera para organizar sus trapicheos. Jamás se podía mencionar la palabra droga (o similares) delante de él, y mucho menos en las notas que se le dejasen en su lugar de trabajo. Si lo hacías, no te volvía a hablar más; en eso era tajante. Cat le solía dejar notas del tipo: Barry, ¿sabes dónde puedo encontrar discos antiguos de Harold Lewis? Una pregunta nada sorprendente, puesto que él era DJ. Entonces él nos llamaba y fijaba una cita. Una vez informado de lo que queríamos nos lo llevaba a casa al día siguiente. Te conseguía cualquier cosa, cualquier cosa que le pidieras, en veinticuatro horas, ya fuese equis, coca, costo o benzedrina. Lo que fuera. Era muy profesional. Eso sí, exigía pago al contado y nunca suministraba cantidades excesivas. No quería llevar encima nada con lo que le pudiesen empapelar de verdad.

Pero algo fallaba en su imagen de tipo duro. Intentaba parecer encantado de haberse conocido, pero su constante nerviosismo delataba una escasa autoestima: fumaba un cigarrillo tras otro, se atropellaba al hablar y nunca mantenía la vista fija más de cinco segundos en un punto determinado. Su mirada huidiza negaba la aplastante seguridad que le hubiese gustado transmitir.

Cat le adoraba, de una forma muy distinta de la que quería a

45

otros. Le admiraba profundamente; respetaba su criterio, sus ideas y sus actividades, y siempre se refería a él con una aprobación rayana en la reverencia. Barry cuidó de ella cuando llegó a la ciudad, le buscó su primer trabajo de camarera en Negotians, le presentó a la mayoría de los que acabaron siendo sus amigos. Yo sentía por Barry algo muy extraño. Le admiraba, le respetaba, le temía, le evitaba... Si hubiera existido un rival para mí, ése habría sido Barry. Pero yo contaba con una ventaja a mi favor: Que Cat no se acostaba con hombres. Ella era lesbiana, lo dejaba siempre claro. No era bisexual ni quería, en lo posible, contacto con mujeres bisexuales.

Eso es absurdo, le decía yo. No puedes ser tan drástica.

Me conozco ese tipo de gente, solía responder ella. Se aburren con sus novios, y les apetece probar cosas nuevas, pero en el fondo lo que quieren es un hombre, a ser posible un hombre que las mantenga. No se quitan de la cabeza lo que sus mamás les enseñaron, y, por absurdo que parezca, acaban mirando a las mujeres de la misma forma que nos miran los hombres: como juguetes sexuales. Pueden acostarse con ellas, pero no llegarán a amarlas.

Ella, decía, había sabido siempre, desde muy pequeña, que deseaba estar con una mujer. Nunca, nunca en la vida, habría dejado que un hombre la besara. A mí me resultaba un poco extraña esa compacta armadura de certeza sin fisuras, que no filtraba hacia el interior de Cat ni la sombra de una duda; una convicción más sorprendente, si cabe, en una mujer tan hermosa, que inevitablemente habría atraído a muchos hombres a su alrededor. No, me confirmaba ella cuando exponía mis reservas, nunca. Nunca he deseado a un hombre. Y no creas, no lo afirmo con orgullo. Al contrario, soy consciente de que se trata de una limitación; es más, cuando era más joven llegué a considerarlo como una especie de maleficio que alguien había conjurado sobre mí, porque tuve algún que otro pretendiente bastante forrado que me podía haber solucionado la vida y cuyos requerimientos no podía escuchar sin experimentar un íntimo estremecimiento de repulsión. Y cuando alguna de mis amantes me contaba que se había acostado con hombres me sentía sacudida en mi interior por una rabia furiosísima cuyo origen no podía determinar claramente, porque a veces no tenía muy claro si se trataba de celos o de envidia. Definitivamente, repetía, no me gusta acostarme con mujeres bisexuales.

Cat había tenido muchas amigas, muchas, y acababa salpicando cualquier conversación que mantuviera, respecto al tema que fuera —gastronomía, moda, jardinería, música tecno— con una referencia a alguna de ellas: *by the way, I once had a girlfriend that…* Una vez tuve una novia que era somelier, o modelo, o especialista en el cultivo de rosas, o camarera en un club acid de Londres. Ninguna de ellas tenía nombre, y, evocadas por la palabra de Cat, constituían meras referencias a un pasado borroso y errante del que yo nunca supe demasiado ni quise saber, a aquellos seis años transcurridos desde su llegada a Edimburgo hasta que se cruzó conmigo, una epopeya de drogas y amantes cuyo itinerario exacto sólo Cat conocía, o quizá ni siquiera Cat conocía.

Pero existía una presencia remanente de aquellos días que tenía nombre y apellido, e incluso entidad física: Katriona Mac Cabe, una rubia grandota de inmensos ojos azules y boquita de piñón, como una versión humana y femenina del pájaro Piolín, que presentaba un programa en la televisión escocesa, y que antaño fue amante de Cat, como ella misma se empeñaba en recordarme cada vez que la chica aparecía en la pantalla. Katriona Mac Cabe era espectacular y su imponente presencia catódica —aquellas piernas largas y lunares, aquella irreal sensación de poder que transmitía— me hacía sentirme, en comparación, tosca y sin pulir. Algunas veces, cuando no conseguía dormirme, las imaginaba a ambas, enlazadas, confundidas sus pieles blanquísimas, y creo que sentía lo mismo que le dolía a Cat por dentro cuando aquellas chicas le hablaban de sus novios: esa emoción universal, barata y sórdida, de los celos; y saberla un mal de muchos no me consolaba, porque quizá yo no soy tonta.

También Katriona era como Cat: no se acostaba con hombres. En fin, si Cat tenía tan claro el tipo de mujeres monocromas que buscaba, allá ella. No era yo quién para discutir sus ideas o para intentar averiguar las posibles causas de su resentimiento, pero, a pesar de que yo tampoco me había acostado con hombres —más por falta de experiencia que por una profunda convicción sobre mis preferencias—, demasiado a menudo experimentaba la sensación de haber caído en un sitio equivocado. Me hubiera apetecido, por ejemplo, descolgarme de vez en cuando por bares o clubes vulgares, en los que hinchas del Manchester abrazaran a camareritas teñidas de rubio champán, en los que el sida y los triángulos rosas no sobrevolaran todas las conversaciones, y a veces tenía la impresión de que vivíamos automarginadas en nuestro propio gueto, que habíamos renunciado, sin conocerlo, a un intercambio que quizá nos hubiera enriquecido. Nos movíamos en un universo limitado, en nuestra propia constelación de clubes de ambiente, y la gente a la que conocíamos, en general, tampoco había viajado a otras galaxias. Casi no nos relacionábamos con heterosexuales, a excepción, quizá, de Barry, cuyos gustos nunca estuvieron muy claros. Nuestros amigos y amigas hacían todo lo posible para hacerse fácilmente reconocibles: llevaban anillos en los pulgares, tatuajes en los antebrazos, pequeñas chapitas con triángulos rosas y collares con los colores del arco iris. La mayoría llevaba el pelo muy corto, sobre todo ellos, que además se lo teñían o lo rematában con un copete de Tintín. Todos los chicos tenían al menos un disco de Barbra Streisand; y las chicas, uno de K.D. Lang. Cualquier entendido hubiera identificado a cualquiera de ellos, a primera vista, como a un miembro de su minoría. Vivían de acuerdo a sus propias reglas; por ejemplo, cuando una pareja deseaba oficializar su relación lo normal era que se hicieran juntos unos análisis (para descartar la presencia del VIH) y después dejaran en el contestador un mensaje que incluyera sus dos nombres y una referencia clara a su convivencia. Entonces todo el mundo les consideraba un matrimonio.

Pero yo no desarrollé ningún tipo de intimidad con uno solo de los amigos de Cat. Mis problemas, mis dudas, mis inquietudes, me los guardaba para mí misma. Para aquel grupo variado que había hecho de nuestra casa su punto de encuentro yo no era sino La Novia De Cat, un elemento exótico y relativamente interesante. Guapa, lista y antipática. Sin comerlo ni beberlo, me había convertido en la mitad de una unidad, de una pareja; o así es como empezaba a vernos la gente: Caitlin y Bea. Yo encontraba aterradora esta noción y deseaba que una larguísima fila de puntos suspensivos se interpusiera entre nuestros nombres, que la gente dijera:

Caitlin .... y Bea.

Inevitablemente, y a no ser que se tenga una personalidad tan fuerte como la de Mónica, capaz de anular por completo a la de tu pareja, te acabarán definiendo por medio del otro. En cuanto te conviertes en la pareja de alguien, esa persona, y por extensión las demás, empezarán a pensar que siempre *tienes* que estar allí. Y yo quería definirme según mi deseo de estar allí, no según la imposición de estar.

Pero esa situación se decidió, creo que unilateralmente, desde el principio mismo de nuestra relación. Lo cierto es que, en cuanto Caitlin se metió en la cama conmigo, empezó a utilizar la palabra *nosotras*, y a mí me sonaba ridículo, porque no éramos «nosotras»: Cat era ella, y Bea era yo. Y yo no quería ser la mitad de una pareja.

El caso es que la comparaba continuamente con Mónica y en todas las comparaciones, era Cat la que salía perdiendo, aunque cualquiera argüiría, y con razón, que es fácil resultar desfavorecida cuando la rival es la imagen idealizada de una persona a la que ya no se puede ver, de quien resulta fácil, desde el recuerdo, destacar virtudes y eliminar defectos. Me parecía que Cat era demasiado dependiente, pero puede que me estuviera limitando a menospreciar su entrega. Echaba de menos el sentido del humor, la astucia y la rapidez verbal de Mónica. En comparación, Cat me parecía solemne y lánguida. Y débil. A veces, cuando ponía la vocecita de niña que le gustaba adoptar si se ponía mimosa, me entraban ganas de sacudirla. Llegó un punto en que ni siquiera la encontraba tan guapa. Sabía que lo era, porque la gente no dejaba de repetirlo, pero yo en seguida empecé a encontrarle defectos: me parecía tan delgada que me parecía que si algún día chocaba contra un muro, se llevaría el primer golpe en el hueso de la cadera. En otros momentos me acometía un terrible cargo de conciencia y me sentía culpable por no quererla de la manera en que ella se merecía, sobre todo teniendo en cuenta el grado de entrega y dedicación que me demostraba.

Yo no sabía qué quería hacer con mi vida, pero me apetecía hacer algo grande: viajar, conocer gente, escribir, qué sé yo. Los años que debería permanecer en Edimburgo los imaginaba como un sombrío paréntesis de inactividad, y solía pensar que la vida que llevaba no era sino un intermedio, un purgatorio obligado en el camino hacia algo maravilloso, definitivo e incluso convencional que acabaría por suceder. No me llenaba lo que hacíamos. Alquilar algún vídeo entre semana, recibir visitas de amigos y bailar trance los sábados en algún club de moda. ¿Eso era todo? Me parecía que no podía imaginar a Caitlin como la acompañante ideal para el resto de la travesía de mi vida, e, inevitablemente, acababa comparándola con Mónica. Porque hay grandes estrellas y pequeñas estrellas que coexisten en las mismas galaxias. En la Vía Láctea, por ejemplo, existe una tan grande que llenaría todo el espacio que abarca la órbita de la Tierra alrededor del Sol. Se llama Pistola y emite la energía de mil millones de soles, con erupciones cuyas nubes de gases alcanzan cuatro años luz. El problema de esta estrella mamut reside en su propia fuerza: sus fases eruptivas han creado una nebulosa de gas y polvo a su alrededor, que ha tornado irrespirable su atmósfera. Mónica, por supuesto, ha sido mi Pistola.

Cat, pensaba yo, habría sido un lastre; Mónica, en cambio, un motor. Porque Mónica inspiraba, proponía, actuaba, mientras que Caitlin se sentaba a ver la vida pasar y la vivía mediante experiencias vicarias: a través de los demás. Por eso, pensaba yo, se pasaba el día escuchando problemas y preocupaciones de otros, por eso se desvivía por saber lo que yo había hecho en la universidad, porque no tenía valor para vivir por sí misma, porque nos utilizaba a todos, y me utilizaba a mí, como una palanca para levantar el peso de su propia existencia. No sé si me equivocaba juzgándola, quizá tenía tanto miedo a repetir la relación con mi madre que confundía la generosidad de Cat con un grado de dependencia neurótica.

Yo no estaba enamorada, dirían algunos leyendo lo anterior. Es posible. No admiraba a Cat, no pensaba en ella a todas horas, no imaginaba un futuro compartido. Pero el caso es que he vivido a su lado durante tres años, así que cualquiera pensaría, y yo misma pienso, que debe haber algo que nos une; y lo hay. Existe una conexión química, un sentimiento de piel inevitable que me arrastra hacia Cat haciendo irrelevantes mis dudas o mis prejuicios. Porque de noche, junto a Cat, ya no importaba que fuera más o menos lista, más o menos fuerte. Ya no me importaba que no fuera Mónica.

Al fondo se escuchaba un murmullo de música, quizá una cinta que Aylsa nos había grabado, al que de cuando en cuando se añadía el crujido apagado de los muelles del colchón. A través de la ventana, desde la calle, nos llegaba un resto amarillento de luz de las farolas, que se dispersaba vagabundo por la habitación. Mares de sombra temblaban aquí y allá, en la oscuridad, y avanzaban hacia nosotras como olas inmensas en las que nos sumergíamos, ahogándonos en vacilantes dimensiones de abandono. El frío de la noche enardecía nuestros abrazos, los suspiros se estrellaban en el edredón, y ante mí se agrandaban aquellos ojos apenas perceptibles, la nariz que se frotaba con la mía. En medio del silencio nos susurrábamos promesas increíbles, niñerías absurdas, declaraciones tópicas de puro repetidas que reverberaban en múltiples vibraciones, y el tiempo se nos iba en hacer y deshacer la cama. La hice para ella alguna vez, tras descubrir un juego de sábanas que vete a saber tú de quién habría heredado, y le enseñé lo que era un embozo, algo desconocido en aquella tierra tan amiga de los edredones. Opinó que aquello era como un sobre, un sobre diseñado para guardar tesoros. Yo era un tesoro, supongo, desnuda y pura como un recién nacido, acogida en la frialdad y la blancura de las sábanas, en un útero de tela, y ella compartía conmigo aquel refugio, patinando hacia mí a través de la llanura de hielo resbaladizo que era la ropa de cama que yo había tendido y estirado. Deslizándose en mi búsqueda, chocaba en lo oscuro, de pronto, y yo sentía su piel en contacto con la mía. Brotaban chispas eléctricas. Ella susurraba arrastrando las palabras con su voz anaranjada y me contaba las cosas que iba a hacer conmigo. Me hacía reír y mis gorjeos rebotaban en la bóveda de lienzo que me cubría entera. Y entonces sentía cómo entraba en mí, un ataque luminoso que alumbraba las sábanas. Buscaba con mi lengua la huella de su lengua, hundida en mis salivas. La huella de su lengua que nuevamente en ella depositaba, entre sus ingles. Era como si yo tuviera una microcámara en las yemas de mis dedos, que me permitiera ver su interior. Avanzaba, la atravesaba, vadeaba lagos, sorteaba recodos, hasta llegar a una pequeña bolita brillante que se dilataba al contacto con la yema de mi dedo, y a continuación sentía cómo se expandía toda ella, cómo su túnel se ensanchaba y se contraía, aprisionando a mi dedo y a mí misma. Yo estaba en ella, y ella en mí. La amaba porque era distinta, porque no tenía nada que ver conmigo, porque no conseguía entenderla. Todo aquel envoltorio de pliegues y remetidos que había creado yo haciendo la cama, todo aquel aparato cartesiano se desmoronaba en cuestión de segundos y todo volvía al amasijo informe que había sido antes de que yo probase mis cualidades domésticas. Las mantas resbalaban perezosas, caían al suelo desde la cama, y un trozo de sábana permanecía enrollado entre sus piernas. Y yo no deseaba plantearme, como no me planteo ahora, las razones de aquella plenitud. Era feliz, pertenecía a aquella cama y a aquel espacio, como pertenecía a la dueña de aquella casa. Y, en aquellos momentos puntuales, no sabía por qué, ni lo necesitaba. Pero cada vez que hablaba, y me tocaba, y me rodeaba con sus brazos sólidos y presentes, sabía que estaba allí porque debía estar allí, porque aquél era el sitio, la cama, el espacio y el tiempo que me correspondían. Cuando no estaba allí seguía estando, cerraba los ojos y volvía a estar allí. Mi cuerpo, mi parte física, todo lo que en mí haya de irracional e incomprensible, todo lo que no se plantea razones ni futuros, ni compromisos, era suyo, a ella volvía en sueño y en vigilia, en un lugar intangible y supuestamente irreal, en un espacio y un tiempo no encuadrables en coordenadas; en mi cabeza, en lo más profundo de mi persona. Viajaba de mí a mí misma, hacia dentro, y la encontraba. Aquella parte de mí era suya, le pertenecía. Ella era un regalo entregado en un envoltorio de sábanas y mantas, así fue desenvuelta. Yo podía utilizarla o relegarla, aparcarla quizás en un cajón, olvidarla como olvidan los niños sus juguetes, y no por eso dejaba de ser mía, pues fue un regalo concebido especialmente para mí, y como suele suceder con los regalos, no podía devolverla. No en aquel momento.

Llevo ya cinco días en Madrid y tengo que reconocer que no he hecho gran cosa. He deshecho mis maletas, he puesto tres coladas, he colgado mi ropa en el tendedero y, ya seca, la he planchado y la he doblado y la he ido disponiendo —pantalones, camisetas, chaquetas y camisas— en las perchas que aleteaban como palomitas en mi armario vacío; y ahora mi ropa, suspendida floja en la oscuridad de la madera, construye sucesivos fantasmas de mí.

He escuchado interminables peroratas de mi madre sobre mi aspecto y sobre la necesidad de que compre faldas y me deje crecer el pelo, y sobre las revisiones médicas de mi padre, y sobre todas las hijas de todas sus amigas que se han casado felizmente. Recita nombres que no me dicen nada y que finjo reconocer por seguirle la corriente. Mientras ella sigue disertando sobre lo ideaaal que estaba menganita de cual el día de su boda, y sobre el traje de seda salvaje diseñado por Marilí Coll tan ideaaal que llevaba, yo intento abstraerme y no dejar que su cháchara me enrede, no ceder a la tentación de sentirme de nuevo feúcha y poca cosa, y fracasada, como me siento siempre que ella me habla de esas cosas filtrando a través de sus palabras el sentimiento de desencanto que sufre cuando me ve. Y he comprobado, no sé si decepcionada o aliviada, que la noto más feliz, que mi ausencia le ha sentado bien.

Pasan los días en Madrid y no me acostumbro. No me quedan amigos en Madrid. Ni uno solo. Nadie a quien llamar en una ciudad erizada de seis millones de personas. Doy largos paseos, leo, escribo a ratos. Poco más. La soledad no es mala, me repito. La soledad me ha concedido el regalo de aprender a tomar decisiones sobre cosas que me afectan, de aprender a analizar mis actos y a diseccionar las razones que los mueven con la aséptica precisión de un forense. En la oscuridad puedo colgar en las paredes de mi mente lienzos de colores, en la soledad puedo ver quién soy bajo la piel.

Bajo a comprar el pan y los periódicos, me acerco a verificar en el Instituto Británico los papeles y las diligencias necesarios para hacerme con una beca de doctorado, y me doy cuenta, en las aceras de asfalto a punto de derretirse, en el autobús vibrante de aire acondicionado, en las oficinas arrugadas de sudor, de que los hombres me miran y me sonríen de una forma especial. A ellos no parecen importarles, al contrario que a mi madre, ni mi pelo corto, ni mis botas ni mis pantalones.

Caitlin se preciaba de saber reconocer a una lesbiana en cuanto la veía. Me acuerdo de que una vez dictaminó que una presentadora de la MTV lo era, y yo me reí de ella, argumentando que, en primer lugar, resultaba completamente imposible que Cat pudiese determinar las preferencias de una persona sin conocerla en absoluto; y en segundo, que esa chica, tan maquillada, tan siliconada, tan repeinada, no tenía el menor aspecto de lesbiana. Pues bien, años después, cuando aquella mujer hizo públicas sus intimidades en medio de una campaña de *outing*, me tocó comerme mis palabras. Cat atribuía aquella especie de clarividencia a una especialización que había desarrollado durante años y que le permitía interpretar pequeños detalles de comunicación no verbal, invisibles para aquellos que no fueran buscándolos. Gestos inconscientes que delataban a los ojos de Cat las apetencias de cada persona. Observaba atentamente, recordaba con claridad; en silencio llevaba a cabo multitud de deducciones. Se fijaba en la diferente manera de mirar a hombres y mujeres, en el modo de colocar las piernas al sentarse, en las variaciones de expresión a medida que se avanzaba en una conversación. Una palabra casual o imprudente, una mirada de indiferencia o ansiedad; el embarazo, la vacilación, la vehemencia, la inquietud... Cada pequeño detalle aportaba a su percepción, aparentemente intuitiva, indicaciones acerca de los deseos de una persona. Caitlin era como un tahúr; y el juego de la seducción, una partida de cartas. A los pocos minutos de conocer a una persona Caitlin jugaba con cada uno de sus gestos como si fueran naipes, y los lanzaba al mundo con igual precisión y seguridad con los que una jugadora habría puesto sus cartas sobre la mesa si supiese exactamente qué mano de cartas llevaba cada uno de los demás jugadores que se sentaban con ella.

Durante mucho tiempo he pensado que una chica como yo, tan descuidada de su aspecto, estaba enviando al mundo un mensaje silencioso: machos, manteneos alejados. Pero todos estos hombres que me miran no parecen haberlo captado, y me digo que quizá yo no sea tan poco *femenina* como mi madre pretende. Es posible que haya que redefinir la acepción de semejante término.

Cada uno de los hombres que me mira y me sonríe oculta bajo sus pantalones un pene terso, un pecho plano, unos hombros compactos, un cuerpo *de hombre*, y podría tomarme entre sus brazos y clavarme las manos en la almohada. Esta áspera soledad me pesa de una forma casi física y a veces me pregunto qué sucedería si me dirigiera a alguno de esos chicos guapos del autobús y le dijera: aquí estoy, haz conmigo lo que quieras. ¿Hace eso una mujer? ¿O sólo lo hacen en los bares para chicas? Esos bares en los que pueden comportarse *como un hombre* y abordar directamente al objeto de su deseo; e incluso invitarle a una copa si les apetece, de la misma forma en que me abordó Cat la primera noche que me vio.

Escribo sobre un teclado, un ordenador portátil de segunda mano que compré en Edimburgo poco antes de regresar. Las veintitantas letras del abecedario se abrazan las unas a las otras para formar palabras; se ofrecen, cariñosas, el calor que a mí me falta. Todo lo que soy, lo que sólida o precariamente me define y me sostiene, regresa en el momento en el que escribo. Sólo sé ser sincera delante de un teclado. Echo tanto de menos la vida que tenía como en Edimburgo añoraba Madrid. Puede que sea mentira. Puede que sea memoria, religión o arte. Cuando cierro los ojos por la noche imagino los verdiazules ojos de Cat, capaces de inventar a cada instante una realidad. Una realidad bicolor como ellos, un espacio y un tiempo más dignos de mí. Esas pupilas traspasadas por la luz de los días y que irradiaban otra luz desde dentro. La realidad que escribo se remite a otro tiempo, otro paisaje, otros días; se aleja de este verano pegajoso y me conduce a través de horas en las que nos besábamos, recorriendo laberintos cercados por sus curvas, resonantes de ecos de su voz. Recorro sus pasillos y doblo sus esquinas, y llego al centro mismo escondido de su ausencia. Desciendo a las regiones más hondas y más negras, donde más infinito se haga mi haberme ido y más profundo sienta su haberse quedado. El suelo exhala un aroma dulzón.

Al otro lado del mar, en tierras verdes y húmedas, frescas de rocío y esmegma, Cat sigue esperándome, y en alguna parte de esta península bañada por el sol Mónica sigue viva, completamente olvidada, supongo, de los besos que me regaló hace tantos años. La inscripción de doctorado, en el caso de que decida volver a Edimburgo, puede esperar hasta septiembre, tengo tiempo para decidirme. Decidirme a quedarme y dejar atrás a Cat. Y Cat sería una etapa quemada, un rodaje, una preparación necesaria para una vida más plena que aún está por venir. Edimburgo no habría sido sino un refugio temporal, ajeno a mi verdadera naturaleza.

Durante estos cuatro años no he mantenido contacto alguno con Mónica. Y no porque yo no lo intentara. Fue ella la que se mantuvo apartada, quién sabe por qué. Pero lo cierto es que durante todo este tiempo ella no ha dejado de habitar mi recuerdo, ha estado alojada en mi cabeza como la obsesión que siempre fue. Y siempre pensé que al volver la buscaría, que intentaría como fuera volver a verla.

Al principio de llegar a Edimburgo la imagen de Mónica me perseguía, implacable, allá donde yo fuera. Todas las chicas de la calle se parecían, por milagro, a ella, y los rasgos de Mónica se superponían a aquellos rasgos desconocidos, convirtiendo en Mónica a cualquiera, a la cajera del supermercado, a la dependienta de Boots, a aquella chica morena que se sentó a mi lado en la biblioteca. No pretendía comprender todas las implicaciones de tal portentosa ubicuidad del objeto de mi amor. Sabía perfectamente que aquél era uno de los síntomas más claros del síndrome de la nostalgia. Pero no quería tenerla a mi lado a cada momento si había llegado allí exclusivamente para olvidarla, así que hacía ímprobos (e inútiles) esfuerzos por desterrar su imagen de mi imaginación.

Lo curioso es que fueron transcurriendo los días, las semanas y los meses y ella dejó de aparecerse a destiempo como una virgen milagrosa, y entonces fue cuando comencé a echarla de menos y a concentrarme en hacerla volver. Si veía a otra chica que me la recordaba, no intentaba ponerme a pensar rápidamente en cualquier otra cosa, sino que me esforzaba conscientemente por intensificar el parecido en mi imaginación. Evocaba sus rasgos con una mezcla agridulce de nostalgia y despecho y no podía evitar conmoverme cuando, por fin, conseguía tener ante mis ojos el perfil exacto de su rostro.

Pero cada vez se me hacía más y más difícil recordarla. Al fin y al cabo, había pasado dos años sin verla y sin tener noticias suyas. El espacio de mi cerebro había sido ocupado por otras preocupaciones más urgentes que acabaron por arrinconar la imagen de Mónica, perdida en un embrollado marasmo de recuerdos inútiles amontonados sin orden ni concierto en el fondo de mi cabeza.

A veces, cuando Caitlin se marchaba a trabajar, sola en casa de Cat, me concentraba en concederle a Mónica un espacio propio en el territorio de mi memoria. Me tumbaba en la cama, cerraba los ojos e intentaba vaciar mi mente, dejarla ajena a todo lo que no fuera su recuerdo. Pensaba en reunirme con ella de la única manera que sabía, en hacer el amor con ella de la única forma que podía. En la imaginación. Y trataba de recomponer su imagen. Intentaba primero definir los elementos (los ojos negros, los rizos rebeldes y atezados, la sonrisa que haría parpadear a una esfinge), para reagruparlos luego. Pero algo fallaba. La figura que surgía no era exactamente la suya. Lo que componía no era sino un esquerzo borroso de alguien que no era Mónica, que ni siquiera se le parecía. Me esforzaba todo lo que podía, pero acababa dándome por vencida al cabo de un rato. Aunque recordaba en abstracto sus rasgos esenciales, y podía describirlos con palabras, no podía *verlos*, no conseguía dibujarlos en mi cabeza. No encontraba dentro de mí el retrato perfecto que aparecía, que aún aparece de vez en cuando en mis sueños, el mismo retrato que me había perseguido cuando llegué a Edimburgo, el que yo evocaba con tanta facilidad hacía no tanto...

Y sin embargo, cualquier día, inesperadamente, o peor aún, cuando estaba pensando en algo que nada tenía que ver con ella, una sombra en la pared, una vaharada de perfume proveniente de alguna universitaria rubia y alicaída que se sentó a mi lado en el autobús, los acordes de algún disco que escuchamos juntas, la conjuraban; y Mónica se presentaba ante mis ojos, repentina y brutal como un disparo, perfecta, inmensamente Mónica, cuando no la había llamado. Su imagen se manifestaba frente a mí, tan visible como un holograma.

Perdí el poder sobre cómo y cuándo conjurarla.

Me hice entonces consciente del siniestro deslizarse de las horas, y de la fragilidad del deseo, ese endeble barquito amenazado de naufragio entre las olas del tiempo.

Lo primordial, me digo, es encontrar a Mónica. Marco su teléfono, el de su antigua casa y me responde un contestador automático. Pero no·es su voz la que me habla, ni la de su madre, ni la de su padrastro. Sospecho que se han mudado de casa, porque Charo siempre hablaba de trasladarse al campo. Intento el teléfono de Javier y no obtengo respuesta. Tampoco me extraña. Hace cuatro años vivía en un apartamento alquilado y me sorprendería que lo hubiese conservado tanto tiempo. Hace cuatro años que no sé nada de Mónica, ni siquiera estoy segura de si se casó con él. Quizá haya estudiado una carrera. ¿Matemáticas, Físicas, Astronomía?

Llamo entonces a la redacción de la revista que Charo dirigía, donde me informan que Charo Bonet ya no trabaja allí. Comienzo a desesperarme. Y entonces se me ocurre que, por necesidad, Charo estará trabajando en otra revista de moda. Ése es su oficio, su especialidad, lleva más de veinte años viajando a París dos veces al año. Sabe diferenciar a primera vista un modelo de Montana de uno de Prada y predecir con exactitud qué tipo de pantalones se llevarán dentro de dos años. Es una especialista en cortes y formas, y tonalidades y materiales, y tejidos y texturas. No sabría escribir sobre otra cosa. Sí, estará trabajando en una revista femenina. ¿Pero cuál?

Así que bajo al quiosco y me hago con el *Elle*, el *Vogue*, el *Marie Claire*, el *Dunia*, el *Telva* y el *Cosmopolitan*. No soy capaz de esperar hasta llegar a casa y rápidamente corro a sentarme en un banco para examinar uno por uno cada panfleto de papel satinado a fin de averiguar los nombres del personal de cada equipo de redacción. Y por fin la encuentro, Charo Bonet, subdirectora. El número de la redacción viene impreso poco después.

No, no la llamo inmediatamente. Antes de llamar a Charo tengo que hacer acopio de fuerzas, como un nadador cansado que preparara su regreso a la playa, sabedor de que por un descuido podría resultar arrastrado por la corriente. Yo no quiero que Charo me arrastre, que se me lleve por delante con su tonillo de superioridad, que finja no recordarme, que no se digne a ponerse al teléfono, que corte la comunicación con una de sus frases secas, que me haga recordar que nunca le he gustado, que jamás alcanzó a comprender por qué su hija había elegido por amiga a una chica tan apagada y con tan poco gusto, y cómo no intentó esconder el hecho de que me consideraba una pésima influencia; así que durante más de una hora ensayo mentalmente el tono suficiente con el que me dirigiré a ella, la seguridad que impostaré en todas mis frases, la tranquilidad con la que me enfrentaré a su voz.

Y finalmente, cruzo el pasillo y marco el número. Charo Bonet está reunida, no puede ponerse, me dicen. No importa, replico, volveré a llamar. Y eso hago a lo largo de todo el día: repetir la llamada cada media hora exacta con meticulosa precisión, respetando, eso sí, el intervalo en el que calculo que Charo abandonará la redacción para comer. Cada una de las veces insisto en que la chica que coge el teléfono apunte mi nombre. Y finalmente, a las ocho y media de la noche, cuando casi había abandonado toda esperanza, me pasan con la mismísima Charo Bonet.

—¡Bea...! No me lo puedo creer, qué sorpresa... —modula perfectamente el tono de su voz, sin permitirse estridencias, y suena exactamente igual a cualquier presentadora de cualquier informativo en la televisión—. Hacía años que no oíamos de ti.

Ojo al plural mayestático.

—Cuatro años, exactamente. Es que he estado cuatro años fuera, estudiando en Inglaterra.

—¿De verdad? ¿Tanto tiempo? Si anteayer, como quien dice, te pasabas el día en nuestra casa... Y qué interesante suena eso de Inglaterra. Por cierto, ¿qué es lo que has estudiado?

—Me he graduado en literatura inglesa contemporánea.

—Ideal. Esas cosas siempre es mejor estudiarlas en el extranjero, dónde va a parar... Supongo que a estas alturas hablarás perfectamente inglés.

—Me las apaño.

Si ha captado la ironía, finge muy bien no haberlo hecho. El tono de su voz no ha variado un ápice.

—¿Y tu madre? ¿Qué es de ella?

Mi madre, esa señora a la que usted no aguantaba y a la que ridiculizaba a la menor ocasión.

—Está muy bien, gracias. Los dos están bien.

—Fantástico. Cuánto me alegro. —Dudo de que se alegre lo más mínimo—. Y dime, Bea. ¿Llamas por algún motivo en particular?

Al grano, quiere decir. Es evidente que ya se ha cansado de la incómoda corrección del protocolo.

—Sí. En fin... Llamo para saber algo de Mónica. Me haría ilusión localizarla. Perdimos el contacto con la distancia, ya sabes, y, ahora que he vuelto, me gustaría saber cómo está.

Una pausa helada al otro lado, que se mantiene durante unos segundos que caen como bombas sobre el silencio de la línea.

—¿Charo? —pregunto al aire.

—Sí, sí... sigo aquí. Perdona... Y dime, Bea... ¿hace cuánto que no sabes de Mónica?

—Mucho, casi desde que me fui. O sea, cuatro años. La escribí alguna vez, pero no me respondió.

—Ya... Comprendo.

Percibo un trasfondo de angustia en su voz. Me temo lo peor. Algo grave le ha pasado a Mónica, me digo.

—Charo... Dime la verdad: ¿Ha pasado algo? ¿Está bien Mónica?

—Escúchame, Bea. ¿Te apetecería pasarte a verme mañana? La verdad es que estoy liadísima, tengo un follón enorme de trabajo, pero te puedo hacer un hueco. ¿Podrías pasarte por aquí a tomar un café? Digamos, a las diez... si te viene bien, claro.

—¿A las diez? Sí. Sí, por supuesto. Pero no me has contestado. ¿Está bien Mónica?

Un largo suspiro al otro lado de la línea.

—¿Bien? Te diré... Pues sí, supongo que está bien. Aunque depende de lo que entiendas por bien.

La voz se le ha quebrado en la última frase.

—¿Qué quieres decir? ¿Le ha pasado algo?

—Mira, lo mejor es que te pases a verme y ya hablamos, ¿vale? Mañana a las diez.

Me persono en la revista a las diez menos cinco. La recepcionista me ruega que espere y entretengo los minutos hojeando algunos ejemplares atrasados de la revista que coordina Charo; así me entero, embotándome la cabeza de intrascendencias de papel couché, de que esta temporada seguirán en la brecha los cortes y las formas asimétricas y el blanco se convertirá en uno de los colores líderes, como contrapunto del negro, el gris y el marrón. Al cabo de un rato se presenta ante mí una jovencita de cabello cortado a lo paje y andares sinuosos, sospechosamente parecida a las chicas que me miran desde las fotos, y me pregunta si he venido a visitar a Charo Bonet. Advierto que la chica me examina de arriba abajo con ojos escrutadores y no consigo decidir si es que le he gustado, si la he sorprendido o si me desaprueba, y eso que, intentando ganarme la confianza de Charo, me he vestido para la ocasión con un conjunto gris básico y sereno que reservo para ocasiones muy especiales, e incluso me he maquillado los ojos para suavizar el efecto estridente de mi pelo rapado al uno, aunque me da la impresión que mis cortísimos cabellos no serán interpretados en este ambiente como una provocación, sino más bien como un detalle modernísimo y ultrachic. Cuando asiento, la chica me ruega cortésmente que la siga y me conduce hasta el despacho de Charo, en el que hago una entrada más deslucida de lo que habría deseado, con pasos cortos y tímidos.

Charo emerge de detrás de su mesa para ir a cerrar la puerta y yo me siento en una silla giratoria. Ella viste un traje sastre color chocolate de corte muy masculino cuya austeridad endulza una corbata rosa pálido anudada, para mayor informalidad, sobre un cuello abierto. Avanza hasta colocarse frente a mí, se sienta en su sillón giratorio, tapizado de azul, y me pregunta si quiero tomar algo, un café quizás. Asiento. Nos separa una mesa atiborrada de papeles. Charo descuelga el teléfono y pide que nos traigan dos cafés.

No ha cambiado mucho. Sigue llevando el pelo corto, pero ahora se peina de otra manera. Ha adoptado un *look* artísticamente desordenado, estilo golfillo, como si le hubieran cortado los cabellos con tijeras de pescado, que creo que ha puesto de moda una actriz norteamericana.

Charo no se distrae en divagaciones de cortesía y va directamente al grano.

—Bea, corazón, me vas a perdonar la impertinencia, y me vas a decir que me meto en tu vida... Pero dime: ¿Es cierto que no has visto a Mónica en cuatro años?

—Pues... creo que ya te lo dije por teléfono. No, no la he visto, porque he estado todo este tiempo fuera de España.

Agarra una cajetilla de cigarrillos desnicotinizados y me la tiende. Rehúso con la cabeza. Ella enciende un cigarrillo con un Dupont de oro y manos ligeramente temblorosas. Por supuesto, está impecablemente maquillada y su rostro mantiene un aire intemporal de replicante transgénico. No exhibe una sola arruga, pero en su piel tirante tampoco queda rastro de la tersura o la lozanía de esa juventud que le gustaría aparentar.

—Es que... Qué curioso, fíjate... ¿no resulta raro que no hayas vuelto a Madrid ni una sola vez en cuatro años, por vacaciones, o por Navidad, o a ver a tus padres...?

—Bueno... Mis padres han viajado a Londres alguna vez y les he visto allí, además de que no nos llevábamos muy bien, como sabes. Sí, supongo que resulta raro, ahora que lo dices, pero el caso es que estando allí no me planteé nunca volver. La universidad allí es muy dura, ya sabes... Exige mucha dedicación —miento— y, bueno, supongo que me he recluido mucho.

Pero me atrevería a afirmar que, si este rostro reconstruido es capaz de transmitir emociones todavía, puedo advertir un ligero aire melancólico, casi imperceptible, que no tenía hace cuatro años, y una preocupación delatada por unas minúsculas arruguitas que se le disparan en las comisuras de los labios cuando habla, y que la cirugía no ha conseguido eliminar.

—O sea... Eso quiere decir, si yo no me equivoco —dice ella—, que no has sabido nada, lo que se dice nada de nada de Mónica en todo este tiempo.

—No —confirmo, exasperada.

—¿Y a qué viene —si se puede preguntar, claro— este interés por encontrarla ahora?

—Pues no creo que sea tan extraño, Charo. Fuimos amigas desde el colegio, tú lo sabes. Lo que sí resulta un poco raro es todo el misterio que estás organizando en torno a Mónica.

Charo tamborilea nerviosamente con los dedos sobre la mesa. Las uñas están impecablemente limadas y esmaltadas de un color coral, a juego con los labios.

—Sí, mujer, comprendo que te resulte extraño. Pero tienes que entender que soy la madre de Mónica y que me preocupo por ella. Está atravesando momentos muy difíciles, ¿sabes?, y debemos ser ex-tre-ma-da-men-te cuidadosos a la hora de vigilar las compañías con las que se relaciona.

Me ha venido a decir, en dos palabras, que no me considera compañía recomendable. La ansiedad me lleva a pasar por alto la insolencia. Me muerdo la lengua y procuro no replicar en el mismo tono para no dar pie a una batalla verbal.

—¿Qué le ha pasado? —pregunto, aunque lo imagino perfectamente, y sé con qué tiene que ver.

Charo apoya los codos sobre la mesa y reclina la cabeza entre las manos como una estatua orante; luego se frota las sienes en un gesto de infinito cansancio.

—No sé ni por dónde empezar, Bea... Tú no sabes el calvario que me ha tocado aguantar estos dos años. Lo lees constantemente en los periódicos, pero nunca se te ocurre que te pueda pasar a ti...

Su tono de voz se ha hecho mucho más pausado, y habla con una voz terrosa que se desliza entre susurros, como si le costase un esfuerzo épico articular cada palabra. Poco a poco va devanando un discurso de monótona musicalidad, y las palabras van cayendo como fardos sobre su mesa. Todo el discurso es perfectamente predecible.

—Todo iba tan bien... Estaba estudiando físicas, ya te acuerdas de aquello que solía decir de que quería ser astrónoma... y parecía tomarse bastante en serio la carrera... y además salía con un chico monísimo y encantador...

—Javier —adivino.

—Ese mismo, Javier —confirma—. Un encanto de niño. Hacían una pareja ideal y supongo que había un montón de señales que no supe identificar, no sé... que adelgazó muchísimo de repente, que siempre parecía ir corta de dinero, a pesar de que yo le pasaba bastante y de que yendo con Javier no podía tener muchos gastos... Y luego empezaron a faltar cosas en casa, pequeños objetos de valor, ceniceros de plata, joyas, qué sé yo... fruslerías. Y de repente, de la noche a la mañana, la cosa se precipitó. Una madrugada, me despierta el teléfono y me pega un susto de muerte. Pensé que se trataría de uno de esos chalados que llaman para que escuches cómo se masturban, porque desde que salgo en televisión, hija, tengo dos o tres perturbados pesadísimos a los que les ha dado por enviarme cartas obscenas a la redacción...

—Vaya, lo siento... No sabía lo de la tele...

—Pero no, no se trataba de eso, sino de algo muchísimo peor. Me llamaban para decirme que la niña estaba ingresada en el Primero de Octubre. Una sobredosis. Y me entero, así, de golpe, de que es heroinómana. Y luego, los dos últimos años, todo lo que puedas imaginar: roba, miente, desaparece meses enteros... En casa ha organizado numeritos de todo tipo. Un horror, hija, qué te voy a contar... Una vez, en una crisis histérica, amenazó con un cuchillo a Manuel...

Vuelve a dar una calada nerviosa a su cigarrillo. El humo enturbia el aire tenue. Debía haber imaginado desde ayer lo que Charo iba a contarme, y reparo en que los cafés ya se habrán enfriado sin que los hayamos probado siquiera. Cómo fui tan idiota... Creer que lo inevitable no acabaría por suceder. Por muy Mónica que fuera no contaba con un Ángel de la Guarda especialmente encomendado para su custodia.

—Fatal... Imagínate la situación, y para colmo con dos niños pequeños en casa... Ahora está ingresada en una clínica de desintoxicación. Puede recibir visitas, y, entre tú y yo, creo que le vendría bien. Los doctores insisten mucho en que debe cortar con su antiguo ambiente. Qué quieres que te diga, Bea, al principio albergaba ciertos recelos cuando llamaste, si te digo la verdad. Pero está claro que tú has permanecido al margen de todo este asunto. No sé... quizá a Mónica le convenga verte. Sé que se siente muy sola. Pero, tú ya me entiendes, necesitaba hablar contigo antes de decidirme a contarte todo esto para comprobar...

—Que, efectivamente, yo estoy al margen del asunto —remato—. Que no estoy enganchada como ella. No, no lo estoy.

—Eso mismo. No creas, ya podía suponer que no tenías nada que ver con el tema porque sé que no os habéis visto en todo este tiempo. Tú dejaste de llamar, ella ni te mencionaba, ya sabes... Si te soy sincera, me sorprendió mucho saber de ti, así, tan de pronto.

—Lo entiendo. Si me dices dónde está ingresada, quizá pueda ir a verla.

—Sí, claro, mujer. —Garrapatea sobre un papel una dirección, luego lo dobla cuidadosamente y me lo pasa—. Debes llamarles antes. Hay que concertar las visitas.

—Gracias.

—Ahora, me vas a perdonar, no me queda más remedio que pedirte que te marches. Hoy tenemos muchas cosas que hacer. Me encanta haberte visto, de verdad.

Nos levantamos a la vez. Ella me tiende la mano que yo estrecho en un gesto típicamente sajón. A ninguna de las dos nos gustan las muestras de afecto y no seríamos tan hipócritas como para besarnos.

—Por cierto, que no te he dicho lo guapa que estás. Te queda ideal el pelo corto. Y oye, cielo, por favor, que si vas a verla, que me llames. Me tendrás informada... ¿verdad que sí?

Tiene la consideración de dedicarme —por primera vez en nuestra entrevista— una de sus inmensas sonrisas equinas, blanqueada por obra y gracia del láser.

—Descuida. Lo haré. Muchas gracias, Charo.

Ese papel que acababa de pasarme es el documento que certifica una tregua. Durante muchos años no nos soportábamos la una a la otra. Para ella yo era la amiga medio loca de su no menos loca hija. Para mí, ella era la insoportable madre de mi mejor amiga. Pero ahora yo he crecido y advierto que ella ya no puede tratarme como a una niña; y, en cuanto a mí, es la primera vez

que he intuido un fondo humano bajo su máscara de silicona y
maquillaje caro. No he visto a Mónica desde hace cuatro años.
Desde aquella semana que lo desencadenó todo. En el recuerdo,
cada minuto de esos diez días permanece grabado al fuego. Diez
días que revivo con la intensidad de las pesadillas.

3. EN EL LUGAR DEL MIEDO

Allí donde comienza el deseo, en el lugar del miedo, donde nada tiene nombre y nada es, sino parece.

CRISTINA PERI ROSSI. *Desastres íntimos*

Cualquiera que la hubiese visto entrar en el portal aquella mañana, con su trajecito rosa chicle y las gafas de montura de concha, apretando contra el pecho, con un brazo, su carpeta forrada de fotos de bebés, la bolsa de la compra colgada del otro, habría pensado: ahí va una buena chica. Habría imaginado que era virgen, o quizá que había hecho el amor alguna vez, con su novio, novio formal, eso sí, con ese novio con el que debía de llevar más de un año saliendo y que le habría regalado un anillo y le habría enviado una tarjeta por San Valentín. Habría juzgado verosímil la hipótesis de que una tarde en que sus padres se fueron al chalet de la sierra ella perdió su virginidad en su propio dormitorio, todo hecho con mucho amor y mucho mimo, sin perversiones ni posturas raras, acariciándose y besándose mucho, tanto antes como después.

Y eso pensarían los dos vecinos que la vieron entrar y que la saludaron como hacían todos los días, cuando ellos salían a pasear a la caniche y ella volvía de la academia. Todas las mañanas, a la misma hora, se intercambiaban los buenos días de rigor con la mejor de sus sonrisas. Las de ellos eran postizas, perfecta la de ella: sonrisa adolescente formada por una hilera simétrica de blanquísimos dientes que revelaban una cobertura médico-dental de seguro privado y una educación de colegio de pago, donde le habían enseñado a cepillarse los dientes tres veces al día, durante cinco minutos y después de cada comida. La vecina preguntaría por sus padres y hermanos. Hacía tiempo que no los veía: ¿Estaban en Madrid? Y ella explicaría, como venía explicando desde el principio del verano a todos los vecinos que preguntaban, que estaban en Mallorca, de vacaciones, pero que ella se había tenido que quedar en Madrid a preparar los exámenes de septiembre, porque había suspendido dos asignaturas y en Mallorca se pasaría el día en la playa o en el barco, seguro, y no estudiaría nada.

—Pobrecita... —la compadecería la vecina—, ¡qué mal lo debes de pasar aquí sola! ¡...y con este calor!

—A todo se acostumbra una —contestaría ella, sonriente como siempre.

Y cuando hubiera desaparecido dentro del ascensor la señora le diría en voz baja a su marido:

—Qué chica tan maja, ¿verdad? Ya quedan pocas así.

Y desaparecería por la avenida colgada del brazo de su marido, con su caniche, su traje de chaqueta, sus cadenas de oro y sus varices.

Porque eso era exactamente lo que pensaban todos sus vecinos: que era una chica maja. Y guapa, además. Y no se lo tenía nada creído, no. Mónica Ruiz Bonet era una chica taaan responsable... Mónica Ruiz Bonet acompañaba por la mañana a sus hermanitos al colegio. Mónica, siempre sonriente, tan natural, tan agradable; Mónica Ruiz Bonet no se olvidaba nunca de saludar cuando se la encontraban en la escalera o en el portal. No como otros y otras, como la niña del cuarto, por ejemplo, que se limitaba a soltar un gruñido, y, a veces, ni eso.

A ninguno de sus vecinos les resultaba raro que las cortinas de su casa estuviesen permanentemente corridas; seguro que es por el calor, para mantener la casa fresquita. Aunque si se hubiese tratado de cualquier otra —de la niña del cuarto, por ejemplo, que ahora, gracias a Dios, estaba de vacaciones—, se hubiesen desatado todo tipo de especulaciones. Pero ninguno albergaba la menor duda de lo que había dentro de la casa. Un salón impoluto, monísimo puesto, porque ya sabes que la madre tiene muchísimo gusto, y la niña, te diré, a poco que haya salido a la madre, seguro que lo tiene hecho una patena. Estuvimos allí en la última reunión de vecinos, y claro está que no vimos toda la casa, que tampoco era cuestión de meternos en las habitaciones, pero la cocina, los baños y el salón, estaban ideales, lo que yo te diga. En fin, no tienes más que ver cómo va puesta la madre, y cómo lleva a los niños, que van como para comérselos, de monos que los viste...

Pero el salón no estaba, aquellos días, hecho ninguna patena. Había revistas y cómics desperdigados por todas partes: *El Víbora*, el *Rock de Lux*, el *Espiral*, el *Hustler*, el *Fantastic*, el *2.000 Maníacos*, el *Ruta 66*... todas las revistas que el Coco devoraba mientras ella no estaba en casa. Cajas de Telepizza, con restos adheridos de pasta reseca y de queso de plástico, sobre la mesa de Ricardo Chiara. Calzoncillos y bragas y unos vaqueros raídos tirados encima del kilim armenio. Varias camisetas colgando del brazo del sillón Roche Bobois. Latas de cerveza y de Coca-cola vacías, envoltorios de celofán con desperdicios de Foskitos, trozos de papel Albal que habían servido en su momento para hacerse chinos, bolsas de plástico del Sevenileven, todo tirado según hubiera caído.

—Joder, qué asco. Esto está hecho unos zorros —decía ella veinte veces al día—. Huele y todo.

—Pues abre las ventanas y ventílalo. Tú misma —le respondía el Coco desde el sillón—. Pero claro, con ese empeño que tienes de vivir como si esto fuera una mazmorra, no podemos ni abrir las ventanas.

Mientras Coco hablaba iba asesinando gusanitos siderales a ritmo de veinte o treinta por minuto. A Coco le bastaba con apretar un botón en el mando a distancia del CDI para que las naves alienígenas se desintegraran envueltas en una nube violeta, mientras una voz metálica repetía una y otra vez, sin excesivo entusiasmo, *Fire*, *Fire*, *Fire*, para hacerle saber la cantidad de gusanitos que se iba apuntando.

—Y tú —solía decir ella— a ver cuándo dejas de jugar con la puta maquinita, que pareces un crío de cinco años, todo el día rayao con los marcianitos.

—Mira tía, este cacharro es una pasada. Tus hermanos no saben la suerte que tienen, con tus viejos gastándose la pasta en juguetitos de éstos. —Coco hablaba sin dejar de mirar a la pantalla del televisor—. A mí, mi vieja, cuando era nano, no me compró ni un puto juego de agua. Además, que los marcianitos estos me relajan. Y como no he conseguido dormirme... no sé, tía, debe de ser por el pasón de coca que nos dimos ayer.

Y entonces a ella le daba uno de esos arranques de hiperactividad doméstica que le entraban de cuando en cuando, y que probablemente tenían que ver con las rayas de coca que se metía para poder ir despejada a la academia después de una noche de marcha, y se ponía a recoger frenética los envoltorios de Foskitos, los cartones de Telepizza, las latas vacías y los papeles de los chinos, y a meterlos en una bolsa del Sevenileven.

Una mañana exacta a tantas otras mañanas en la que ella estaría recogiendo la casa, como tantas otras mañanas, y él exterminando gusanitos cósmicos, para variar, el timbre de la puerta empezó a sonar insistentemente.

—¿Pero quién coño llama de esa manera? —imagino que vociferó ella. Era lo que decía, invariablemente, cuando yo llamaba. Casi siete años de amistad no habían servido para acostumbrarle a mi manera de aporrear los timbres.

En un salto se plantaría sobre la moqueta, se pondría encima una de las camisetas y saldría disparada a abrir. Vivía en un estado permanente de alerta, y cualquier llamada inesperada la ponía fuera de sí.

Noté cómo descorría la mirilla y agité la mano a modo de saludo.

—No te preocupes, es Bea —escuché que le gritaba a Coco.

—¿Qué hace aquí a estas horas y organizando semejante escándalo? —le contestó él desde el sillón.

Ella abrió la puerta y entré yo, temblorosa y hecha un trapo. Me abracé a Mónica entre sollozos que acabaron desembocando en una serie entrecortada de hipidos convulsivos. Mónica me besó las sienes y se dedicó a acariciarme el pelo, con la indolencia cansina que revelaba que ya estaba acostumbrada a ese tipo de escenitas, hasta que los hipidos se fueron espaciando y al cabo de unos minutos yo apenas sí emitía un gemidito débil y casi inaudible. Entonces me rodeó el hombro con un brazo, y me llevó hacia el sillón; y, ya sentada, fue cuando yo fingí reparar por primera vez en la presencia de Coco en la casa.

—¿Y éste qué hace aquí? —pregunté con un hilillo de voz.

—«Éste» se llama Coco, te recuerdo —dijo él.

—Ya ves —intervino la otra—, una transacción como otra cualquiera. Yo le doy cobijo y él me da drogas.

—Mónica, hija, cada vez que vengo a esta casa me encuentro

un tío apoltronado en el sillón, y cada vez se trata de un tío diferente —dije con toda mi mala leche.

A Coco no le quedó muy claro si aquello era o no una bromita privada. Mónica le hizo un gesto con la cabeza, señalando hacia el pasillo, para hacerle saber que prefería que nos dejara solas, y acto seguido Coco se levantó del sillón con desgana y abandonó el salón.

No hacía falta que le explicara nada. Mónica llevaba años presenciando mis ataques, desde aquella primera vez en que me encontró en el cuarto de baño del colegio, intentando cortarme las venas con una cuchilla de afeitar, sin emitir ningún sonido ni mover un solo músculo de la cara, pero con las lágrimas resbalando cuesta abajo por mis pómulos. Las gotas de sangre que caían habían formado una mancha roja que destacaba sobre los azulejos blancos. Yo no sabía entonces (y lo escribo como advertencia para aquellos que se estén planteando la idea del suicidio) que la única manera efectiva de cortarse las venas consiste en practicar un corte vertical y profundo en la muñeca; así que yo, como una idiota, me había hecho un haz de rasguños horizontales que me dejarían una cicatriz prácticamente invisible. Un espectáculo aparatoso, eso sí, pero inútil. Todas las demás niñas estaban en el patio dando clases de gimnasia, y lo normal hubiera sido salir corriendo a avisar a la profesora, llevarme al botiquín para evitar que la herida se infectase, preguntarme que a santo de qué se me había ocurrido una barbaridad semejante. Pero, en lugar de eso, se quedó allí plantada, de pie, en medio de aquel cuarto de baño enorme que olía a desinfectante, quizá hechizada por lo impresionante del espectáculo, o tal vez intimidada por lo que ella consideraba valentía. Debimos de permanecer así, inmóviles las dos, durante varios minutos, hasta que Mónica sugirió tímidamente que lo mejor que podíamos hacer era limpiar la sangre y marcharnos de allí.

—Es que no puedo soportarla más, te lo juro —estaba diciendo yo, sentada en el sofá Roche Bobois y con la cabeza reclinada sobre el hombro de Mónica. Ya había dejado de hipar y me sentía un poco más calmada—. Esa mujer va a acabar con mi salud mental. Desde que se acabaron las clases le molesta el mero hecho de tenerme por casa. Lleva tres días gritando a todas horas, quejándose por todo. Porque no me levanto pronto, porque no ayudo en casa, porque me voy a la piscina... Y esta mañana se ha puesto a berrear porque no le gustaba cómo había hecho la cama, que si había dejado arruguitas, que si nosequé, y de pronto se me ha subido la sangre a la cabeza y la he montado. He empezado a estampar cosas contra la pared, todo lo que he pillado en el salón. Ya sabes cómo soy: aguanto tres días o así, pero al tercero me ciego y entonces la monto, pero la monto de verdad. Me quiero morir, en serio. Ni aguanto esta vida, ni la aguanto a ella, ni me aguanto a mí misma.

Por supuesto que ella sabía cómo era yo. Todo el mundo en el colegio me consideraba un poco rarita. Muy mona, eso sí, opinaban las madres, pero no el tipo de chica que una preferiría para amiga íntima de su hija, no sé si me entiendes. Por lo visto anda de psicólogos y todo. Pero a Mónica le hacía gracia, precisamente, mi determinación heroica de luchar contra viento y marea a fuerza de cólera y arrebatos, esa sorprendente capacidad que tenía la dulce y tímida Bea de convertirse en la gorgona más temible cuando nadie lo esperaba, el caudal contenido de rabia que llevaba dentro de mí, capaz de provocar todo tipo de inundaciones cuando se desbordaba. Durante años la familia de Mónica, y la propia Mónica, habían actuado de árbitros para dirimir los inacabables conflictos en mi casa. Y es que la madre de Bea, todo hay que reconocerlo, decía la madre de Mónica, es para darle de comer aparte. No es de extrañar que con semejante madre la niña haya salido como ha salido. Bastante bien está. Cuando mi madre llamaba a Charo todos en casa de Mónica se ponían a temblar. Mi madre era capaz de tirarse horas, literalmente, horas, colgada del auricular, rebosante de autocompasión y aburrimiento. Lo que esa señora necesita de verdad, decía Charo, es algo que hacer. Si en vez de pasarse el día en casa mano sobre mano se ocupase en algo productivo, estoy segura de que sería el fin de todos sus problemas.

—No te preocupes —me dijo Mónica secándome las lágrimas—. Lo que tu madre necesita, de verdad, es un buen polvo. Me juego cualquier cosa a que no ha echado uno desde que te concibió.

—Desde luego, si es por mi padre, no creo. Y no veo a mi madre capaz de ir a hacérselo con otro.

—Así está de grillada. Anda, no le des más vueltas. Lo mejor que puedes hacer, de momento, es quedarte aquí. Mañana ya llamaremos a tu madre y veremos qué hacemos. Y ahora, por favor, anima esa cara de una puta vez. Yo voy a recoger un poco esta pocilga.

Se me ocurrió que debía levantarme del sillón y ayudar a Mónica a recoger la casa, pero me quedé allí, clavada sobre el sillón de Roche Bobois, sintiéndome cada segundo un poco más pequeña.

La Iguana debió de abrirse a principios de los ochenta y daba toda la impresión de que nadie había movido un cenicero de su sitio desde entonces. Pósters descoloridos, de cuando Iggy Pop, Bowie y los Stones todavía tenían un pasar, colgaban de las paredes. Los cojines de los taburetes estaban desgarrados en su mayoría, y se podía ver la espuma del relleno, negra de puro sucia. No podía decirse que La Iguana fuese el bar más *cool* del barrio, pero contaba con su grupo de parroquianos asiduos. Era el típico bar en el que la peña quedaba para reunirse a principio de la noche, y tomarse unas cuantas birritas con tranquilidad, sin el agobio de gente y la saturación de decibelios que habría, de cajón, en los bares que estaban más de moda; y para, de paso, pillar el par de gramitos necesario para enfrentarse a la marcha que vendría después. Normalmente sobre las dos apenas quedaban cuatro gatos en La Iguana, justo a la hora en que los otros bares se llenaban de gente y la entrada empezaba a ponerse difícil.

Aquella noche, a las dos y media, quedaban exactamente cuatro gatos: Mónica, Coco, Pepe (el camarero) y yo. Entre los cuatro no sumábamos cien años.

—Joder, esto está más muerto que una iglesia. Si queréis os invito a la última y luego chapo —propuso Pepe con toda la naturalidad con la que un camarero se dirige a sus habituales.

—Vale, nos pones tres cervezas —dijo Coco—. ¿A vosotras os parece bien?

—Nos parece bien —respondió Mónica con la boca llena de Conguitos de chocolate, e inmediatamente volvió a la conversación que mantenía conmigo—. Es muy importante —me estaba explicando— que los vecinos no se den cuenta de que estás en casa, porque a mi vieja, si se entera de que voy por ahí asilando a la peña, le da un soponcio. Ya sabes lo pija que es, y ya sabes lo cotillas que son los vecinos. O sea, que mientras estés en casa, las cortinas echadas a todas horas. Y no entras ni sales hasta después de las nueve, que es cuando se marcha el portero. Además, a esas horas, los vecinos están en casa cenando y viendo el telediario y no controlan quién entra y quién sale.

—¿Y tú llevas bien esa vida de murciélago? —le pregunté a Coco con mi voz más dulce. Me sentía mucho más relajada que por la mañana. Alguien que no me conociera habría sido incapaz de imaginar que esa jovencita de aspecto cándido había estampado contra la pared la porcelana de su madre apenas quince horas antes.

—Hombre, salgo cuando es imprescindible —respondió Coco—. Pero la verdad es que no me entero mucho, porque salimos casi todas las noches. Así que me paso la mayor parte del día durmiendo y para cuando he saltado de la cama, he comido algo y me he puesto las pilas, ya son las nueve...

Su novia (por llamarla de alguna manera) le interrumpió:

—Últimamente, por unas cosas y otras, estamos llegando a casa a las seis o siete de la mañana. Mira, yo llego, me pego una ducha y salgo disparada para la academia. Luego paso por el súper y compro algo de comer. Y según llego a casa, como y me pongo a dormir inmediatamente hasta la noche. Ya me he cambiado el horario, así que lo llevo muy bien. Lo único es que no me da el sol. Nos estamos quedando transparentes de puro blancos. Qué más da... De todas formas, estar moreno es una horterada.

—A mí, lo que me parece genial es que te dejen la casa. Mi madre se muere antes que dejarme sola en la mía. No se fía nada de mí. Si se va ella, me voy yo. Y si me quedo yo, ella se queda...

Q.E.D. —Suspiré al acabar la frase y un rizo rebelde salió disparado hasta la punta de la nariz.

—¿Qué has dicho? —preguntó Coco.

—Q.E.D. *Quod Erat Demonstrandum*. Una broma privada nuestra —le explicó Mónica

—Vosotras tenéis demasiadas bromitas privadas.

—Y en cuanto a ti, guapa —prosiguió Mónica, ignorándole—, que sepas que no me *dejan* quedarme en casa: me *castigan* a quedarme en casa, que es diferente. Ellos se creen que sufro mucho porque no puedo ir a Mallorca a ligar con pijos y pasear en yate... Hija, tú no sabes lo di-fí-cil que resulta a veces suspender cuando se es tan inteligente como yo. —Supongo que esto era una ironía, pero el caso es que ella no varió un ápice el tono de su voz cuando lo dijo—. Yo creo que se dan cuenta. El otro día me llama el de filosofía a su despacho, se sienta y me dice —Mónica adoptaba aquí un tono nasal—: «Señorita: este examen es una catástrofe, sinceramente creo que usted es capaz de dar mucho más de sí misma». Por supuesto que soy capaz de dar más de mí misma, no te jode. Pero si lo doy ya sé lo que me espera: mucho barquito, mucho club náutico, a las dos en casa, y mucho Álvaro y mucho Borja dándome la vara. Un espanto, vamos.

Un rezagado entraba en ese mismo momento por la puerta del bar. Estaba en los huesos y llevaba puestas unas gafas de sol, cuya función primordial no era, estaba claro, protegerle de la cegadora claridad de las dos de la mañana. Sólo le faltaba llevar colgado un cartel que dijera «yonqui». Se lanzó derechito a por Coco y le cuchicheó algo al oído. Coco y el esqueleto andante desaparecieron en los lavabos.

—¿Y Coco se va a quedar en casa?

—Qué remedio.

—Bueno, Coco no está mal. Un poco macarra. En tu línea. —Y yo fruncía una boquita de piñón intentando aparentar indiferencia. Lo único que aparentaba eran cinco años menos.

—Que no oiga él eso, que se tiene por lo más elegante del mundo —rió Mónica—. Mira, ya sé que no te mola, pero así tengo asegurado el material gratis y la entrada a según qué sitios que ni siquiera conocería de no ser por él.

—¿Pero a ti te gusta?

—Sí... no... como todos. No sé, a veces creo que a mí me molan este tipo de tíos sólo porque sé positivamente que a la Charo le daría un infarto si me ve con uno.

—No te quejes de tu madre, que por lo menos tiene la cabeza en su sitio.

—A veces pienso que preferiría una madre como la tuya. —Mónica examinaba sus piernas con aire crítico, intentando decidir si les convenía o no una nueva depilación—. Entiéndeme, no te la envidio, y comprendo perfectamente que no veas la hora de librarte de ella. Pero por lo menos todo el mundo entiende que no la aguantes. Ni tu propio padre la traga.

—Menudo consuelo.

—No sé si es un consuelo o no, pero es muy duro cargar con una madre a la que todo el mundo encuentra maravillosa, excepto su propia hija. Me revuelve el estómago lo pija que es. Más cursi que un repollo con lazos. —Suspiró y levantó los ojos al cielo, como para expresar la resignación con la que llevaba todo el asunto—. Que si «Mónica, arréglate-e que vass hecha una facha-a», que si «Gonzalo, no pensaráss en ssalir a la calle con esa camissa, ¿verda-ad?».

—Pero eso lo hacen todas las madres. Viene hasta en el diccionario: madre, del latín *mater*, femenino. Persona a la que nunca le gusta lo que te pones para salir.

—Exacto. —Pegó un trago a su cerveza.

La barra, opaca y pringosa, encuadrada por un ejército de botellas alineadas, ofrecía una doble figura, debido al espejo que tenía detrás. Y frente a mí, en la barra gemela, bebía una Mónica gemela, una morena imponente menos nítida que la que tenía a mi lado, difuminados sus contornos por el humo y por las luces indirectas, como una imagen vista debajo del agua.

—Por ahí llega tu flamante nueva adquisición, acompañado por Kate Moss versión tío —dije, señalando a Coco y el yonqui que salían del cuarto de baño. Desde lejos tenían un aire parecido, porque Coco estaba delgadísimo. No era muy alto, poco más que Mónica, y entre su escasa apostura física y su constante nerviosismo recordaba a un reptil escurridizo, a una anguila.

El yonqui saludó a Pepe con un movimiento de cabeza y enfiló disparado hacia la puerta. Seguro que iba a ponerse al portal más cercano. Ninguno se atrevía a ponerse dentro de La Iguana porque sabían que, de hacerlo, Pepe no les volvía a dejar entrar, y no se jugaban el derecho de admisión en uno de sus puntos de venta más céntricos.

—Bueno, nenas —dijo Coco, rodeando con su brazo los hombros de su chica—, ¿nos abrimos? Tú, Pepe, ¿qué, te esperamos?

—No, tío, yo me voy a casa a sobarla, que no puedo con mi alma.

—Nosotros deberíamos hacer lo propio —dijo Coco—. Con la llegada de esta señorita hoy casi no hemos dormido. ¿Cogemos un tequi?

—Fijo —dijo Mónica, y acto seguido apuró su cerveza de un trago, para dar a entender que ya estaba cansada de La Iguana y que quería largarse cuanto antes.

A los dieciocho años, yo era virgen. Mónica, sin embargo, ya se había acostado con un montón de chicos. No éramos, sin embargo, tan distintas. La carencia o el exceso venían a significar lo mismo: la huida del compromiso, o la renuncia.

Desde que tenía catorce años, Mónica había encadenado una relación tras otra. Todo el mundo la veía como parte de una pareja, y la propia Mónica era incapaz de percibirse a sí misma de otra manera. Le conocí unos diez o quince novios, que nunca le duraban más de dos meses y a los que jamás sentí como rivales. No eran más que panolis que venían a buscarla al colegio, para pagarle las copas y magrearse con ella en el asiento trasero de sus coches. Mónica contaba con la ventaja de que siempre se sentía emocionalmente segura, puesto que siempre tenía a alguien dispuesto a quererla o a desearla; y con la desventaja de que su dependencia, tanto de los hombres como —supongo— del sexo, aumentaba día a día. No sabía vivir sola, exactamente igual que Cat; pero al contrario que Cat, tampoco quería vivir acompañada.

Ella era mi amiga y me lo contaba todo, a mí, que seguía siendo virgen, que ni siquiera había besado a ningún chico todavía. Al contrario de lo que pudiera esperarse, yo no juzgaba, y jamás le recriminé su actitud. Pero era la única que la aceptaba como era. Ella lo sabía, y ésa era una de las razones por la que se sentía tan cercana a mí, a pesar de que fuéramos aparentemente tan distintas. Mónica sabía bien que en el colegio nadie le perdonaba su promiscuidad. Tuvo que enfrentarse con millones de malas caras e indirectas. Pero no le importaba. Mi cuerpo es *mío*, decía, y había algo en la ensayada intensidad de esa cursiva hablada con que cargaba el posesivo que la imponía por encima de sus atacantes. ¡Cuánto la admiraba yo entonces...!

Pero en realidad Mónica, tan independiente en apariencia, vivía a través de otros. (Y otros vivían a través de ella, yo incluida.) Porque Mónica no entendía la vida si no era en pareja: nunca estaba sola. Pero vivía la pareja según sus propias ideas: se trataba de relaciones basadas en la competitividad antes que en la cooperación, en el parasitismo antes que en la intimidad. Yo era su amiga, sus novios eran sus novios. Nada que ver. Arreglaba todas sus diferencias con ellos a base de sexo. Negociaba todas sus relaciones haciendo el amor. Su cuerpo era su moneda de cambio. Yo era virgen, entonces, y esperaba grandes cosas del sexo. Creía que algún día, si llegaba a conocerlo, sería algo así como una especie de acontecimiento milagroso que me abriría las puertas de la percepción. Mónica, al contrario, no esperaba ya nada, nada especial ni desconocido podían depararle su cuerpo ni los de los hombres con los que se acostaba. Había despojado aquella ilusión del misterio prometido y la incluyó en la categoría de lo simplemente esperado, convirtiéndola en algo trivial y vulgar, como un partido de fútbol.

Pero no creo que en realidad disfrutara tanto del sexo, a pesar de que lo probó en todos sus modos y maneras. Mientras yo aún era virgen, ella ya lo había hecho en coches y portales, en aceras oscuras, en el teleférico. Y había probado el sexo oral, la postura del perrito, las luces rojas, la lencería cara. Vivía una vida empeñada en añadir sal y pimienta a la banal experiencia del coito. Pero seguía aburrida. Desde la cólera de su deseo, aquella necesidad de controlar y poseer, nunca le escuché referirse con cariño a ninguno de sus amantes. No podía existir cariño en la sordidez de aquellos trepidantes polvos de diez minutos, de aquellos encontronazos saldados a trompicones que se recordaban más tarde desde los cardenales y los arañazos. Ahora que soy mayor y revivo desde la distancia aquellas historias que ella me narraba, creo que ella entendía por sexo, violencia; por amor, sexo; y por dominio, amor.

Muchas mujeres educadas como católicas han tenido la sensación de que era urgente cometer pecados y se han pasado años encadenando aventuras. Quizás ella era así, quizás caminaba por el mundo llena de esperma, sintiéndose carnal, quizás el sexo se convirtió en una experiencia mística que era una gracia de los hombres, lo mismo que a santa Teresa de Ávila era Dios el que le concedía el éxtasis. Yo no puedo saberlo, sólo puedo imaginarlo, pero estoy casi segura de que ella se empeñaba en acumular hombres por pura rebeldía, no por verdadero deseo.

Yo la deseé siempre, y cuando ella me relataba sus aventuras sentía crecer en mí una especie de tronante torbellino interior, una mezcla de celos y de excitación. Sus ojos negros me enviaban oscuros mensajes sin palabras que yo intentaba deletrear como una párvula esforzada. La miraba y sentía cómo el deseo me echaba un balón llamándome a jugar con Mónica. Pero siempre me la encontraba mirando a otro lado con ojos ávidos.

Mónica entró por la puerta de casa cargada con la bolsa de la compra y la carpeta, y enfiló directa a la cocina ideal. Charo había comprado la antigua pila de granito en Italia y le había añadido unos grifos antiguos de bronce de Trentino. Los azulejos antiguos habían sido encargados expresamente a una fábrica de cerámica ibicenca. La vajilla, cristalería y objetos de menaje hacían juego. Mónica fue sacando vegetales de la bolsa y depositándolos en la mesa de gresite blanco. Después empezó a meter los yogures en el frigorífico. Al agacharse se le marcaba la curva de las nalgas, airosas de juventud y ejercicio. Se disponía a preparar una ensalada cuando por fin reparó en mí, que la observaba apoyada en el quicio de la puerta de la cocina, con el pelo enmarañado, legañas en los ojos y una camiseta de Sonic Youth por toda indumentaria.

—Te sientan muy bien esos vaqueros —observé, intentando justificar mi mirada de admiración. (*Explicatio non petita, acusatio manifesta;* como habría dicho mi padre.)

—Y a ti te sienta bien mi camiseta —respondió, fingiendo que no se enteraba.

—Todo lo tuyo me sienta bien —aseguré, y era cierto—. Me duele la cabeza a muerte. No estoy acostumbrada a beber tanto.

—Debe de haber Alka Seltzers por alguna parte. Por cierto, ya que te has levantado, podrías aprovechar para llamar a tu madre, por lo menos para que sepa dónde estás, que debe de estar preocupada.

—¿Preocupada? Todo lo contrario: ella es feliz con tal de no verme.

—Venga, no exageres. Además, yo paso de tenerte aquí si tu madre no lo sabe, que me puedo meter en un marrón.

Me acerqué de mala gana al teléfono de baquelita. Charo lo había encontrado en una almoneda: «Me enamoré de él en cuanto lo vi, y tuve que regatear durante horas, pero mereció la pena. Es una cucada, ¿no te parece?». El auricular pesaba como la mala conciencia. Y para colmo, resultaba dificilísimo marcar los números con el disco aquél. Marqué el de mi casa de mala gana.

—Mamá, soy yo... Estoy en casa de Mónica... Sí... Sí... Sí... vale, muy bien... Sí. Adiós. —Mónica me miraba con expresión interrogante—. Nada, me ha soltado cuatro borderías y me ha colgado porque tenía que irse a la peluquería —le expliqué.

De pronto sentí cómo un río de lava candente, una mezcla de impotencia y rabia contenida, me subía por el esófago. Oh, no, pensé; me voy a poner a llorar otra vez. Esto es peor que cualquier culebrón.

—Te advierto que si sueltas una sola lágrima, te estás largando por esta misma puerta. Así que o te duchas o me ayudas a hacer la comida —soltó Mónica, que me había leído el pensamiento en los ojos, y empezó a despedazar tomates sobre la tabla de madera con una energía de psicópata.

Minuto y medio. El tiempo exacto que había necesitado mi

madre para cambiar radicalmente el estado de mi humor. ¿Cuántos años de entrenamiento hacen falta para aprender a disparar directamente al corazón? Era como si mi madre y yo estuviéramos jugando un sogatira, cada una estirando de un extremo de la cuerda, intentando atraer a la otra hacia su terreno, sabiendo que, en cualquier momento, una de las dos podía estirar demasiado y la otra daría con sus narices en el suelo. En cierto modo, no habíamos cortado el cordón umbilical, y habíamos crecido hasta convertirnos en dos mujeres extrañas entre sí, pero tan necesitadas la una de la otra que nuestra comunicación sólo se hacía posible mediante un absurdo juego de trampas, miedos y humillaciones que transitaban en doble dirección por el espacio que se abría entre nosotras. Se trataba de una relación tan distorsionada y tan dependiente como la de la rosa que acoge amorosamente en su seno al gusano que acabará por comérsela.

Para mi padre soy Beatriz; para mis amigas, Bea; Mónica —y sólo Mónica— me decía Betty de vez en cuando; y mi madre, de pequeña, me llamaba según el estado de mi pelo: siempre era «ven aquí, trencitas», o «dame un beso, ricitos»; dependiendo de si mi melena estaba suelta o recogida.

Maquillaje en polvo, mechas doradas, lápiz de labios, club de bridge, tailleur negro, collar de perlas, zapatos de salón con tacón de tres centímetros, rosarios olorosos de pétalos de rosa, la Inmaculada Concepción en la mesilla de noche, tubos y cajas de pastillas antidepresivas, una mujer sola y perfectamente respetable. Mi madre.

Yo debí de ser el resultado de uno de los últimos encuentros de mis padres porque, hasta donde mi memoria alcanza, siempre durmieron en habitaciones separadas y jamás se permitieron, al menos ante mí, ningún tipo de proximidad física: ni cogerse de la mano ni besarse. Ni siquiera se miraban a los ojos.

De la misma forma que el Sol rige a la Tierra, yo estaba regida por mi madre, era su planeta. Ella me despertaba, me lavaba, me vestía, me daba el desayuno, me acompañaba hasta el colegio y en aquella misma puerta me esperaba a la hora en que acababan las clases para llevarme de vuelta a casa. Se ocupaba de que me quitara el uniforme y me pusiera la bata de estar por casa, me daba la cena, me ayudaba con los deberes y antes de dormir me contaba, apoyando su antebrazo en mi almohada, historias de niños piadosos a los que se les aparecía la Virgen, mientras me acariciaba los rizos y yo me iba quedando dormida.

Mi madre era ordenada y meticulosa hasta la exageración. Recordaba religiosamente las fechas de todos mis aniversarios —cumpleaños, santos, primera dentición, fiesta del colegio...— sin requerir siquiera de una sola anotación en el calendario. Se mostraba orgullosísima de su extraordinaria eficacia respecto a la organización doméstica. Podría entrar un extraño en su casa, abrir cualquier armario, cualquier cajón, y nada encontraría que pudiera avergonzar a mi madre, pues todos estarían impecablemente limpios y meticulosamente ordenados. Se podría comer en el suelo del cuarto de baño. Sí, mi madre era el orgullo de la Sección Femenina, la santa patrona de la abnegación y el sacrificio. Cosía, zurcía, planchaba, limpiaba, hacía punto y cuadros de *petit point*. A diferencia de todas sus amigas, nunca había necesitado asistenta, y, para colmo, como ella misma recalcaba orgullosa, aquel despliegue de hiperactividad doméstica no le restaba tiempo para atender sus numerosos compromisos sociales: sus partidas de bridge, sus tés con pastas, sus cenas fuera de casa, sus salidas al teatro y al ballet.

Le había costado muchísimo tenerme, y de hecho, me concibió cuando prácticamente no albergaba ya esperanzas, después de haber visitado a los mejores médicos de Madrid, de haberle hecho novenas a santa Sara, que quedó encinta a los noventa años, y a santa Rita, patrona de los imposibles, después de haber tenido tres abortos que le dolieron como tres puñaladas en el vientre y en el alma. Y a sus treinta y seis años nací yo, por fin, el fruto de sus entrañas que había estado esperando durante dieciséis. Aquel bebé de miembros regordetes que era yo, había sido su único deseo y obsesión. Y por consiguiente, me mimó todo lo que supo. Procuraba estar a mi lado todo el tiempo posible. Me compraba libros, caramelos y juguetes, y respondía a todas mis preguntas. Yo la adoraba, de pequeña.

En cuanto a mi padre, de lunes a viernes vivía recluido en una oficina de la que regresaba muy tarde y muy cansado, normalmente cuando yo estaba metida ya en la cama; y los domingos se atrincheraba en su despacho, con el periódico por parapeto, sin que se me permitiera, bajo ningún concepto, interrumpir su descanso. Yo le veía poco y él dirigía continuas miradas al reloj mientras estaba en mi compañía. El poco tiempo que estaba en casa, se hacía notar. Ellos dos se peleaban a menudo, normalmente a gritos. Con los años deduje, a partir de los insultos y las recriminaciones que se le escapaban a mi madre en las peleas, que mi padre tenía otras mujeres, y que tampoco se esforzaba mucho en ocultarlo.

Mi madre no pensó jamás en separarse. Faltaría más: ella era católica practicante. Su religión era lo más importante en su vida. No comprendo exactamente qué es la fe, pero sé qué era lo que convertía a mi madre en una creyente tan devota: el hecho de tener una agarradera, una justificación, una razón para vivir. Su marido no la quería (o no la quería como ella hubiese querido que él la quisiese) y ella sólo podía ser esposa y madre: ni había deseado ni le habían enseñado otra cosa. Además, en el medio en el que se movía y se había criado, aquel mundo del club de bridge y las reuniones de la parroquia, las divorciadas estaban mal vistas. En aquel ambiente se valoraba a los hombres por sus acciones y a las mujeres por su físico y más tarde por lo que hacían sus maridos, y toda la vida se organizaba desde fuera hacia dentro. Así de simple.

Además, la suya no era una situación excepcional, sino, más bien, moneda común. Todos los hombres buscaban respiros fuera de casa. Esta idea, que no era sino la oscura noción que de las relaciones conyugales pueda tener una niña que aún no sabe exactamente por qué es raro que un matrimonio no comparta la cama, pero que entiende que las habitaciones separadas implican un problema, se concretaría a mis quince años, cuando sorprendí en una cena en el Club de Campo una conversación que no hubiera debido llegar a mis oídos: dos socios de mi padre, que se habían sentado a mi lado y que estaban demasiado bebidos como para reparar en el excesivo, indiscreto, volumen de su voz, comentaban cómo en una fiesta prevacaciones a uno de ellos se le había ocurrido contratar a una prostituta, y todos los socios del bufete se la habían beneficiado en el cuarto de baño. Excepto Carlos Franco, le decía el uno al otro, que ya sabes cómo es, no sé si opusino o mariquita. El raro, pues, era el que no había aceptado ese comercio. Todos los demás daban por hecho que la infidelidad era un marchamo de hombría, una prueba inequívoca de virilidad.

Así pues, mi padre tampoco pensó nunca en dejarnos, creo, a pesar de los gritos y las discusiones constantes. En el mundo de mis padres, los señores tenían una legítima que se quedaba en casa con los niños y que les acompañaba a las recepciones: una mujer como mi madre, informada sin ser pedante, discreta sin llegar a sosa, bella aunque no llamativa, amena pero no avasalladora. Una brillante medianía, vamos. Una señora que tocase el piano aceptablemente, que hablase francés y que se hubiese educado en un convento.

Para mi madre, el matrimonio era el lugar del amor, de un amor hecho de dedicación, obediencia y respeto. Cualidades que irían, por supuesto, de la mujer al hombre y no al contrario. Pero la libertad de elegir o de rechazar el amor, los abandonos y los arrepentimientos, la esperanza y la desesperación, en suma, todos los detalles que conforman la pasión, no tenían nada que ver con el matrimonio. Ella contrajo matrimonio como quien contrae una gripe, y ni siquiera creo que el afecto influyera gran cosa en su elección. Quería a mi padre, al principio, pero de no haberle conocido a él se habría casado con cualquier otro parecido. Me parece que mi madre se decantó por la maternidad frente a la vida religiosa, las dos únicas opciones de las que era consciente.

Mientras transcurrió mi infancia, nada hacía prever que nuestra relación iba a acabar por deteriorarse de semejante manera. Yo quería mucho a mi mamá, hasta tal punto que cuando las niñas del colegio me preguntaban que a quién quería más, a mi padre o a mi madre, yo contestaba sin dudarlo: a mi madre. Siempre. Y las niñas que respondían «a los dos por igual» me resultaban muy sospechosas. No me fiaba de nadie que viviese en las medias tintas, que no tuviese decidido a qué bando pertenecía.

Sí, mi madre era mi sol y regía mi existencia. Pero el sol es menos estable de lo que parece; tiene estaciones y tormentas y ritmos de actividad, y las variaciones solares influyen directamente sobre sus planetas. El sol es agente de cambios terrestres: su brillo afecta a las temperaturas; sus rayos ultravioleta a los vientos y a la producción de ozono; sus tormentas de campos magnéticos y partículas subatómicas a las lluvias y la cantidad de nubes. De alguna manera, si el sol se enfada, si estalla en un bombardeo cósmico, la Tierra sufre el cambio de humor en su corteza.

Mi madre cambió, y yo con ella.

Atardecía, aunque con las cortinas echadas no era muy fácil darse cuenta desde el dormitorio de los padres de Mónica. Cortinas de Nina Campbell, colcha de seda de Pierre Frey, banqueta de hierro diseño Pedro Peña forrada a juego con la colcha. Un costurero de pino viejo hacía las veces de mesilla de noche, y Mónica fumaba un porro tendida a mi lado en la cama de matrimonio de Charo y Manuel, cuyo cabecero había formado parte, en su día, de un perchero antiguo. Charo lo había encontrado también en una de sus almonedas y le había salido por otro ojo de la cara. Pero, como de costumbre, ella opinaba que había merecido la pena.

Yo cerré los ojos y pensé en El Escorial. En verano solíamos ir allí. Pero aquel verano mi padre no tomaba vacaciones, y, aunque no habíamos hablado todavía de nuestros planes, parecía evidente que mi madre y yo no íbamos a soportarnos la una a la otra encerradas en la misma casa. Me imaginé a mí misma subiendo los escalones que conducían a la entrada del chalet, todos ellos forrados de piedrecitas blancas. El sol me acariciaba los hombros. Tenía diez años. De pequeñita había veraneado en una urbanización de chalets adosados que constituía el escenario de mis días felices. Durante los veranos niños y niñas de la urbanización militábamos en una misma pandilla y participábamos en apasionantes aventuras colectivas: robo de peras del huerto anexo a la urbanización (con agravante de premeditación y escalo), robo de bañadores colgados en los tendederos de los chalets (con premeditación pero sin escalo), sangrientas batallas a pedradas contra la pandilla de la urbanización de al lado y arriesgadas expediciones a territorios sin urbanizar nunca antes visitados por el hombre blanco. Aquellos veranos constituían uno de los escasos recuerdos felices de mi infancia.

—Tía, ¡esta chupa vale doscientos talegos!

La voz de Coco me devolvió a la realidad. Abrí los ojos y volví a tener dieciocho años. Coco se estaba probando una chaqueta de cuero de Loewe que acababa de sacar del enorme armario empotrado y estudiaba su efecto en una de las lunas.

—Ni sueñes que vas a salir con ella, que es del viejo —dijo Mónica—. Y no deberías fijarte tanto en las marcas. Es una horterada.

Coco, con la chaqueta todavía puesta, se sentó al lado de Mónica. Ella le pasó el porro.

—Ten mucho cuidado con la ceniza. Si mi vieja encuentra una quemadura en la colcha, me mata —dijo ella, de malhumor—. Hablando de viejas, ¿no va siendo hora de que vuelvas con la tuya? —Ahora se estaba dirigiendo a mí—. No puedes quedarte aquí eternamente. Sobre todo, no me apetece tener a tu vieja llamando a esta casa día sí, día no.

—Tú no vas a llamar a nadie, nena, y tu amiga se va a quedar aquí. De hecho, nos va a venir muy bien que se quede —dijo Coco.

—Pero tú qué dices... —Mónica le miraba con la boca abierta, sin acabar de creerse que un mindundi como aquél, que al fin y al cabo estaba en su casa de prestado, fuera capaz de llevarle la contraria.

—Me parece que tu amiga es la persona ideal para hacernos de mensajera. Me encanta el aspecto que tiene. A su lado, la misma Virgen del Rocío tiene pinta de traficante.

Coco le devolvió el porro a Mónica, que le miraba entre sorprendida y enfadada.

—Si crees que vas a meter a la pobre Bea en tus trapicheos, vas dado —respondió ella.

Le dio una calada al porro y volvió a pasárselo a él.

—Joder, te estoy hablando de llevar un paquetito, y punto. No estoy diciendo que le vaya a obligar a atracar una farmacia. —Pegó una larga calada, le pasó el porro a ella y prosiguió—: Además, ella no se va a meter en ningún lío, ya verás. No es lo mismo que si fuera yo, que ya me tienen muy visto, y que no pinto nada en según qué barrios.

—Pues entonces lo llevo yo, o quedas para hacer la entrega en cualquier otra parte. —Mónica volvió a llevarse el porro a los labios y se lo pasó a Coco acto seguido.

—A ti te han visto conmigo, y uno de los puntos que tengo acordados es que la entrega se realiza a domicilio. Así que no hay más que hablar.

Coco apagó el porro en el cenicero de plata que había en la mesilla de noche, y, acto seguido, ya con las manos libres, se tumbó de lado contra Mónica y empezó a acariciarle los senos pequeños y redondos, un par de flanes coronados con sendas guindas. Apretó la entrepierna contra el muslo de Mónica, le rozó ligeramente el borde del labio superior con el dedo índice, y notó cómo la boca de ella se entreabría. Los tres supimos que había llegado el momento de dejar la discusión para más tarde. Yo me levanté de la cama y me dirigí a la puerta, consciente de que a partir de aquel momento empezaba a sobrar.

—No sé si os dais cuenta de que yo también tendría que opinar algo en una discusión que, al fin y al cabo, versa sobre mi persona —dije antes de marcharme, apoyándome en el quicio de la puerta.

—Anda, déjanos solos, por favor —dijo Mónica.

Cerré de un portazo.

Avanzaba por el pasillo de la casa de Mónica. Al final encontré una puerta que no recordaba haber visto allí antes. Abrí la puerta y descubrí que daba a otro corredor, más largo y oscuro que el que conocía. Seguí adelante y descubrí una segunda puerta. La abrí y me encontré con una habitación de paredes blancas, vacía, oscura. En una de las paredes había varias ventanas cerradas por persianas dobles de madera blanca. Las fui abriendo una a una y la luz entró en la habitación, haciendo que las paredes resplandecieran. Me senté en el centro de la habitación y me sentí feliz. De pronto vi cómo la puerta de la habitación se cerraba sola, lentamente, como manejada por una mano invisible. No intenté levantarme para abrirla porque sabía que no podría. Que el cerrojo estaba echado por fuera. Que había quedado atrapada en la habitación desnuda.

Abrí los ojos e intenté recordar dónde estaba. Me costó algunos segundos caer en la cuenta de que me había quedado dormida en el sillón del salón. Cuando uno se despierta, lo primero que necesita es situarse en el espacio y en el tiempo, así que, instintivamente, busqué con la mirada el reloj de péndulo en forma de torre (comprado en un anticuario en la Puerta de Toledo: una ganga) y comprobé la hora: las nueve y diez. En cualquier momento, Coco, o Mónica, o ambos, aparecerían por la puerta que daba al pasillo, el mismo que aparecía en mi sueño. Me bastaba con concentrarme, fijar la mirada y esperar. Clavé los ojos en la puerta y no los desvié en ningún momento, ni siquiera para mirar el reloj, de forma que no sabía cuánto tiempo había pasado cuando finalmente la puerta se abrió y apareció Mónica, despeinada, legañosa y todavía medio adormilada.

Al abrir, Mónica se dio de narices con mi mirada. Puso cara de haberse llevado un susto de muerte a pesar de que, al cabo de tantos años, estuviera más que acostumbrada a lo que ella consideraba rarezas mías.

Avanzó hacia el sillón con pasos de autómata, se sentó a mi lado, agarró el mando a distancia y lo enchufó hacia el televisor pantalla de 46 pulgadas con retroproyector, estéreo, tecnología japonesa, lo mejor del mercado.

—Soma, necesito soma —murmuró Mónica para sí.

Mónica apretaba el botón «programa» del mando de manera mecánica, y fue repasando uno por uno los cuarenta y tantos canales que la antena parabólica permitía recibir. Una Barbie de culebrón que abrazaba apasionada al Ken de turno apoyada sobre la mesa de juntas de una oficina; un chaval pelirrojo con orejas de soplillo que intentaba adivinar el precio exacto de una nevera; una presentadora jurásica —tailleur de falso Chanel, acumulación de bisutería y liftings— que ofrecía un café en el estudio a una estarlete que se llevaba a los ojos la punta del pañuelo para secarse una supuesta lágrima; unos chiquillos negros, huesudos y barrigones, que acababan de llegar a un campo de refugiados; unas gigantas de curvas esculturales que desfilaban por una pasarela dirigiendo miradas de profundo desprecio al público que las aplaudía embobado; un locutor que se enfrentaba con la cámara desde su mesa de la redacción de informativos, con expresión de que el nudo de la corbata le estuviese ahogando; un coche rojo enorme que se deslizaba silencioso por una carretera desierta y llena de curvas; un megamonstruo japonés que lanzaba un proyectil de fuego contra otro megamonstruo japonés sobre las ruinas de una ciudad de dibujos animados; una maruja llorosa que imploraba a su marido que volviera; una rubia despampanante que cantaba en playback; un alienígena vestido en skyjama que tripulaba los mandos de una nave espacial; un combate de boxeo; otro informativo; otro culebrón; otro reality show; otra telecomedia; otro anuncio de coches; la misma actriz que aparecía varias veces hablando inglés, francés o alemán; el mismo concurso que conocía versiones diferentes en diferentes países.

Al final, Mónica se decidió por la MTV. En la pantalla, niños británicos deprimidos que reclamaban a gritos un buen peluquero berreaban canciones de desamor y nostalgia mientras masturbaban con desgana sus guitarras. Mónica dejó descansar el mando sobre la mesa de Ricardo Chiara y me sonrió.

—El mundo es enorme —dijo—; mira todas las cosas que caben en él. Y sin embargo la Tierra, dentro del Universo, no significa nada. Un puntito microscópico absorbido por una inmensidad de miles de años luz. Comparada con la edad del Universo, la Tierra no tiene siquiera un nanosegundo de existencia, y no parece que vaya a durar otro nanosegundo más...

Coco entraba en ese momento en el salón, con expresión plácida. Se sentó en el sillón al lado de nosotras dos.

—Hostia tú, Primal Scream —dijo, señalando a la macropantalla, e interrumpiendo el discurso de Mónica.

—¿Pero todavía existen?

—Joder, cómo mola esta tele —exclamó él, ignorando la pregunta de Mónica—. Parece que estemos en el cine. Tía, si esta casa fuera mía, en la puta vida salía a la calle.

—Pues no es tuya, ni mía tampoco, por cierto, que es de la Charo. Y cuando vuelva la Charo te vas a tener que largar por donde has venido, así que no te acostumbres —dijo Mónica.

Durante un rato nadie dijo nada más. La música se extendía por el salón e iba borrando nuestros pensamientos. Poco a poco yo había ido adquiriendo una postura tensa, sentada en el borde mismo del sillón, la espalda en un ángulo perfectamente recto con respecto a mis piernas y las manos reposando sobre las rodillas. Coco dirigió una mirada a Mónica como buscando su aprobación. Acto seguido sacó una caja de cigarrillos del bolsillo de sus vaqueros, encendió uno y se dispuso a romper el silencio.

—Bea, Mónica y yo necesitamos que nos hagas un favor.

—¿Qué tipo de favor? —pregunté, suspicaz.

—Nada del otro mundo. Queremos que lleves un paquete a un sitio; eso es todo —dijo Mónica.

—¿Y por qué no lo lleváis vosotros?

—Porque hay que llevarlo a La Moraleja. ¿Tú te imaginas a Coco en la Moraleja? —me respondió Mónica.

—No, pero a ti te imagino perfectamente —dije.

Aquí intervino Coco con aire enfadado.

—¿Se puede saber por qué no me ves en La Moraleja?

—Mira, si no quieres ir, dices que no y punto —prosiguió Mónica, totalmente ajena a la interrupción de Coco, con lo cual daba a entender que era tan evidente que Coco desentonaba en La Moraleja que ni siquiera merecía la pena discutirlo—, pero quede claro que nos hace falta que vayas. Estamos sin un puto duro. Situación de emergencia.

—No sé... Paso de meterme en trapicheos raros —argüí, vacilante.

En el fondo no me parecía nada arriesgado llevar un paquete a ninguna parte. Barruntaba que iba a llevarle drogas a cualquier pijo de La Moraleja lo suficientemente forrado como para poderse permitir entregas a domicilio. Estaba segura de que no se trataba de un asunto muy serio. Que Coco trapicheaba, era evidente, como también era evidente que no era más que un camello de medio pelo. Además, iba a La Moraleja. En La Moraleja no hay policías; sólo guardias de seguridad entrenados para proteger propiedades, no para inmiscuirse en la vida privada de sus habitantes.

—Bea, corazón, me conoces desde hace diez años. ¿Tú crees que yo te diría que hicieses algo si fuese mínimamente peligroso? Te prometo que no corres el menor riesgo. Venga, Betty, por favor. —Mónica puso voz melosa—. Hazlo por mí.

—Está bien. —Qué coño, tampoco me estaba pidiendo que me tirase por un precipicio—. Pero que quede claro que lo hago esta vez y sólo esta vez. Y otra cosa: no sé qué voy a entregar y no quiero saberlo. ¿Me oyes? Prefiero no saberlo.

Llegar hasta La Moraleja resultaba toda una excursión. Había que ir primero a Plaza de Castilla en metro y desde allí coger un autobús que se tiraba su buena media hora para salir de la ciudad. Conté cinco paradas desde la plaza de Castilla antes de bajar. Al abandonar aquel vehículo con aire acondicionado, el calor me golpeó en la cara como un insulto. Las calles calientes reverberaban al sol y el polvo seco sofocaba la garganta. Afortunadamente, Coco me había dado unas instrucciones detalladísimas sobre cómo llegar a Los Tilos —el nombre del chalet que debía visitar—, y conseguí encontrarlo justo cuando me parecía que estaba a punto de desmayarme. El nombre Los Tilos estaba escrito con azulejos de cerámica sobre una valla de más de dos metros de altura que impedía ver el interior de la propiedad. Llamé al timbre y el piloto de una cámara se encendió. Quienquiera que me observara decidió que podía entrar, porque a los pocos segundos se oyó un clic que indicaba que la cerradura de la puerta metálica había sido desactivada.

Los muros de ladrillo blanco que protegían la casa estaban revestidos en su cara interna con celosías de madera. A la sombra de un gran cedro resaltaba el color de un banco de petunias y alhelíes; mientras que al fondo, y formando líneas rectas, setos de boj crecían entre los grandes árboles. Reparé en que allí había cedros y encinas, pero ni un solo tilo, y me pregunté a santo de qué vendría el nombre; quizá, se me ocurrió, los habitantes de la casa no supieran qué era un tilo. Atravesé un sendero de azulejos que cruzaba el jardín, y al llegar a la puerta pulsé el timbre, provocando un estrépito de campanillas que destrozó en pedazos el silencio de la tarde. Al minuto salió a abrirme una criada de las que ya no quedan, con uniforme negro, cofia y delantal.

—Vengo a ver a Jaime —anuncié con un hilillo de voz.

La anacrónica criada me hizo pasar y me rogó que esperara en un salón enorme, presidido por una chimenea de piedra caliza que hubiese sido la envidia de Charo, y a cuyo lado una pequeña hornacina albergaba la cesta de la leña. El suelo era magnífico, nada de parquet cutrelux: auténtica madera de roble americano. Me senté en un sillón de cuero antiguo, desde el que se apreciaba perfectamente la escalera del fondo, realizada mitad en piedra caliza, mitad en madera, y por la que descendió un chico que llevaba el pelo corto y engominado y vestía una camisa almidonadísima de rayas rosas y blancas, unos vaqueros y unos mocasines de piel. Le calculé unos veinte años, aunque su aspecto repulido le hiciera parecer algo más mayor. Me tendió la mano. El sillón de cuero estaba tan mullido que me resultó difícil levantarme.

—¿Subes? —dijo él—. Mejor hablamos en mi habitación.

Le seguí. La habitación del chico parecía el apartamento de un corredor de bolsa. Allí había un televisor y un equipo de alta fidelidad, negros, empotrados en una estantería metálica que contenía un montón de libros y compactos, ordenados escrupulosamente según tamaños; dos sofás de cuero negro, un futón a rayas blancas y negras. Al lado de la ventana había una mesa, negra, sobre la que reposaban unas cuantas maquetas de aviones militares de la segunda guerra mundial. Las paredes blancas estaban desnudas. Los objetos de adorno, aparentemente, habían sido eliminados. Un espacio funcional, moderno, caro. Aterrador.

Saqué de la mochila un paquete envuelto en papel de estraza y atado con cuerdas y se lo entregué.

—¡Esto pesa mucho...! —dije sonriendo, con la intención de iniciar una conversación.

Él salió de la habitación, sin responder.

Mientras esperaba a que volviera, me entretuve leyendo los dorsos de los libros que había en la estantería. Reconocí algunos: *Verlorene Siege*, del mariscal Erich von Manstein; *Panzer Battles*, de Von Mellenthin; *Signal* (encuadernados); *Historia de la Segunda Guerra Mundial* (fascículos encuadernados); *Panzer Leader*, del general Guderian; *Rommel's War in Africa*, de Wolf Heckmannn, *European Volunteers*, de Peter Strassner; *The Other Side of the Hill*, de sir Basil Liddellhart... Eran libros sobre la segunda guerra mundial, que yo conocía porque a mi padre le interesaba mucho el tema, como a cualquier otro señor de derechas, y había coleccionado durante años libros y libros dedicados al particular. Lo que no acabé de entender era la razón por la cual un chaval de mi edad atesoraba semejantes rarezas.

Al cabo de unos pocos minutos, el chico regresó a la habitación.

—Todo está bien —dijo.

Sacó un sobre de uno de los cajones de la mesa negra y me lo entregó. Yo ya sabía que era para Coco.

—Te acompaño a la salida —me hizo saber con acento engolado.

Se detuvo un segundo mientras bajábamos por la escalera y se me quedó mirando como si me fuese a anunciar un acontecimiento fatídico.

—¿Sabes qué día es hoy? —me preguntó.

—No —respondí ligeramente intimidada—. ¿Acaso debería saberlo?

—Hoy es 18 de julio —declaró solemne.

—Pues vale.

Me aplastó con una mirada reprobatoria que me dejó helada y no volvimos a cruzar palabra hasta la puerta de la verja. A la caída de la tarde, la luz espejeaba en las copas de los árboles mecidos por el viento, brillantes y calladas promesas de tranquilidad, y yo pensé, suspendida en la calma del día agonizante, que no me importaría pasar el resto de mi vida en aquel jardín.

—Adiós —dijo él, en el tono más antipático posible.

—Adiós —respondí, tan seca como él.

Había resultado fácil.

En cuanto regresé a casa de Mónica, me fui derecha a tirarme sobre el sofá, a sudar bochorno, polvo y aburrimiento. Coco me preguntó por el sobre, se lo entregué con gesto de desgana, y él lo tomó en las manos con expresión de satisfacción: los ojos brillantes y una sonrisa que le atravesaba la cara como una cuchillada. Miró a Mónica y los ojos de su novia (por llamarla de alguna manera) le devolvieron amplificada su expresión de felicidad.

—Regresamos a la abundancia —dijo ella.

Era yo la que había dejado claro que no quería saber lo que había transportado, pero lo cierto era que me reconcomía la curiosidad.

—¿Por qué pesaba tanto el dichoso paquete? —pregunté

—En serio, bonita, cuanto menos sepas, mejor —dijo Coco.

En cualquier otra ocasión le hubiera mandado a la mierda, por prepotente, pero adoptó una expresión tan seria que juzgué que lo mejor era callarme. No es que me atemorizara, al contrario; casi diría que me daba pena.

—No me cabe en la cabeza que el tío ése se meta nada —dije, no dirigiéndome a Coco en particular, sino, en realidad, pensando en voz alta—. No le pegaba nada. Por favor... si parecía un estudiante modelo de los maristas.

El cuarto de baño de La Iguana no era un cuarto de baño de diseño. El inodoro era un Roca normal y corriente, de tapa de plástico barato. A través de los desconchados de las paredes se adivinaban diferentes capas de pintura de distintos colores que, al igual que los anillos de los árboles, permitían conjeturar más o menos acertadamente la edad del local. Cabíamos a duras penas, pero cabíamos, Mónica, Coco y yo. Mónica, reclinada sobre la cisterna, estaba cortando unas rayas de coca sobre una tarjeta de crédito.

—No hagas tres. Yo no voy a querer —dije.

—¿Por qué no vas a querer? —me preguntó Mónica

—Porque no quiero. Me acelero muchísimo y luego me duele la cabeza y se me atontan las encías, y tampoco noto que me ponga mejor o peor.

—Tú te vas a meter por la sencilla razón de que los demás nos vamos a meter, y yo paso de que las cosas me suban a mí sola —replicó Mónica, tajante.

—Déjala, mujer —intervino Coco—; si no se mete, que no se meta. Mejor para nosotros, así nos tocará más.

—Tú te callas.

Con una mano de pulso de hierro me colocó la tarjeta delante de la nariz, y con la otra me alargó un tubo confeccionado con un billete de mil enrollado. Esnifé la raya. Creo que hubiese bebido veneno si ella me lo hubiera presentado en una copa. Los polvos me subieron por la nariz haciendo cosquillas y bajaron hasta la garganta dejando un regusto amargo.

—Esto sabe asqueroso —dije entre muecas.

Ellos dos se rieron a la vez.

—Joder, cómo mola tu navaja —dijo Coco.

Coco se había fijado en la navaja que su novia (es un decir) había utilizado para cortar la coca: un bardeo automático de mango esmaltado rojo brillante, el color de un corazón enamorado en los dibujos animados.

—Me la regaló un camello rasta que me enrollé en Amsterdam —dijo Mónica—. Es bonita, ¿verdad? Pero no creas, no tiene valor sentimental ni nada de eso. El tío me daba igual, así que, si tanto te gusta, puedes quedártela.

Él se quedó mirando a la navaja tan boquiabierto como un seminarista frente a la página central del *Playboy*.

—Joder, tía, muchísimas gracias. Me encanta. —Y para demostrarlo cogió a su (por decir algo) novia de la cintura y la obsequió con un beso de tornillo.

Sentí una puñalada en medio del pecho asestada por un puñal de doble filo: los celos y la envidia. ¿Acaso ambos conceptos no significan lo mismo?

Ella se zafó de Coco, salió de la cabina y, apoyándose contra el lavabo, examinó detenidamente su imagen en el espejo. Comprobó que el *rouge* se había corrido, así que extrajo un lápiz de su bolso, se perfiló los labios con un cuidado exquisito y salió de allí con la confianza pintada otra vez en la boca.

Mi madre, sentada frente a su tocador, se prepararía para salir, como hacía todas las tardes a esas horas. Su pelo aclarado estaría impecablemente peinado, las mechas recién retocadas, las ondas marcadas con rulos calientes y sujetas con laca. Llevaría pendientes y collar de perlas, y broche de oro sobre un traje de chaqueta impecablemente negro. Esos preparativos diarios, dignos de una arrebolada jovencita que se dispusiera a ver a su primer amante, se teñían de una significación entre amarga y patética si una era sabedora de que las destinatarias de tanto acicalamiento eran sus compañeras del club de bridge, una serie de loros de La Moraleja, tan frustradas y tan repeinadas como ella, con las que mi madre pasaba las tardes desde hacía años. Mi madre había llegado a ser una experta jugadora, una especialista en *impasses* y *slams* grandes y pequeños. Yo le decía a veces, con una cruda sinceridad que intentaba malamente disfrazar de ironía, que, si hubiese dedicado todos los esfuerzos que había consagrado al bridge a sacarse una carrera universitaria, habría obtenido probablemente un doctorado *cum laude* y estaría disfrutando de su propio apartamento y de coche de empresa, en lugar de tener que compartir sus tardes con una serie de brujas chismosas que sólo sabían hablar de liftings y de upliftings y comentar adulterios de maridos ajenos fingiendo con un descaro casi conmovedor que ignoraban los de los propios. Puedo imaginar perfectamente cómo descolgó el auricular de su teléfono color crema, el teléfono supletorio que había instalado en su habitación para procurarse una intimidad que ella hubiese deseado necesitar (y que no necesitaba, puesto que no tenía amantes ni amigas íntimas) y para garantizarse que, en aquellos días de jaqueca en los que decidía enclaustrarse en su habitación, no habría excusa que le hiciera salir de su refugio de cortinas echadas. Puedo imaginar cómo marcó el número que se sabía de memoria y cómo se mordió los labios en un gesto sólo perceptible para los que la conocíamos de toda la vida y habíamos aprendido a descifrar las expresiones que adoptaba cuando se disponía a hacer algo que en el fondo no deseaba hacer. Y el tono digno que emplearía para arrogarse de una superioridad que sabía que había perdido hacía tiempo

—«Mónica —diría—, soy Herminia Martínez de Haya, la madre de Bea... Tus padres no están, ¿verdad guapa?... Llamaba para preguntar por mi hija... ¿Dices que ha salido? ¿Y cuándo volverá?... Ya suponía que estaría contigo. Esa niña venera el suelo que tú pisas, Dios sabrá por qué... Caramba con la bendita cría. Nos va a matar a disgustos a su padre y a mí. Siempre ha hecho lo que le ha dado la santísima gana. No atiende a razones, ha salido a su padre... Dile al menos que se digne llamar... En fin, no hagáis muchas tonterías...»

Cuando Mónica colgó, se mordió los labios. Era sorprendente lo mucho que mi madre y mi mejor amiga se parecían en determinados momentos.

—Que sepas que no vuelvo a mentir por ti. Además, es tu madre —me dijo—. Deberías llamarla.

—Antes muerta —repliqué, y salí disparada a encerrarme en el cuarto de baño.

Coco dirigió una mirada interrogante a Mónica, quien se limitó a encogerse de hombros con expresión sarcástica.

Mi madre me quiso mucho, cuando yo era muy pequeña.

Pero de repente, de la noche a la mañana, crecí, y aquello fue el fin de todo. Mi madre me entendía como una parte de su ser y no estaba dispuesta a aceptar el hecho de que no constituíamos una unidad, de que cada una de nosotras existía por sí misma. Mientras yo fui su niña, fui parte de ella. En cuanto crecí se dio cuenta de que había comenzado la cuenta atrás, de que a partir de ese momento era como si yo estuviese en un escaparate, con un cartel de oferta colgado del cuello, y era sólo cuestión de tiempo el que alguien decidiera comprarme, sacarme de aquella vitrina en donde descansaba y pasearme por el mundo exterior.

Yo entonces no sabía nada de eso.

Recuerdo perfectamente que a mi madre le sacó de quicio desde el principio que los hombres me admirasen por la calle. La religión era su coartada perfecta. En cuanto alguno me silbaba empezaba a recriminarme una supuesta actitud provocativa que estimulaba la lascivia de los hombres, su pecado. No era culpa de ellos, era yo la que les provocaba. En seguida comprendí que no importaba la ropa que me pusiera o la actitud que tomara. Ya podía llevar camisetas de talla enorme o ir por la calle mirando al suelo: me silbaban igual. A no ser que me pusiera un hábito talar, llamaría la atención. O incluso, quién sabe, podría llamarla también con hábito y todo... Esta situación me reafirmaba en la idea que había ido haciéndome en el colegio de monjas: hiciera lo que hiciera, estaba destinada al pecado, por mucho que yo me esforzara en evitarlo. En el fondo, aunque mi educación fuera formalmente católica, crecí con ideas calvinistas.

Empecé a odiar a mi madre con todo mi corazón, con la misma intensidad con la que antes la había amado. Estaba harta de que pusiera pegas a todo: a mis vaqueros, a mi pelo suelto, a mi forma de andar e incluso de mirar.

Y entonces comenzaron los verdaderos problemas.

Mis recuerdos de infancia, hasta los once o doce años, vienen con una banda sonora propia: las discusiones encarnizadas entre mi padre y mi madre. Pero cuando alcancé la pubertad, ella desvió su agresividad y encontró un nuevo objetivo hacia el que canalizarla: Yo. Por supuesto, este cambio de actitud coincidió con una nueva toma de postura con respecto a mi padre, que pasó de ser el enemigo declarado a convertirse en un aliado de conveniencia. Es cierto que no dormían juntos, que él no le era fiel, que probablemente no se amaban, pero compartían una opinión común: no estaban dispuestos a permitir que yo hiciera lo que quisiera con mi vida. A partir de entonces, iban a ser ellos los que tomaran decisiones sobre mi existencia: qué ropa debía ponerme, a qué hora debía irme a dormir, con qué gente debía relacionarme, qué música debía escuchar, qué sitios debía frecuentar.

En aquel universo privado lo de menos eran las razones, las excusas que me dieran para controlarme (mi minoría de edad, mi supuesta indefensión o la necesidad de que alguien velara por mí). Lo importante era la renuncia, la sumisión a un poder ajeno, impuesto y absoluto, que exigía la entrega de lo íntimo en nombre de los sagrados valores de obediencia familiar. Se suponía que yo debía aprender a negarme a mí misma y a amoldarme, a aceptar normas y convenciones por incomprensibles que parecieran, asumiendo que se establecían porque eran buenas para mí. Y aquella exigencia se justificaba en la seguridad de su criterio, tan aplastante que rechazaba la existencia de cualquier otro.

Mi padre, que hasta entonces había parecido el enemigo de mi madre, se convirtió de pronto en su aliado; y por tanto yo, a la inversa, pasé de aliada a enemiga. Dejé de ser el consuelo de mi madre frente a la incomprensión de mi padre, y pasé a convertirme en la nueva razón de su desesperación. La diferencia es que mi padre no supuso un apoyo tan grande para mi madre como lo había sido yo en la primera guerra, o sea, cuando nosotras dos luchábamos contra él. Lo suyo era un acuerdo de circunstancias, una *entente cordiale*, pero él nunca le brindaría la absoluta confianza que yo le había otorgado. Yo había constituido su refugio, su fortaleza inexpugnable, mientras que mi padre no era sino un ejército de mercenarios, que podrían abandonar la lucha en cualquier momento si aparecía una recompensa mejor por la que luchar.

En cierto modo, en esta segunda lucha fue cuando mi madre descubrió su propia fuerza, porque era la primera vez en su vida en que le tocaba enfrentarse a algo sola, puesto que con mi padre, en el fondo, nunca llegó a contar del todo. La desesperación la llenaba de rabia, y la rabia la hacía fuerte, mucho más fuerte de lo que había sido nunca. Se enfurecía y me insultaba, me acusaba de egoísta, de frívola, de insensible; y en el fondo lo que intentaba decirme, a su desesperada e histérica manera, era que sentía que yo la abandonaba, que me disponía a irme dejándola clavada a aquella casa, a aquella vida sin sentido de la que yo podía escapar, pero ella no.

Nos pasábamos la vida, desde entonces, discutiendo. Las broncas eran diarias, las razones, lo de menos. A mi madre no le gustaba nada de lo que yo hacía, nada en lo que ella no pudiera intervenir. No le gustaba que afirmase una personalidad propia, independiente de la suya. Por tanto no le gustaba ni mi ropa, ni los libros que leía, ni la música que escuchaba. No le gustaba que contase con un espacio propio que ella no podía compartir, transformar, comprender siquiera, en el que ella no podía entrar excepto como invitada; por tanto no le hacía nunca gracia el estado de mi cuarto. No importa cuanto limpiase u ordenase, nunca estaba perfecto a no ser que lo limpiase ella. No le gustaba que tuviese existencia propia fuera de su casa, así que se empeñaba en controlar mis horarios y mis salidas. Y sobre todo, no le gustaba que quisiese a otras personas como la había querido a ella. No hace falta decir que odiaba a Mónica y que no perdía oportunidad de desacreditarla.

—Quiero enseñaros algo —dijo Mónica.

La seguimos hasta el vestidor de su madre como dos novicios tras la suma sacerdotisa que los condujera a la cámara secreta del templo. Yo ya conocía aquella especie de cubículo casi escondido en un rincón del dormitorio de los padres de Mónica. Se trataba de una especie de habitación minúscula revestida de espejos que contenía todo el modelerío de Charo. Vestidos de precios exorbitados —cada modelo podía costar el sueldo mensual de un padre de familia de Carabanchel— que colgaban de sus perchas flojos como sudarios, atavíos suficientes para vestir a una congregación entera de clarisas el día que decidieran colgar los hábitos. Al fondo, apoyado contra la pared, se alzaba un tocador de estrella de cine, rematado con un enorme espejo rodeado de un rosario de bombillitas. Mónica abrió uno de los cajones, el último, y aparecieron unos ligueros negros, doblados, que aparentaban el aire siniestro de unos murciélagos dormidos.

—Ahora veréis. Os vais a quedar muertos.

Fue retirando cuidadosamente aquella ropa interior y amontonándola sobre el tocador, descubriendo el tesoro que aquella primera capa de sedas y encajes escondía, hasta que, por fin, en el fondo del cajón, apiladas unas sobre las otras como los ladrillos de un muro, aparecieron una veintena sobrada de cajas de pastillas. A Mónica no pareció sorprenderle el descubrimiento. Y a mí tampoco.

—Bienvenidos al secreto de los eternos cincuenta kilos de Charo Bonet. Anfetaminas para mantenerse delgada y tranquilizantes para superar la histeria que producen las anfetaminas.

Allí había pastillas suficientes como para abastecer un autobús de bakalaeros yendo de excursión a Ibiza. Coco pegó un silbido de admiración.

—Algunas veces he pensado en cargarme a mi madre con una sobredosis de valium —prosiguió Mónica—. Se mete tantas píldoras que nadie sospecharía.

—¿Y cómo se las ibas a meter? ¿Con un embudo?

La pregunta que le formulé me la había hecho muchas veces a mí misma. Yo también fantaseaba a menudo con la posibilidad de hacer desaparecer a mi madre. Por el mismo método.

—Vaya con la Charo... —Coco examinaba las cajas una por una, con aire profesional—. Este cajón es un auténtico arsenal. De verdad, no me extraña que hayas salido yonqui con semejante madre.

—Perdona, bonito —puntualizó Mónica—. Yo no soy yonqui. Me pongo de cuando en cuando, que no es lo mismo.

—Pues con todo el valium y los neorides que tienes aquí, creo que te podías ahorrar la pasta que te gastas en jaco. Cuatro pastillitas de éstas al gaznate con un buen trago de güisqui, y ya vas puesta para toda la semana.

Me sorprendió comprobar que los nombres de muchas de las pastillas que Charo atesoraba coincidían con las que había en el botiquín de mi madre. Al fin y al cabo, nuestras madres no eran tan distintas como ellas (sobre todo Charo) pretendían.

Charo parecía muchísimo más joven que mi madre, aunque apenas se llevaran diez años. Su cuerpo, reconstruido gracias al bisturí, remodelado merced a la silicona, afirmado a base de sesiones de gimnasia, suavizado por cremas y óleos santos, no tenía edad. Se enorgullecía de mantener el tipo de sus veinte años, aunque estoy segura de que a los veinte años no poseía ese par de tetas que yo le había conocido y que desafiaban la ley de la gravedad. A los cuarenta y tantos, desde luego, podía presumir de mejor tipo que cualquiera de nosotras dos.

Se cortaba el pelo cada quince días para mantener impecable el corte aparentemente desaliñado, y lo llevaba teñido de un caoba imposible, tan brillante que parecía un casco bruñido, aunque ella debía de pensar que su cabello ofrecía un aspecto muy natural y juvenil.

Su cara había conocido el lifting y el peeling y el modelling, y como resultado Charo exhibía un sospechoso parecido con numerosas presentadoras de televisión que, como ella, también eran clientas de Enrique Moreneo. Sus labios de patito recordaban a los de Michelle Pfeiffer (colágeno), y su nariz chatita era idéntica a la de Isabel Preysler (bisturí). Ella insistía en afirmar que sólo se había hecho pequeños retoques. Por si acaso, nadie en su casa sabía dónde guardaba los álbumes de fotos familiares que databan de antes de su reconstrucción.

Llevó mochilas a la espalda antes de que las usara nadie, cuando eso sólo se veía en Nueva York. Se pasó a Cerrutti cuando las demás todavía iban por Prada. Se tiñó el pelo de platino antes que la propia Linda Evangelista, y se puso pantalones de campana (de Cedosce) cuando imperaba el pitillo. No en vano era la directora de una revista de moda.

Muchísima gente opinaba que era monísima, incluidos numerosos amigos de nuestra edad, pero a Mónica y a mí nos parecía un adefesio. Y no opinábamos así por despecho o por envidia. A mí su cara me resultaba inexpresiva hasta extremos aterradores. Supongo que con tanto colágeno y tanto lifting le debía de resultar difícil sonreír. O quizá, como hacía mucho tiempo que no sonreía con naturalidad, llevada por un impulso irreprimible y no forzada por las convenciones sociales, ya se le había olvidado cómo se fruncían los labios en una sonrisa espontánea. Sin maquillaje (o sea, a la hora de desayunar) su piel exhibía una textura opaca, desvaída, y cuando se había maquillado (inmediatamente después de desayunar y antes de salir pitando a la redacción) parecía que llevase puesta una máscara porque, a poco que uno se acercase, podían advertirse los polvos compactos sobre el tono arcilloso de la base, y su rostro recordaba a una masa para hacer tortas, grumosa y enharinada a la vez. Pero repito que mucha gente la encontraba monísima. Ese tipo de replicantes tienen mucho público; para comprobarlo sólo hace falta agarrar el mando a distancia y hacer un barrido por las cadenas de televisión a las nueve de la noche.

Charo se casó muy joven y fue madre a los veintipocos años. Su matrimonio duró muy poco, apenas lo suficiente para que Mónica conservara un borroso recuerdo de la convivencia con su padre. Cuando se separaron, él se marchó a Argentina, desde donde telefoneaba dos veces al año: por Navidad y por el cumpleaños de su hija. Aunque el acuerdo de separación estipulaba que el padre tenía derecho a pasar un mes de vacaciones con su hija, en la práctica Mónica apenas había recibido cuatro visitas de su padre desde la separación, y en ninguna de ellas permaneció en Madrid más de una semana. Su padre tampoco se hacía cargo del pago de la pensión que le correspondía a Charo en concepto de manutención y gastos escolares de la niña, como Charo se encargaba de recordar a Mónica por lo menos dos veces al día.

Charito empezó como secretaria en la redacción de una emisora de radio, y poco a poco fue, como suele decirse, labrándose una carrera en el campo del periodismo. Fuera a base de follar con quien tenía que follar, fuera a base de mucho esfuerzo y de cierto talento para las relaciones públicas, el caso es que Charo acabó al mando de una de las tres revistas de moda más importantes del país.

Charo consideraba el cuerpo femenino como algo que se podía cosificar, convertir en objeto decorativo, utilizar con estilo, explotar con elegancia en páginas brillantes. Charo creía que podía imponer su criterio a miles de mujeres, pero, en realidad, no era más que una pieza minúscula en el engranaje de una de las muchas máquinas de una fábrica enorme. Se creía muy importante dirigiendo una revista, pero lo cierto es que no pintaba mucho en el mundo de la moda; la pobre resultaba tan insignificante como la Tierra en relación al Universo.

En la cafetería del edificio donde trabajaba intimó con Manuel, que era el director de una revista sobre cuidados del bebé que pertenecía al mismo grupo editorial de la que dirigía Charo, y que acabaría por convertirse, por este orden, en marido de Charo, padrastro de Mónica y padre de los hermanos de Mónica, dos niños pelirrojos e insoportables que a sus diez y nueve años ya conocían de memoria los nombres y megas de todas las consolas de videojuegos del mercado, y preferían los bollicaos a los foskitos, y diferenciaban entre deportivas Nike y Reebok, y entre cazadoras el Charro y Pepe. Nosotras jamás nos referíamos a ellos por sus nombres. Eran *los niños*, o, si debíamos referirnos a ellos por separado, *mega* y *micro*, los apodos que Mónica había acuñado para ellos. Jamás les llamábamos por sus nombres de pila. De hecho, ni siquiera recuerdo cuáles eran.

En principio, Mónica no tenía razones para quejarse de Charo ni de Manuel, porque se supone que sus padres representaban el perfecto ejemplo de progenitor comprensivo que han sacralizado las comedias de situación yanquis. Ni Charo ni Manuel gritaban ni discutían, y Mónica tenía asignada una cantidad mensual que sólo se podía calificar de generosa. Además, Charo se las daba de negociadora y de tolerante. ¿Que quieres salir por la noche?, pues nada, lo hablamos y discutimos civilizadamente la hora a la que vas a llegar. ¿Que quieres que te deje el coche? Pues igual. ¿Que necesitas ropa nueva? Tres cuartos de lo mismo. Mónica no podía contar con el consuelo de que todo el mundo comprendiera perfectamente por qué no podía soportar a su madre, como sucedía conmigo.

A los doce años, Mónica conoció su primer novio. Era un niño de los Jesuitas, que le pidió salir en la parada del autobús. Mónica le dio el sí por aquello de que el niño tenía quince años y lo de salir con un chico mayor que una, y además de los Jesuitas, siempre daba una cierta prestancia en el Sagrado Corazón. Lo de su noviazgo consistía, en realidad, en el acuerdo tácito de que en el trayecto de autobús que iba de nuestro barrio a los Jesuitas se sentarían juntos y se cogerían de la mano. Y fue gracias a ese chico como Mónica reparó en que su madre no le había cogido la mano ni una sola vez en la vida. Ni una.

Había muchos detalles que convertían a Charo en una mujer insoportable: su total carencia de sentido del humor, su obsesión porque a su alrededor todo estuviera absolutamente pulcro y ordenado, desde el comedor al aspecto de sus hijos, su manía de decir siempre la última palabra en cualquier conversación, su empeño en demostrar constantemente que ella estaba al día en cualquier tema de actualidad, desde cosmética a literatura, pasando incluso por el fútbol. Cuando me quedaba a dormir en casa de Mónica sentía al día siguiente, a la hora del desayuno, que la frivolidad de la conversación de Charo iba a acabar por aplastarme contra la taza. Todo lo que decía me olía a café frío.

Ellas dos nunca discutían, pero tampoco se llevaban bien. Charo no se ahorró nunca comentarios despectivos sobre ninguno de los amigos de Mónica, incluida yo, y al único que le cayó en gracia, a Javier López de Anglada, el primer novio formal que se sacó su hija, guapo, estudioso y de buenísima familia, lo largó Mónica al cabo de cuatro meses. Charo mantenía a Mónica bien apartada de su mundo y de sus relaciones, a pesar de que la mitad de la plantilla de la revista que dirigía estaba, más o menos, por la edad de Mónica, y Mónica no hubiera desentonado en ninguno de los actos sociales —presentaciones, tertulias, homenajes y desfiles— a los que Charo acudía asiduamente. Pero ni Charo se llevaba a la niña ni a Mónica se le ocurría sugerírselo. Aún recuerdo aquel otoño en que sin éxito intenté que Mónica le pidiera a Charo un pase para la pasarela Cibeles. A mí nunca me ha atraído la moda, pero sentía cierta curiosidad, sobre todo porque en el colegio no se hablaba de otro tema. Mónica se negó rotundamente a pedirle a su madre uno de los mil pases que le sobraban, y yo no quise inmiscuirme en aquella obstinación porque conocía de sobra la relación que mantenían y sabía bien que Mónica no podía permitirse suplicarle nada a Charo.

La rivalidad entre Charo y Mónica no era tan evidente como

la que existía entre mi madre y yo, y precisamente por eso creo que resultaba mucho más peligrosa. La cosa se limitaba a indicaciones sutilísimas: alguna observación sarcástica por parte de Charo sobre el estado del cuarto de Mónica, y, por toda respuesta, un silencio tozudo de Mónica que se mantenía una décima de segundo más de lo que hubiera resultado cortés; la manía de Charo de regalarle a Mónica conjuntos de falda y chaqueta de Benetton, y la firme determinación de Mónica de no ponérselos jamás; las camisetas de grupos indies que Mónica se compraba en los puestos del Rastro y que cualquier día desaparecían misteriosamente de sus cajones, y es que Charo, vaya por Dios, había vuelto a ordenar armarios y se había deshecho de lo que, según ella, ya era inservible.

Si Charo hubiese podido elegir, hubiese querido una Mónica más espigada, menos tetona, que se sentase con las piernas juntas y paralelas y que supiese diferenciar a primera vista un cinturón de Moschino auténtico de una imitación. Aunque quizá hubiese optado por no tener hija, o por lo menos por tener una hija que se quedase estancada en la prepubertad, que no le recordase constantemente a Charo y al resto del mundo que hacía años que la directora de *Carina* había superado la cuarentena. Sin una hija de esa edad, Charo hubiese podido mantener eternamente la ilusión de unos treinta y tantos mal llevados. O eso debía creer ella.

La Metralleta era una especie de nave inmensa, completamente pintada de negro, donde camareras de aspecto gótico que parecían recién salidas de una cripta servían copas a los clientes con cara de desagrado. Por la puerta del local entraron dos hombres de unos treinta y tantos años. Uno era alto y bastante atractivo, al otro le sobraban unos kilos. Aunque iban vestidos de esport (vaqueros, cazadora, camiseta de algodón) su aspecto contrastaba escandalosamente con los estudiados modelitos «indie pop» de los habituales del sitio (camisetas de talla infantil de colores chillones, minifaldas de vinilo, pantalones bagging, cabellos teñidos de tonos imposibles, *piercing* en cejas, labios y ombligos); sobre todo porque ambos iban bien afeitados y peinados. Escuché cómo una de las camareras —una morena despampanante que llevaba el cráneo rapado al uno— le comentaba a otra:

—Me cago en la hostia... Éstos aquí otra vez. No se contentan con espantarnos a la clientela, sino que encima hay que invitarles a las copas.

—Los pobres cantan a distancia —le respondió la otra, una clónica de Morticia Adams—. Y eso que se supone que van camuflados.

Nosotros tres estábamos apostados en la barra. Coco pidió un Johnnie Walker con hielo a la vez que yo expresé la opinión que el sitio me merecía:

—¡Esto es un cutrerío!

—No seas tan ñoña —me respondió Mónica, y tomándome de la mano me arrastró hacia la pista.

Por entonces el techno aún no había invadido Madrid y recuerdo que bailábamos al son de unos timbales rítmicos y atronadores, puede que fuera Red Hot Chili Peppers. Yo había aprendido a bailar este tipo de música, que a mí no me gustaba particularmente pero que a Mónica le apasionaba. Primero intentaba localizar en mi cabeza cuál era exactamente el ritmo marcado, para anticiparme a cada nuevo golpe, y en cuanto había localizado la sucesión, procuraba hacer que mis movimientos coincidiesen con cada toque de percusión. Subía un hombro, luego el contrario, y sacudía la cabeza de un lado a otro para hacerla coincidir con cada cambio, de forma que pudiese tocar el húmero con la barbilla a cada nuevo martillazo. Los giros de la cintura habían de ser parejos a las subidas y bajadas de la clavícula, y las piernas se adelantaban sincronizadas con los brazos. Al cabo de un rato, si una se concentraba lo suficiente, la coordinación se hacía mecánica. Era entonces cuando conseguía encontrarme bien porque mi cuerpo, completamente entregado a las imposiciones de la música, dejaba de ser mío por un rato, sometido a los deseos de algún dios arcano que temporalmente se haría cargo de él. De esta manera yo dejaba de tener conciencia de mí misma y me olvidaba, por tanto, de mis preocupaciones.

En algún momento Mónica se abalanzó sobre mí, me agarró por la cintura y se puso a bailar conmigo. Se acopló perfectamente a mi ritmo, con los ojos cerrados. Reposó su cabeza en mi hombro (yo podía sentir su aliento caliente en mi cuello), demasiado cansada o demasiado bebida, ajena a la expectación general que despertaba la pareja que componíamos. En particular en uno de los dos treintañeros vestidos de esport, el más alto, que no nos quitaba los ojos de encima.

Habíamos ido allí para llevar a cabo el último proyecto genial de Coco: ofrecer a aquellos adolescentes, necesitados de energía suplementaria para bailar toda la noche, buen material a precio de ocasión. Íbamos a venderles anfetaminas. Anfetaminas requisadas del tocador de Charo Bonet. Nos habíamos llevado una caja intacta de Dicel —Charo tenía varias almacenadas y confiábamos en que no advertiría su desaparición— que contenía veinte pastillas azules, veinte, que pretendíamos pasar a quinientas pelas cada una. Un chollo, según Coco. Las íbamos a vender muy baratas, así que no sería difícil vender la caja entera en una noche. Diez talegos de golpe, Dios y Charo mediante.

Abrazada a mí, Mónica alzó la cabeza para susurrarme algo al oído. El estruendo de la música sólo me permitió interpretar fragmentos de su discurso, pero alcancé a entender que ella quería que fuese yo la que pasase las anfetas.

—¿Tú estás loca? —le dije—. No he hecho algo así en mi vida.

—Razón de más. Ya verás cómo no pasa nada; será divertido.

Me tomó de la mano y me arrastró fuera de la pista. Nos apoyamos sobre una columna, en una esquina oscura

—Es muy fácil, créeme. Ya lo hemos hecho más veces. Tú sólo tendrás que quedarte aquí. Yo me encargo de hacer correr la voz. Se lo contaré a las camareras y a dos o tres pavos que conocemos. Luego la cosa irá rodada. Normalmente los unos se lo cuentan a los otros, así que en seguida los tendrás por aquí. Eso sí, intenta ser discreta, por favor. No se tiene que notar. Ellos te dan la pasta y tú les das las pastis, pero con discreción. Toma, coge mi mochila.

Me tendió la mochila que llevaba siempre —de vinilo naranja

brillante, Gaultier auténtico, regalo, cómo no, de Charo—, y yo me la colgué del brazo.

—Mete la mano en el bolsillo exterior de la mochila.

La obedecí. Al tacto notaba un montón de bultitos que parecían piedrecitas de río.

—Hemos envuelto cada una de las pastillas en papel de celofán. Cuando te pasen las pelas, y sólo cuando te las hayan pasado, les das una, o dos, o las que te pidan. Las coges del bolsillo, las tanteas con la mano para contarlas y te aseguras de que, cuando las saques, vayan directamente de tu mano al bolsillo. No las expongas a la luz para contarlas, no corras riesgos. Es muy simple, ¿no?

Asentí con la cabeza.

—Otra cosa muy importante —prosiguió ella—, si viene alguien un poco mayor, o con pinta de pijo, o con camisa; en fin, cualquiera que tenga un aspecto un poco raro, no le hagas ni caso. Dile que no sabes de qué te habla. Mejor perder cinco libras que meternos en un lío.

—¿Y por qué no haces esto tú?

—Porque yo me encargo de hacer correr la voz por ahí, cosa que tú no puedes hacer porque no conoces a nadie. Normalmente lo hacemos entre Coco y yo: uno se queda en un sitio fijo, como vendedor, y otro deambula por el bar, haciendo promoción de la mercancía, por decirlo de algún modo. Pero con esos dos de la barra —y señaló a los dos treintañeros relamidos— no quiero correr riesgos. Coco canta mucho, ¿sabes? Si ven a un montón de tíos entrándole se van a dar cuenta de lo que está pasando. Pero a nadie le extrañará que la peña te entre a ti. Una chica mona, sola, en un bar como éste, a las mil de la noche... normal que los tíos la acosen. Además, no estarás todo el rato sola. Yo vendré en seguida y me quedaré contigo.

—Mónica, no me apetece nada meterme en esto; en serio.

—No te preocupes, no corres ningún riesgo, Betty. Nunca nos han pillado. Creo incluso que no pasaría nada aunque lo hiciera Coco, sólo que intento ser megaprudente, por si las moscas. Anda, hazlo por mí —insistió Mónica, con voz empalagosa.

Accedí, qué remedio. Al fin y al cabo, estaba viviendo en su casa, y supuse que debía contribuir a mi manutención. Reminiscencias de mi madre, que como se pasaba el día recordándome que ella me mantenía, y que esa circunstancia implicaba que yo le debía obediencia, me había enseñado a considerarme obligada a corresponder siempre que alguien hacía algo por mí; de forma que en mi universo no se concebía el altruismo, y por tanto yo no podía negarme a hacer lo que me pedía la persona que pagaba mi comida y me proporcionaba un techo bajo el que protegerme.

Mónica desapareció y yo me quedé en la esquina, con la mochila colgada del brazo y el espíritu atiborrado de preocupaciones. A los cinco minutos se me acercó un jovencito enflaquecido que lucía un perilla becqueriana —la última moda grunge, por entonces— y que me preguntó, así, sin preliminares, si tenía anfetas. Me pareció que aquel tono directo contrastaba con el escrupuloso celo con el que Mónica pretendía manejar el tema. Le pregunté cuántas quería y me dijo que cinco. Hice cálculos: dos mil quinientas, le espeté. Me pasó tres billetes de mil. Con una mano localicé, al tacto, cinco bolitas de celofán en el bolsillo de la mochila. Metí la otra en el bolsillo de mis vaqueros buscando las quinientas pelas que debía devolverle. Entonces reparé en que no llevaba un duro encima.

—No tengo cambio —le dije. Me di cuenta de que como díler novata, había fracasado estrepitosamente—. ¿Por qué no te llevas seis? —le sugerí, dedicándole de paso la sonrisa más dulce de mi repertorio. Coqueteaba abiertamente, porque me había puesto nerviosísima y quería solucionar el intercambio en el menor tiempo posible. Para mi sorpresa, el truco funcionó. Él me devolvió la sonrisa, entornando los ojos en un gesto galante.

—Vale —dijo—. Que no se diga que voy a ratearle cinco libras a una monada como tú.

—Toma. —Le puse las seis pastillas en la mano y él aprovechó para apretármela. Cualquiera que nos viese supondría que estábamos ligando. Y así era, en cierto modo.

—Anda, hazme un favor —le dije y le acerqué un billete verde—. Necesito monedas. ¿Crees que puedes ir a la barra y traerme este billete cambiado?

—Claro. ¿Quieres que te traiga algo de beber?

—Vale, un güisqui.

En el intervalo que transcurrió hasta que me trajo la copa les vendí cuatro pastillas más a dos tíos que se acercaron y que se llevaron dos cada uno, así que en menos de quince minutos ya llevaba colocada media caja. Todo se iba desarrollando con la mayor normalidad, si es que se puede hablar de normalidad a la hora de referirse a semejantes actividades. Me pedían las pastillas, me ponían un billete de un talego en la mano, y yo deslizaba en la suya dos pequeñas bolitas de celofán. Todo muy simple. Luego volvió el chico del principio con un vaso de tubo en la mano.

—Toma —me pasó el vaso y un montoncito de monedas brillantes.

—¿Cuánto te debo? —le pregunté.

—Nada, nena, qué me vas a deber. Invito yo. ¿Te apetece bailar?

—No puedo, lo siento. Tengo que quedarme aquí, por si viene alguien más... alguien como tú... ya sabes. Pero nos vemos dentro de un rato. —Le di largas intentando deshacerme de él. Afortunadamente no se trataba de un chico muy insistente, porque sonrió como si entendiera lo que le explicaba, y desapareció en la oscuridad.

Apuré el vaso de güisqui con avidez, con la vana esperanza de que mis inhibiciones se diluyeran en alcohol y me resultara menos agobiante la situación que estaba protagonizando. Entonces observé cómo se acercaba uno de los treintañeros, el más alto. Mónica le suponía policía y él cruzaba la pista con tal decisión que yo misma le adjudiqué de inmediato semejante profesión. Los latidos de mi corazón se desbocaron y las piernas me comenzaron a temblar como dos moldes de gelatina.

—¿Qué hace una chica tan guapa como tú en una esquina tan solitaria como ésta?

—Supongo que esperar a que me entre alguien con una frase menos tópica que la que tú acabas de utilizar —le respondí, intencionadamente borde, para aparentar un dominio de mí misma que sólo impostado podría poseer.

Al momento pensé que había metido la pata, que enfadar a ese sujeto era lo peor que se me podía ocurrir, dadas las circunstancias; pero me tranquilicé al ver que él sonreía, como si la salida le hubiese hecho mucha gracia.

—Puede que tengas razón. No he estado muy inspirado. Pero tienes que reconocer que ni el momento ni el lugar dan para más...

Coco surgió de repente, detrás de la columna. Concentrada como estaba en las reacciones de aquel tipo alto, ni siquiera me había dado cuenta de cómo había llegado hasta allí. Me cogió de la mano y me arrastró hacia él.

—Bea, corazón... Llevo horas buscándote —me dijo al oído, pero lo suficientemente alto como para que el otro le oyera. Yo intenté desasirme, pero Coco me apretó más fuerte—. Anda, no te cabrees —replicó él a mi gesto. Y luego, dirigiéndose al tipo alto, dijo—: Eres un poco mayor para intentar ligarte a mi novia, ¿no?

Me dejé arrastrar hasta la pista sin oponer la menor resistencia. No me impuse hasta que estuve totalmente segura de que el tío alto no podría escuchar lo que decía.

—¿Pero se puede saber qué haces? —le grité a Coco.

—Joder, Bea, no te cabrees. No quería que metieses la pata.

—Y, para que no metiese la pata yo, vas y la metes tú, ¿no? Ni se me había ocurrido pasarle nada al tío ese. Pero en cuanto has intervenido tú se ha notado muchísimo que le teníamos miedo. Además, entérate de que ya soy mayorcita y sé cómo cuidar de mí misma. No necesito que vengas tú a hacer de redentor.

—Vale, vale... lo siento —dijo él—, reconozco que me he puesto un poco nervioso. Anda, dame un abrazo.

Me atrajo hacia sí, y me hizo sentir incómoda, poco acostumbrada como estaba a las muestras de afecto. Y unos segundos después, esta incomodidad se acentuó, porque intuí que aquel abrazo se prolongaba más de lo necesario. Me desasí de aquellos enormes brazos enredados a mi cintura y me zafé de Coco, enfurruñada.

Amanecía en la plaza de Chueca. El cielo se hinchaba lentamente, rindiéndose al calor, velado todavía por una delgada gasa anaranjada. Habíamos salido de La Metralleta con un montón de papeles verdes y estrujados, el resultado de la venta de la caja de Dicel, y ahora íbamos a gastárnoslos en comprar algo de jaco para Mónica, que era, al fin y al cabo, la propietaria de la caja que nos había salido tan rentable.

—Si llego a saber que se nos iba a dar tan bien, hubiese insistido en que nos lleváramos dos cajas. La verdad es que las anfetas son fáciles de vender —me iba explicando Coco—. Son baratas y nunca se pasan de moda. Aunque supongo que también influye lo guapa que te has puesto. —Lo decía porque yo me había vestido para la ocasión y llevaba puestas una minifalda y una camiseta ceñidísima que le había cogido prestadas a Mónica, e incluso, por primera vez en años, me había puesto unos pendientes que me tensaban los lóbulos de las orejas; y lo cierto es que apenas cuatro días antes me hubiera creído incapaz de salir a la calle así—. Has batido un récord, en serio. Deberías dedicarte a esto.

—Olvídalo —respondí—. Primera y última vez. He estado acojonada todo el rato.

Había dos negros sentados en un banco que saludaron a Coco como a un viejo amigo y comentaron alborozados la belleza de «su nueva mujer». No me quedó claro si se referían a Mónica o a mí. Coco se sentó al lado de uno de ellos e inició un intercambio de cuchicheos. Al rato ambos se levantaron y Coco le hizo una seña a Mónica, que se alzó a su vez y les siguió.

—Espera aquí —me dijo—. Ahora volvemos.

Los tres desaparecieron en la boca del metro y yo, obediente, me quedé quietecita donde estaba, mirando al suelo. El negro que tenía a mi lado me tocó levemente el codo, como para atraer mi atención.

—Yo Salif. Tú... Cómo te llamas tú.

—Bea —respondí lacónica, y permanecí con los ojos tercamente fijos en el suelo.

Él reposó su mano sobre mi muslo desnudo y sin el menor disimulo comenzó a acariciármelo. Volví la cabeza hacia él y le dirigí una mirada estupefacta. Me levanté de un salto y fui a sentarme a otro banco, mientras el negro me seguía con los ojos, sonriendo insolentemente, como divertido ante el espectáculo de mi dignidad herida. Para no tener que enfrentarme a su rostro burlón, volví a mirar al suelo y me entretuve contando las baldosas (cincuenta y dos desde el banco a la boca del metro) hasta que Mónica y Coco regresaron con expresión satisfecha. Me alcé de un salto, como si el banco quemara, corrí hacia Mónica y me colgué de su brazo.

—Que sea la última vez que me dejas sola en mitad de esta plaza con un desconocido. Éste ya me quería follar... —protesté indignada.

—Mira —me respondió Coco—, esta peña está acostumbrada a que las pijas se lo hagan con ellos por caballo. Así que si te ven mona, atacan por si acaso.

—A ti no te he preguntado.

La discusión que hubiésemos tenido no llegó a producirse porque la abortó el chirrido destemplado de unos neumáticos sobre el asfalto. Entonces vimos aparecer por la calle Gravina un coche de la policía municipal que aparcó al lado de la plaza. Visto y no visto, tres agentes uniformados descendieron del coche. Hasta yo me di cuenta de que se trataba de una redada.

—Mantén la tranquilidad —me susurró Mónica, imperiosa.

Dos policías se dirigieron directamente a cachear a los camellos negros. Otro vino hacia nosotros y, antes siquiera de saludarnos, nos acribilló a preguntas: que qué hacíamos allí tan temprano, que qué edad teníamos, que si seríamos tan amables de enseñarles nuestras identificaciones; y yo me daba cuenta de que, pese a su insolencia, el policía estaba siendo infinitamente educado con nosotros, si tomábamos como referencia la manera en que sus amigos trataban a los negros. Mónica no perdió la calma ni un segundo, y haciendo gala de sus mejores maneras (que para algo se había dejado Charo los cuartos en un colegio de pago), le explicó al policía que ella vivía en la calle Almirante, que nosotros tres éramos compañeros de clase, que habíamos estado estudiando toda la noche preparando los exámenes de septiembre y que andábamos buscando el primer bar abierto para comprar cigarrillos, porque durante la larga noche de estudio habíamos agotado nuestra provisión.

—A propósito, agente, ¿usted sabe dónde hay un bar abierto? —remató con su sonrisa más hipócrita—. Llevamos horas buscando uno.

El tipo adoptó una expresión burlona y se me quedó mirando fijamente

—Y, ¿qué estabais estudiando, bonita? —me preguntó.

—Historia —respondí sin dudarlo un segundo. Fue la primera palabra que se me vino a la cabeza, probablemente porque se trataba de una asignatura que siempre me había gustado.

—Historia, ya... —el policía se reía con los ojos.

Era evidente que no se había tragado el cuento, pero le habíamos hecho gracia. Al fin y al cabo, le dábamos igual. Le interesaba pillar traficantes, no compradores. Yo temía que registrasen a Mónica y Coco y les pillasen lo que fuera que acabaran de comprar, pero, para mi sorpresa, el policía se puso a charlar animadamente con Mónica. Ella tomó carrerilla y le explicó que había vivido en Salamanca toda la vida, hasta que decidió venir a estudiar a Madrid, que compartía piso con unas amigas, y que había que ver lo duro que resultaba vivir en la zona, porque le intimidaba la plaza de Chueca, llena de yonquis y travestis, y a veces pasaba mucho miedo al volver a casa. Estoy segura de que él no creía una palabra de la historia que ella improvisaba; pero que, fascinado, corno yo, por la representación que se sucedía ante sus ojos, y por la gracia y el encanto de la actriz, optó por dejarla seguir. Nunca supimos hasta dónde podía haber llegado Mónica porque los otros dos policías reclamaron al tipo a gritos. Éste nos hizo una seña con la mano y se dirigió hacia el coche. Sus colegas estaban acomodando a los dos negros, esposados, en el asiento trasero.

Cuando desaparecieron me quedé mirando a Mónica boquiabierta.

—Le echas más morro que un cura en un burdel... pero, ¡eres increíble! Me ha encantado —exclamé sin poderme contener, aun a sabiendas de que lo peor que podía hacer era alentarla en su carrera de trapicheos, y Mónica sonrió satisfecha, evidentemente complacida con la admiración que despertaba, tan fascinante, tan exquisitamente poderosa, como una mariposa de acero.

En el cuarto de baño de Charo encontré un bote de peróxido. Se me ocurrió que quizá Charo lo utilizaba para teñirse el bigote, porque seguro que para el pelo no era, ya que ella se teñía en la peluquería (Ángela Navarro, por supuesto, la peluquera que peinaba a las modelos de Sybilla; la más exclusiva, la más moderna).

Bote de peróxido en mano, iluminó mi mente de repente la feliz idea de teñirme dos mechones blancos, que brotaran de las sienes y me enmarcaran el rostro. No me atrevía a cortarme la cabellera trigueña que mi madre y sus amigas alababan tanto, pero era consciente de que aquella melenita ñoña desentonaba en un ambiente como el de La Metralleta, el mundo que acababa de conocer y en el que deseaba integrarme, más que nada porque Mónica ya estaba inmersa en él, y yo no quería alejarme de ella. Dos mechones blancos aportarían a mi imagen una rebeldía de la que yo carecía, aunque era seguro que a mi madre le daría un ataque si yo me teñía el pelo. Mejor. Al fin y al cabo ésa era la idea, ¿o no? Escuchar una música determinada, vestir de cierta manera, arreglarte el pelo de un modo absurdo. Cosas que tus padres no entendieran, o no aprobaran. Si no conseguías escandalizarles, señal de que te habías equivocado, de que no eras lo bastante *cool*.

Nuestros cumpleaños coincidían en el mismo mes, con apenas cinco días de diferencia, pero Mónica y yo nunca los celebramos, o no de la misma forma en que los celebraban las chicas de nuestro colegio. No dábamos fiestas en casa ni invitábamos a las amigas a tomar algo en un bar del barrio, no esperábamos regalos ni tarjetas, sino que organizábamos nuestros propios rituales, reuniones íntimas a dos, en casa de Mónica, aprovechando la circunstancia de que su madre siempre estaba fuera y no nos molestaría. Cuando cumplí trece años Mónica preparó una enorme tarta de chocolate con trece velas blancas —las mías— y catorce velas negras —las suyas— que apagamos entre las dos, juntas, de un solo soplido común. Nuestros alientos arrasaron aquel batallón de llamas en cuestión de un segundo. Juntas, nos sentíamos imbatibles. Yo le regalé un par de pendientes con forma de soles y un libro de divulgación sobre el cosmos, y ella a mí una pequeña cajita esmaltada en forma de corazón donde aquel año guardaría horquillas y más tarde pastillas, y que, por supuesto, todavía conservo. Ella me contó después que había encontrado las velas negras en una tienda de artículos esotéricos, y que el supuesto mago que las vendía le había advertido que tuviese cuidado con ellas, que las velas negras eran las que se utilizaban en los rituales satánicos. Se reía recordándolo y se le escapaban de la boca migajas de tarta de chocolate. Por si acaso, mis trece velas eran blancas, no negras. Todos sabemos que el trece no es número afortunado, y Mónica no era tan descreída como quería aparentar.

Un año después, en nuestro siguiente cumpleaños, nos encerramos en su habitación, con las persianas bajadas y las cortinas corridas y la habitación repleta de velas, y tumbadas sobre su cama, con los perfiles difuminados por la temblorosa luz amarilla de las decenas de pequeñas llamitas desperdigadas por el cuarto, fuimos enumerando por turnos todos los deseos —uno Mónica, uno Bea— que pensábamos hacer realidad ese año. Yo le regalé un álbum de tiras cómicas de Betty Boop (comprado, cómo no, en Metropolis), porque encontraba que Betty se parecía mucho a Mónica. Ella me regaló a mí un disco de Siouxsie and the Banshees, porque a ella le encantaba su versión de «Dear Prudence», una canción que desde entonces me obligaría a admitir que existían razones para aferrarse a la vida: *The sun is high, the sky is blue, it's beautiful and so are you... Dear Prudence, won't you open up your eyes?* El título del álbum, *Caleidoscope*, me hizo pensar en ella: su personalidad caleidoscópica estaba compuesta de múltiples detalles (existía la Mónica tranquila que se pasaba horas leyendo y adoraba las matemáticas, la Mónica gamberra a la que le encantaba montar bulla a las horas de clase, la Mónica escéptica que se acostaba con un chico cada semana y la Mónica sensible que aspiraba a casarse algún día y tener niños...), y todos estos diferentes aspectos de sí misma se recombinaban a cada movimiento de forma que, si volvía la cabeza, creía ver, al remirarla, a una nueva Mónica.

Los quince años me sonaban como una cifra muy seria, dotada de una significación mágica, casi cabalística. Ya usábamos tampones y sujetador y nos pintábamos los ojos y los obreros nos silbaban por la calle; y para celebrar que ya éramos mujeres hechas y derechas decidimos teñirnos el pelo a la vez: yo rubio platino, ella negro azulado. Yo con peróxido, ella con un tinte kolestint. Fue un ritual de cuarto de baño que cambió nuestro mundo de sentido y de color. Mi pelo castaño claro quedó blanco, el peróxido me hizo llorar los ojos; y en cuanto al tinte azul, arruinó una de las toallas de Charo y hubo que salir a comprar otra. Nos pasamos casi una hora limpiando la bañera, que se había quedado llena de chorretones azul oscuro, como una performance de Yves Klein, frotando apuradas con nanas empapadas en lejía, empleando en aquel frenético restregar toda nuestra energía. Si llega Charo y ve esto, nos cuelga, esta vez sí que nos mata. Joder, decía Mónica, friega con más brío. Mueve las muñecas, coño. Así no vas a aprender a hacer pajas en tu vida. Y al final, después de frotar y refrotar la dichosa bañera, y de bajar al Corte Inglés con un gorro de plástico en el pelo para comprarle otra toalla a un dependiente que nos miraba como si fuésemos marcianas, nos secamos el pelo, nos miramos al espejo y nos dimos de frente con dos versiones depuradas de nosotras mismas. Las cosas, a partir de entonces, serían blancas o negras, y no habría espacio para las medias tintas.

Podía imaginar que a mi madre no le iba a gustar el nuevo color, pero lo cierto es que no estaba preparada para la escenita que se organizó a cuenta de la decoloración de mi pelo. En cuanto me vio entrar por la puerta, sus ojos empezaron a soltar chispas aceradas, su cara tornó a un color púrpura intenso y empezó a gritar como una posesa. Me dijo que parecía una mujer de la calle y que ya podía ir llamando a la peluquería y pedir hora para que me arreglaran aquel desaguisado. Le respondí que yo quería dejar mi pelo como estaba, que se trataba de *mi* pelo, y no del suyo, y así comenzó una de nuestras peleas más sonadas. Yo estaba convencida de que me asistía toda la razón del mundo. Podía admitir que ella ostentase un relativo derecho a controlar a qué horas llegaba, puesto que, como ella se encargaba de recordarme, me mantenía, y por tanto podía exigir algo a cambio;

pero mi cuerpo era mío y sólo mío, territorio de mi exclusiva jurisdicción. Ella no podía comprender ese razonamiento, claro, porque, según ella, mi cuerpo no me pertenecía a mí sino a Dios, y ella, como mi madre y mi vigilante moral, estaba encargada de que yo lo honrase como estaba escrito. Los gritos continuaron, progresivamente íbamos aumentando el tono, para ponernos cada una por encima de la otra, hasta que a la media hora me harté de tanto berrido inútil y me metí en mi cuarto pegando un portazo. Permanecí, como en tantas ocasiones, inmóvil sobre la cama, procurando no mover un músculo, intentando casi no respirar, ni siquiera parpadear. Aquélla se había convertido en mi forma de tranquilizarme cuando me llevaba algún disgusto. Desaparecer. Fijé mis ojos en la ventana y me entretuve contemplando el fluir de las nubes y cómo el paso del tiempo cambiaba el color del cielo.

Ya había caído la noche, y a través del cristal podía ver las estrellas, minúsculos puntitos de luz ambarina, y la luna en medio como una gran bola rosada. De pequeña, me solía decir mi madre, tenías miedo a la luna llena. Aún hoy la luna llena me da miedo. Esa bola malvada que controla a las mareas y a los asesinos, suspendida en el cielo ajena a los desastres que provoca.

Pensaba en la luna cuando escuché a mi padre llegar y el taconeo agudo y nervioso de mi madre que atravesaba el pasillo para salir a recibirle. No era común en ella recibir a mi padre con tamaña impaciencia, así que acerqué el oído a la puerta para enterarme de lo que pasaba. Capté palabras sueltas, retazos de frases, fragmentos de conversación. Comprendí que ella le estaba contando lo que me había hecho en el pelo y que esperaba que él tomara partido. Como si a él pudiera importarle mucho el color de mi pelo o nuestras broncas. Al momento sentí la vibración retumbante de unos pasos que se hacían más consistentes a mi oído a medida que se acercaban a mi habitación. Volví a mi cama y me hice la dormida. Le escuché entrar. Abrí los ojos y me encontré con los suyos, hundidos y extraviados. El feroz fruncimiento de sus tupidas cejas activó en mí una señal de alarma. Demasiado tarde, no me dio tiempo a reaccionar.

Se abalanzó sobre mí, los puños hacia delante, y me zarandeó. ¿Qué te has hecho en el pelo? Su aliento calentaba mi cara y transportaba alcohol en vaharadas. ¿SE PUEDE SABER QUÉ DIABLOS TE HAS HECHO EN EL PELO? Me zarandeó más fuerte. Mis oídos bloqueados por un zumbido sordo. ¿Qué pretendes? ¿Volvernos locos? Tu madre ya no sabe qué hacer contigo. La estás volviendo loca a ella y ella me está volviendo loco a mí. Me agarró por el cuello y siguió zarandeando. Me dejaba hacer, yo, laxa, como una muñeca de trapo. Me sentí como un globo a punto de estallar. Me faltaba aire. Ha perdido el control, pensé. No se da cuenta de cómo está apretando. Me resultaba difícil respirar. Me dolía la garganta. Me ahogaba. Cerré los ojos. Mi cabeza se inundó de luz blanca. Cada vez menos aire. Sus gritos sonaban muy, muy lejanos. Distorsionados. Me va a matar, pensé. No se da cuenta de lo que está haciendo.Yo hubiese querido gritar, pero no podía. No podía emitir sonido alguno. Había muchas cosas a las que decir adiós. O pocas. Mónica. Traté de evocar sus rasgos. Si me iba a morir, quería por lo menos irme al otro mundo con su imagen en los ojos. *Lo que más duele no es dejar la vida, sino abandonar lo que le da sentido*. Sus ojos negros en los míos grises. Una bocanada de aire avasallando mis pulmones. Por fin podía respirar. Me había soltado. Náuseas, ganas de vomitar. Mi garganta emitía unos ruidos incoherentes y absurdos. Como un animal, como el ladrido quebrado de un perro viejo y bronco. Se largó pegando un portazo. Abrí los ojos al mundo, de nuevo. Deslumbrada y desorientada, intenté que mis pupilas se hicieran al resplandor repentino y excesivo de la luz eléctrica. Náuseas y un dolor horrible en el cuello. Seguí tosiendo y boqueando un largo rato. En algún momento casi me pareció que jamás volvería a respirar con normalidad La habitación oscura y al fondo la luna de cara rosada que todo lo contemplaba, impasible.

Me metí en la cama intentando recuperar la calma, la total inmovilidad de antes. Las lágrimas me rodaban por las mejillas. Cuando llegaban a los labios sacaba la lengua para paladear su sabor salado. No quería pararme a pensar ni entender nada, no quería buscar explicaciones, no quería juzgar ni entender, porque cuando me paraba a pensar me acababa doliendo la cabeza. Había tantas cosas sin sentido en nuestra casa que resultaba inútil buscar una lógica, un hilo conductor, un manual de instrucciones. Más valía tumbarse e intentar no pensar, controlar mi pulso desbocado y concentrarme en mantener una respiración pausada y regular.

Los disgustos y las preocupaciones no me alteraban el sueño. Todo lo contrario, me narcotizaban. Me evadía a territorios nocturnos poblados de imágenes borrosas. Podía dormir horas y horas, vagar sin brújula por paisajes oníricos. *Morir, dormir, soñar acaso... Pensar que un solo sueño pone fin a todas las angustias y los males...* Dormí, dormí y dormí. Dormí todos los gritos de mi padre. Nadie me despertó a la mañana siguiente, y cuando abrí los ojos el reloj marcaba las diez. Ya no llegaría a clase. Supuse que mi madre, como de costumbre, se habría encerrado en su cuarto pretextando una de las jaquecas que le sobrevenían cuando se llevaba algún berrinche. Entonces cerraba las persianas a cal y canto y se encerraba en su habitación durante horas. Nadie la podía molestar.

Atravesé el pasillo de puntillas hacia el cuarto de baño, procurando que mi presencia en la casa pasara inadvertida. Una rubia platino —demasiado joven para serlo— me miró desde el espejo, pálida y ojerosa. Me asusté al descubrir el estado de su cuello, tan hinchado cono si hubiesen intentado ahorcarla y oscurecido por una especie de collar morado, la impresión de los dedos de mi padre. Pensé que no podía presentarme así en el colegio, puesto que no tenía explicación para justificar mi aspecto. Se me ocurrió ponerme un jersey de cuello cisne o un pañuelo, pero hacía demasiado calor y deseché la idea. Al final decidí no ir. Iba a llegar tarde de todas formas, así que en el fondo daba igual. No quería romperme la cabeza ideando estratagemas para ocultar aquellas marcas. No quería ver a nadie. El resto de las niñas de mi clase tenían unos padres jóvenes y encantadores, que solían ir a buscarlas al colegio. Algunos incluso jugaban al tenis con ellas. Yo sabía que todas aquellas niñas pensaban que yo era muy rara, que estaba un tanto loca, pero había acabado por convencerme a mí misma de que me importaba un comino la opinión de aquel rebaño de criaturas dulces y bovinas, que aún iban a misa todos los domingos y escribían en sus libros de texto el nombre de un chico con el que tonteaban en el club de campo; me repetía a mí misma que, mientras contase con el apoyo de

Mónica, poco podía influirme la conmiseración o el desprecio de aquellas niñatas disociadas del mundo real, mansas como corderitos con un lazo rosa. En medio de ese mundo pastel Mónica era la única que compartía conmigo aquella difusa impresión de desamparo y desarraigo, de haber crecido antes de tiempo.

Adosado a una de las paredes del cuarto de baño estaba el botiquín de mi madre, que se mantenía siempre cerrado con llave. Valiente estupidez. Se podía abrir en cuestión de veinte segundos con una horquilla y un poco de maña. Allí estaban todas las cajas de pastillas de mi madre. Aloperidol, Tranquimazín, Neorides, Luminaletas, Tegretol, Diazepán, Benzodiazepina, Luminal. Un círculo negro en la caja significaba que eran peligrosas, y yo sabía que todas lo eran, y que si me las tragaba todas, podía matarme. El simple hecho de saber que contaba con aquel arsenal de narcóticos al alcance de la mano me daba fuerzas para seguir adelante, porque sabía que si llegaba al punto en que las cosas se hiciesen insoportables, siempre podía parar en el momento en que yo quisiese. *Pensar en la muerte con tranquilidad sólo tiene valor si lo hacemos en solitario...* Tan fácil como tragar treinta pastillas, treinta sorbos de agua deslizándose cuesta abajo: garganta, esófago, estómago. Eso, si mi padre no me estrangulaba antes, claro. No, nunca sería capaz de hacerlo. Era un cobarde hasta para eso.

Había días en los que yo no existía, la mayoría. Él actuaba como si yo fuera transparente, y me ignoraba. Había días en los que a mí misma me gustaba no existir. Había días en los que era incapaz de sentir dolor. Veía cómo ocurría todo, pero nada significaba para mí; no estaba pasando. Había una misma cara frente al espejo que a veces sonreía y a veces no. A veces tenía un ojo amoratado, a veces tenía marcas en el cuello. Había bofetadas e insultos a mi madre. Había lágrimas y gritos. Había patadas, empujones y gruñidos. Había treguas, silencios que duraban semanas, calma vacía y tensa. Había un odio que flotaba permanentemente por la casa, a veces contenido y a veces desatado. Yo atesoraba mi dolor, lo estrujaba hasta comprimirlo en el menor espacio posible y luego lo enterraba cuidadosamente bajo mis pies.

Me marché a la calle y caminé calles y calles de aceras humeantes hasta el Retiro. Me tumbé sobre la hierba, cara al sol, y cerré los ojos, para permitir que el reflejo de sus rayos dibujase figuras calidoscópicas tras mis párpados, compuestas de una infinidad de puntitos brillantes triscando a través de mi cabeza. Tuve que cambiar tres veces de emplazamiento gracias a otros tantos pesados que se mostraban empeñados en conocerme, y dejé pasar las horas, contemplando las nubes y los patos, las turistas y los perros, los novios en las barcas, esperando el momento en que pudiese acercarme a la valla del colegio para recoger a Mónica, acompañarla a casa y contarle todo lo que había pasado la noche anterior. No se lo quería contar a nadie más. No se lo podía contar a nadie más.

Porque lo que más duele no es dejar la vida, sino abandonar lo que le da sentido.

En el cuarto de baño de Charo decidí poner manos a la obra para cambiar mi imagen. Agarré una mecha, la mojé en peróxido. Luego hice lo mismo con otra. Una chica me miraba desde el otro lado de la luna. Una chica guapa, o no. Yo no estaba muy segura de mi belleza, y de hecho, sigo sin estarlo. La belleza es una cualidad muy subjetiva. Al fin y al cabo, reside más en el ojo del que la aprecia que en el cuerpo o la cara de quien la posee. Pero en el mundo en el que yo había crecido se le concedía tal importancia a la belleza femenina —que parecía mucho más valiosa que la inteligencia— que yo no podía evitar indagar sobre mi propio valor en el espejo. Yo tenía —tengo— los ojos azules. Pero no el tipo de ojos azules que la gente considera bonito. No de un azul pálido celeste, ese azul ideal de hada o de muñeca que se asocia a las miradas limpias e inocentes, sino un azul sucio y grisáceo, salpicado de diminutas motitas marrones sólo perceptibles a corta distancia. Carecían entonces, creo, de la viveza de los de Mónica. Eran más pequeños, y no estaban velados por las mismas pestañas tupidísimas. Los rasgos de mi rostro parecían bien proporcionados. La nariz algo aguileña, quizá, y los dientes, sin ser espectaculares, blancos e igualados, pero yo tenía la impresión de que mi cara era demasiado redonda, y me habría gustado tener unos pómulos más pronunciados, un óvalo de la cara más definido, menos infantil. En definitiva, no me encontraba tan guapa como la gente decía. Lo había escuchado muchas veces, sobre todo a las amigas de mi madre, que no escatimaban elogios a mi apariencia física cuando pasaban por casa. «Herminia, pero qué niña tan monísima tienes, hija, tan fina, tan delgada...» ¿Pero acaso no era eso lo que tenían que decir? No iban a soltar: «Herminia, hija, qué niña tan antipática y tan rara has criado, más tiesa que un palo, más seca que una alpargata», aunque seguro que más de una lo pensaba. De haber sido yo un chico seguro que no habrían insistido tanto, y quizá yo no habría acabado tan obsesionada con mi aspecto.

En estas observaciones y divagaciones empleé los veinte minutos necesarios para que el peróxido hiciera su efecto. Después me aclaré la cabeza bajo el grifo de teléfono de la ducha y me sequé el pelo con el secador de Charo (Braun Silence 1200, tres velocidades y varios accesorios). Después, volví a mirarme en el espejo para comprobar el efecto. Me gustó lo que vi. Sólo faltaba que a Mónica también le gustara.

Encontré a Mónica tirada en el salón del sofá, los pies sobre la mesa, los ojos fijos en la tele. De alguna manera notó mi presencia tras ella y se dio la vuelta para mirarme.

—¿Te gusta? —pregunté—. Me lo he hecho con un potingue que tenía tu madre en el baño.

Hubo un tenso silencio durante el cual me contempló un largo rato con ojos asombrados antes de decidirse a emitir una opinión. Yo contuve el aliento, intentando imaginar cómo podría hacer desaparecer las mechas en caso de que no le gustaran. Finalmente dictaminó:

—Te sienta de puta madre, de verdad. Estás guapísima.

—¿Tú crees?

—Claro que sí. Pero tú estás guapa siempre, joder. Y ya iba siendo hora de que cambiaras un pelín tu imagen. Lo que me sorprende es que una tía tan guapa como tú se empeñe en no pintarse, en llevar los mismos vaqueros todo el santo día y en comportarse como santa Teresita de Jesús. Tienes dieciocho años. Digo yo que te va tocando, no sé, arreglarte un poco, enrollarte con algún tío...

—Los tíos no me interesan.

—¿Qué quieres decir?, ¿que te van las tías? —Me lanzó la pregunta como si nuestra conversación fuera un partido de tenis en el que nos lanzáramos y devolviéramos verdades a gran velocidad, intentando distraer la capacidad de reacción de la parte contraria.

—No. Sólo he dicho que los tíos no me interesan —contraataqué—. No es lo mismo.

—A ver... —preparada para el saque—, ¿tú te has tirado a algún tío o no?

Yo sabía que ella ya conocía la respuesta y que estaba jugando conmigo.

—¿A cuántos te has tirado tú? —A la gallega, respondí a la pregunta con otra y le devolví la pelota.

—No sé. A partir del número cien dejé de contar.

El teléfono interrumpió la conversación con su trinar histérico y me impidió averiguar si Mónica mencionaba en serio aquella centena. En general, resultaba muy difícil reconocer cuándo hablaba en serio y cuándo bromeaba. Sonaron dos timbrazos y después el silencio se hizo con el salón antes de que llegara el tercero. La figura de Coco rellenó de improviso el marco de la puerta.

—Ése es mi código: Dos veces, colgar, volver a llamar —dijo—. Es para mí.

A los diez segundos volvió a sonar otro timbrazo. Coco descolgó y en seguida se enzarzó en una conversación ininteligible, llena de pausas, en la que de vez en cuando intercalaba una serie incongruente de monosílabos: «... sí... claro, tío... guay... fijo... no, no...». Debió de tirarse diez minutos o más al aparato, y al final lo único que pude deducir de lo que dijo era que Coco necesitaba al menos dos días para conseguir lo que su interlocutor telefónico le pedía.

Colgó con cara de preocupación.

—Tenemos un encargo nuevo, Mónica —se dirigía a su amiga ignorándome por completo, como si yo no estuviera en aquel salón.

—Gracias a Dios —dijo ella.

—Lo que no tenemos es dinero para la inversión.

—Pues conseguiremos dinero.

—Aquí mismo —dijo Coco.

Aparcamos el coche en la esquina de Conde de Xiquena con Bárbara de Braganza. No había luna, la calle se perdía en una negrura densa y opaca y el asfalto se confundía con la noche. Atravesando esta oscuridad, el reflejo de los ojos de Mónica brillaba en el retrovisor.

—¿Cuánto puedes tardar? —preguntó ella.

—Ni puta idea. Depende de la suerte. De todas formas, si no localizo algo en media hora, nos vamos.

—Está bien. Ahora voy a apagar el motor del coche. Lo encenderé dentro de diez minutos justos, y lo mantendré encendido, esperándote. Dejo tu puerta abierta.

Coco le dio un beso apresurado en los labios y salió del coche.

—Suerte —le dijo Mónica a guisa de despedida; luego se volvió a mí—. ¿Quieres un cigarro?

—¿Estás segura de que no nos la estamos jugando? —pregunté con voz ligeramente trémula.

—Segura. Ya te he dicho que lo hemos hecho más veces. Pero si tanto miedo te daba, no haber venido con nosotros, joder. Si lo llego a saber me callo y no te cuento nada.

—No hubieras podido evitarlo. Siempre me lo has contado todo. Reventarías si no me lo contases, como el niño del cuento.

El niño del cuento al que yo me refería había albergado un secreto que se había ido hinchando como un globo dentro de su cuerpo. Como Mónica no me replicaba, me arrellané en el asiento trasero del coche y respiré hondo, decidida a tomarme el asunto con la misma calma de la que Mónica hacía gala, y a no preocuparme más de lo necesario.

Me lo habían explicado todo, punto por punto, porque Mónica había insistido en que lo supiera, a pesar de que Coco era partidario de mantenerme al margen del asunto. Pero ella confiaba plenamente en mí. Yo era su mejor amiga, su única amiga, y nunca me había ocultado nada, así que Coco se tuvo que aguantar y llevarme con ellos, refunfuñando. No sé por qué razón Mónica quería que estuviese a su lado. Me gustaría pensar que lo hacía porque me quería, porque deseaba seguir compartiendo su mundo conmigo, a pesar de que nos hubiésemos distanciado un poco desde que cumplió los diecisiete; o, por decirlo de otra manera, desde que ella empezó a meterse caballo y a salir con Coco.

Como me había explicado Mónica, no se trataba de la primera vez que hacían algo parecido. Se habían estrenado por casualidad, sin pensarlo, una madrugada en la que aparcaron el coche en Conde de Xiquena para hacerse un chino. Entonces vieron cómo se acercaba una pareja, dos amantes enlazados por la cintura. Se aproximaron a un GTI aparcado frente al coche de Mónica (o, para ser más exactos, el coche de Manuel, que Mónica conducía en su ausencia). El hombre se disponía a abrir el vehículo cuando su pareja le abrazó y le besó en los labios. Se fundieron en un abrazo apasionado y en ese momento, en un repentino rapto de inspiración, Coco salió del coche y se colocó a su lado en dos zancadas, y antes de que el señor pudiera darse cuenta de lo que había pasado tenía la punta de una navaja casi pinchándole los riñones. Le entregó a Coco la cartera sin protestar. No gritó, no alarmó a nadie. Evidentemente no quería llamar la atención sobre su acompañante. El plan era muy simple. Ir a la puerta de Tintoretto, que por entonces era una discoteca muy selecta y muy cara, de entrada restringidísima, y en la que se pagaba por cada copa el precio de un kilo de añojo del mejor. El tipo de sitio al que acudían Cayetano de Tal y Tatiana de Cual cuando querían tomarse unos tragos. También solían acudir ejecutivos cincuentones acompañados de señoritas monísimas y jovencísimas, muy distintas en tipo y apariencia a sus legítimas esposas. Secretarias, quizá, o aspirantes a modelos, o prostitutas de lujo, a saber. Un dato relevante a la hora de explicar semejante afluencia de carteras repletas: en el local eran discretos y no permitían la entrada de cámaras.

Coco, impecablemente vestido de chaqueta y corbata (de Armani, por supuesto, pues el modelo procedía del armario del padrastro de Mónica) aguardaba en una esquina fumando un cigarro apoyado en una de las motos, con naturalidad, como si estuviese esperando a una cita que se retrasaba. Si las cosas iban bien, en algún momento saldría una pareja descompensada en edad y en apariencia: a él se le vería mucho más mayor y más rico que a ella. Saldrían abrazados, caminando tambaleantes, ligeramente borrachos, y no repararían en el jovencito que les siguiese los pasos hasta que fuera demasiado tarde. Con suerte, ni siquiera habría denuncia. ¿Para qué llamar la atención sobre las circunstancias en las que se había producido el atraco? También podría ser, por supuesto, que no saliera ninguna pareja del local, o que la calle no estuviese lo suficientemente desierta, o sombría, o que, por la razón que fuera, Coco no se decidiera a consumar el plan previsto. De ser así, Coco regresaría al cabo de media hora, porque el motor del coche no podía permanecer encendido demasiado tiempo.

Ninguna objeción moral me remordía en la conciencia, mientras esperaba en la penumbra de aquel asiento trasero. Al igual que Coco y Mónica, no veía nada malo en aligerarle un poco de pasta a un tipo gordo que disponía de ella en abundancia. Lo que sí me importaba era el riesgo. No me parecía una cosa tan fácil. ¿Y si el tío gritaba, y si gritaba ella, y si llevaban pistola —cosa nada rara entre ese tipo de gente, mi propio padre tenía una—, y si aparecía un madero de repente, y si nuestro coche no era lo suficientemente veloz...?

En aquel momento vi llegar a Coco, corriendo como un plusmarquista olímpico. Advertí a Mónica, que rápidamente empujó la portezuela del asiento del copiloto. Coco se metió en el coche de un salto y el vehículo, guiado por ella, salió disparado. Los neumáticos restallaron sobre el asfalto. Nos saltamos uno, dos, tres semáforos, relampagueando las curvas en las que el coche escoraba peligrosamente. Suerte que no había mucho tráfico a aquellas horas. Cruzamos Sagasta, llegamos a San Bernardo, bajamos por Quintana sin respetar una sola luz roja. Finalmente aparcamos en el parque del Oeste. Todo había sucedido tan rápido como en un sueño.

—¿Cómo ha ido? —preguntó Mónica.

—Bien, muy bien... condenadamente bien. —Coco sonreía encantado y movía la cabeza de un lado a otro—. Un tipo tan memo como el de la otra vez. Ni que los fabricaran en serie.

—¿Qué has pillado?

—La cartera. —La abrió y empezó a revisar su contenido—. Siete napos, documentación, tarjetas...

—Tenemos que tirarlo todo. Nos va a quemar en las manos —apremió Mónica.

—Las tarjetas no —objetó Coco.

—Las tarjetas también —insistió ella—. El tío estará anulándolas ahora mismo.

—Se pueden usar en cualquier sitio con bacaladera. Y en autopistas. No comprueban número. Y en gasolineras tampoco, si hay mucha cola. —Coco se llevó la mano al bolsillo y, como si de un hipnotizador se tratase, hizo oscilar un reloj ante nuestros ojos—. El peluco es bueno, creo. Patek Philipe.

—¡No jodas! —Un destello de codicia iluminó los ojos de Mónica—. Eso es un pastuzo.

—Creo que sé dónde colocarlo. —Él sonrió, por primera vez, relajado ante la alegría de la que él llamaba su novia—. También tengo los anillos de la tronca, aunque no parecen gran cosa. No sé si son chatarra; chatarra de la buena, en cualquier caso. Algo nos darán, digo yo.

—Lo del reloj nos viene de puta madre. Puedes venderlo bien. Aunque sólo nos paguen la mitad de lo que cuesta tenemos para tirar un buen rato, y más nos vale, porque no me apetece repetir lo de esta noche. Éste es el coche del viejo y hemos estado a punto de estrellarlo. Y yo ni siquiera tengo carnet de conducir.

Como de costumbre, hablaban entre ellos como si yo no estuviera allí, ignorándome por completo. Me consideraban demasiado ingenua; o quizá, peor aún, ni siquiera me consideraban. Podía haber tocado a Mónica con sólo extender la mano, y sin embargo la sentía alejándose cada vez más de mí. En mis desesperados intentos por mantenerme a su lado yo avanzaba hacia un horizonte que retrocedía a cada instante.

—Tengo que ir a ver a Chano —le dijo Coco a Mónica—. Así que no nos queda más remedio que sacar el coche de tu viejo. No podemos ir en autobús hasta allí, tía. Está en el culo del mundo.

—Ni de coña —dijo ella—. Ya te dije ayer que ese trasto no lo saco más. Si mi vieja se entera, me mata. Iremos en autobús, tardemos lo que tardemos.

Así que, por supuesto, acabamos cogiendo el coche. Y tuvimos que esperar un rato largo rondando el garaje hasta asegurarnos de que el sitio se quedaba completamente vacío, porque Mónica no quería que ninguno de sus vecinos presenciase cómo nos lo llevábamos. Pero quiso la mala suerte que en el preciso momento en el que el coche avanzaba por la rampa del garaje, se cruzase ante nuestros ojos la pareja del caniche, que se nos quedó mirando fijamente, con la reprobación pintada en la mirada.

El Cerro de la Liebre es un poblado de chabolas gitano situado en el extrarradio de Madrid. También es, junto con La Celsa, el mayor supermercado de droga de la ciudad. Aparcamos el coche en la cuneta de la carretera (ya que el poblado no estaba asfaltado) y antes de salir nos aseguramos bien de que ningún objeto de valor quedaba a la vista. Mónica estaba un poco preocupada ante la perspectiva de dejar el vehículo expuesto allí, así que yo me ofrecí a quedarme esperándoles.

—Tampoco hace falta, Mónica; no exageres. La pobre Bea se va a asar —dijo Coco.

El poblado no era sino dos hileras paralelas de chabolas, situadas unas frente a las otras y divididas por una especie de camino polvoriento a través del cual avanzábamos nosotros tres. A nuestro alrededor correteaban montones de niños sucios y harapientos. Algunos, demasiado pequeños todavía para andar, gateaban a la puerta de sus casas, llevándose de cuando en cuando puñados de arena a la boca.

Finalmente entramos en una chabola que a primera vista en nada se diferenciaba de las otras. Allí dentro había una abuela dormitando sobre una tumbona de playa y un adolescente enjuto y renegrido, estirado cuan largo era sobre un viejo sofá de eskai. Mando en mano iba zapeando canales de la televisión que estaba frente a él, una Sony Trinitron de veinticuatro pulgadas, presumiblemente robada.

Saludó a Coco con afabilidad y acto seguido se nos quedó mirando a nosotras dos, que veníamos tras él, de arriba abajo, aunque sin dirigirnos la palabra.

—Tengo lo tuyo —dijo el gitanillo, señalando con la cabeza lo que parecía ser una habitación interior, protegida por una cortina de baño que hacía las veces de puerta—. Vamos a hablar ahí dentro, entre hombres.

Desaparecieron durante unos minutos que Mónica apuró consumiendo a chupadas ansiosas un cigarrillo mientras se paseaba de un lado a otro de la reducida estancia en tanto yo permanecía inmóvil, apoyada en el zaguán de la puerta, sin atreverme a interrumpir su silencio porque la conocía bien y sabía que más valía no hablar con ella cuando estaba nerviosa. Al poco tiempo reaparecieron Coco y su amigo. Coco traía un paquete en la mano, envuelto en papel de periódico, del tamaño de un bolso de señora. El gitanillo me dirigió la misma mirada insolente con la que me había saludado.

—Es guapa la niña —le dijo a Coco, señalándome a mí con la cabeza—; ¿es algo tuyo?

—Es amiga de mi mujer —respondió él.

—Déjamela un rato y te paso cinco gramos limpios.

—Olvídalo. Yo nunca pillaría de tu jaco, tío. Antes me fumo el Nesquick.

Abandoné el sitio encolerizada y escandalizada.

Coco condujo durante el camino de regreso. Yo mantuve la mayor parte del camino un mutismo obstinado al que ni Coco ni Mónica parecían prestar excesiva atención. Por fin, prácticamente a la entrada de Madrid, exploté. Le dije a Coco que, por más que me lo preguntaba a mí misma, no podía comprender por qué no había dejado claro que yo no estaba en venta, y que lo que más me molestaba de todo aquello es que Coco se refiriese a mí como si fuese un objeto de su propiedad. Él se rió, como sin darle al tema mayor importancia, e intentó explicarme que los gitanos entendían las cosas a su manera, y que a él no le apetecía perder el tiempo inculcándole al Chano conceptos que no iba a comprender. Para el Chano yo era paya, y como había venido con Coco, me metía. Y si era paya y me metía, tenía que ser una puta, y nada que Coco pudiera decirle podría hacerle cambiar de opinión, así que más valía ignorarle. No entré en discusiones porque sabía que llevaba las de perder, así que me puse a mirar por la ventana, enfurruñada y maldiciendo a Coco para mis adentros. Le odiaba. Mónica no era la misma desde que le conoció, pensaba yo. Le echaba a él la culpa de nuestro distanciamiento.

Al rato Mónica debió compadecerse de mí, porque se dio la vuelta en su asiento e intentó animarme.

—Vamos, Bea, no te pongas así, no es para tanto. Nadie te ha insultado. Esta gente está acostumbrada a ese tipo de transacciones. Venga... si supieras con cuántos negros me lo he hecho yo por un simple chino, te sentirías orgullosa de que alguien ofreciera cinco gramos por ti.

No tenía claro si se trataba o no de una broma, y no quería saberlo. Era cierto que en el último año Mónica cada vez me contaba menos cosas, pero yo prefería no imaginar siquiera que ella hubiera ya sobrepasado límites que yo nunca alcanzaría, fingir que no reparaba en la constante presencia de una verdad que flotaba frente a mí, dolorosa de aceptar, imposible de ignorar. Entonces recordé de improviso las palabras de Coco, aquello de que fumaría Nesquick antes que probar el material de aquel tipo. Y se me ocurrió que, si el caballo del tal Chano era tan malo como Coco aseguraba, habíamos ido hasta allí para comprar otra cosa... ¿Cocaína?

—Coco —pregunté—, ¿qué hay en el paquete que has pillado?

—Mira, nena, cuanto menos sepas, mejor —respondió él, sin desviar los ojos de la carretera.

—Si no queréis que me entere, ¿para qué me traéis?

—¿Vais a pasaros la vida peleando? Bea, a partir de ahora si no quieres venir con nosotros, te quedas en casa, y dejas de dar la murga, ¿vale?

—¿OS QUERÉIS CALLAR LAS DOS? —dijo Coco.

En ese mismo instante se oyó un golpe sordo y un aullido lastimero. Después el chirrido de los frenos: Coco había detenido el coche en seco. Abrió la puerta y bajó del coche de un salto. Mónica salió tras él, y yo la seguí.

—¡Mierda! —le oí decir a Coco—. Mierda, mierda, mierda.

Al principio no me di cuenta de lo que había pasado. Había un bulto pardusco sobre el asfalto que parecía una alfombra vieja. Cuando fijé la vista comprendí lo que era. Un perro agonizante, reducido apenas a un tembloroso guiñapo de pelos sanguinolentos. En sus ojos vidriosos brillaba un pánico resignado.

—Vámonos de aquí —dijo Mónica.

—¿Cómo que vámonos? —dije yo, sollozando—. Este animal está vivo. No puedes dejarlo aquí.

—Sí podemos —replicó ella.

—Está sufriendo, ¿es que no lo ves?

El perro abría la boca como si intentara acaparar la mayor cantidad de aire posible en cada bocanada.

—Bea, cállate, por favor —me dijo Mónica—. No podemos hacer nada. Anda, vuelve al coche.

—Podemos llevarlo al veterinario —repliqué.

—Se habrá muerto antes de que lleguemos. Además, no es más que un chucho callejero. —Me arrastró del brazo hasta el coche, y me metió a empujones en el interior.

No dije palabra. El coche arrancó dejando atrás la carroña recalentada por el sol, las vísceras del color de una paleta sucia. A través de la ventanilla del coche los edificios se sucedían a velocidad de vértigo.

Cuando llegamos al garaje Mónica inspeccionó con cuidado los guardabarros del coche. Estaban abollados. Había que llevar el coche al taller y asegurarse de que lo repararan antes de que volviesen sus padres. Un problema serio, dijo, porque ahora necesitaban dinero extra. En ningún momento mencionó a aquel perro abandonado, a sus entrañas, a sus boqueadas de agonía. Mientras la contemplaba, agachada frente a los faros delanteros (uno se había roto) comprendí que no la conocía, que sólo ahora empezaba a conocerla. Y de pronto ella alzó la mirada y me sorprendió. No sonrió, no hizo ningún gesto. Quizás adivinó lo que yo estaba pensando. Yo me sentía más cerca del perro que de ella, como si en cualquier momento me pudieran dejar tirada en la carretera, en cuanto me convirtiera en un obstáculo en su camino. Intuí que al clavarme la mirada como lo hacía me estaba asestando también una puñalada de certeza, honda y sostenida.

—Este loro es potentísimo, tía.

No hacía falta que Coco lo dijera. Había puesto la música a un volumen tan atronador que las paredes vibraban. Él seguía el ritmo con los pies mientras esperaba a que su novia (por decir algo) preparase los rectángulos de papel de aluminio necesarios para fumarse un chino.

—¿Tú vas a querer? —me preguntó Mónica.

—No.

—¿Ni por una vez? Pruébalo y decide. Puede que te guste.

En aquel momento sonó el timbre. Mónica ocultó precipitadamente la bolsita de la heroína y el papel de aluminio y, por señas, nos indicó que desapareciéramos del salón; así que nos internamos en el pasillo, y cerramos la puerta. Coco pegó la oreja a la puerta y yo le imité. Reconocí la voz: se trataba de la vecina, la del caniche. Llevaba años oyéndola, desde que empecé a visitar la casa de Mónica, ya que solía pasarse a menudo para hablar con Charo de naderías. Se notaba que la pobre no tenía mucha gente con la que relacionarse. Esta vez había venido a quejarse del volumen de la música, y Mónica se deshizo en excusas, haciendo gala de sus mejores modales, para asegurarle que el incidente no volvería a repetirse. En cuanto Mónica cerró la puerta, Coco y yo volvimos al salón.

—Ya habéis oído, ¿no? —dijo ella—. Así que cuidadito con lo que digamos, que estas paredes son de papel.

—Estoy pensando que quizá pruebe un chino. Pero sólo uno, y sólo por esta vez. No lo he probado nunca, y siento curiosidad —musité yo tímidamente.

—No me seas agonías... No tienes por qué excusarte, ni por qué tenerles tanto miedo —me tranquilizó Mónica—. Hace falta meterse muchos para engancharse. Pareces tu madre.

Así que Mónica preparó tres chinos, quemando la heroína en tres trozos de papel de plata, que nos pasó acto seguido, junto con el canuto de un bolígrafo Bic, para que la esnifásemos. Mónica aspiró hondo y se dejó caer en el sillón. Luego me tocó a mí. Esnifé mi chino, dejé el albal y el canuto en la mesa, me recosté al lado de Mónica y le cogí la mano.

—Lo que no entiendo —le dije— es que una tía como tú no sepa cómo divertirse si no se mete de todo. Precisamente tú... En el colegio todo el mundo pensaba que eras un genio.

Ella miraba al techo con los ojos entornados y un brillo infantil en la mirada.

—Debo de haber sido la única niña del mundo a la que le encantaba ir al colegio. —No sé si me respondía o si pensaba en voz alta.

Mónica me apretó la mano con fuerza. De repente me di cuenta de que Coco estaba observando la escena y solté la mano de mi amiga.

En el mundo en el que yo crecí parecía estar muy claro lo que era un hombre y lo que era una mujer. Se hablaba de ocupaciones etiquetadas como más o menos adecuadas para la virilidad de un hombre o más o menos incorrectas para la feminidad de una mujer. A las mujeres les correspondía una cierta forma de docilidad, de refinamiento, de sensibilidad de gustos, de comportamientos. Ellos eran más fuertes y rudos, menos sensibles, más encaminados al trabajo duro. Existían, además, hombres señalados como femeninos y mujeres etiquetadas como masculinas, aquéllos y aquéllas demasiado débiles o demasiado rudas de acuerdo con el patrón.

Pero, por supuesto, y como pasaba siempre con las enseñanzas de las monjas y de los padres católicos, en realidad las cosas no eran tan claras como pretendían hacernos creer. Los sexos no estaban diseñados en prístino blanco y negro: existía una variedad infinita de matices de gris. Los hombres, puestos en fila, presentarían diferentes grados de masculinidad tanto en su aspecto como en su comportamiento, y las mujeres mostrarían una variedad comparable, incluso mayor, de forma que alguna mujer supuestamente no femenina podría resultarlo colocada al lado de un hombre hipermasculino. Y si se pusiera a un hombre dulce y delicado, supuestamente femenino, al lado de la más dulce versión femenina de su propia persona, parecería mucho más masculino que ella. Todo el asunto acababa reducido, por tanto, a una cuestión de grado.

El problema es que, en el reducido microcosmos en el que yo me eduqué, prácticamente no existían modelos masculinos, excepto mi padre, que no estaba nunca. Hay que recordar que yo asistía a un colegio exclusivo para chicas, y regido por mujeres. Las amistades con miembros del sexo opuesto nos quedaban restringidas (por no decir prohibidas), muy particularmente en la prepubertad y la primera adolescencia. Yo no tenía amigos, con *o*, ni posibilidad de tenerlos. No conocía manera de establecer contactos sociales fuera del colegio.

En principio, mi primera identificación fue fácil: yo era una niña. No había más que ver la forma en que me vestía, mi uniforme de colegio, todos los aditamentos (las faldas, las coletas sujetas con un lazo en el extremo, los zapatos de punta redonda ajustados de lado a lado con una cinta sujeta por una hebilla...) que quedaban decididos para mi persona desde el día en que nací, en el momento mismo en que la comadrona comprobó que no me colgaba un badajito bajo la cintura y me perforaron a los dos días las orejas para poderme poner unos pendientes. Pero más adelante, al ir creciendo, empecé a compararme a mí misma, respecto a mis impulsos e intereses, con lo que me rodeaba, con la idea que las monjas y mi madre tenían sobre la niña que debía ser y la mujer en la que tendría que convertirme, y me di cuenta de que yo no era, nunca sería, así. Yo fui educada para exhibir unos comportamientos determinados, para desempeñar un papel coherente aprendido, y durante el tiempo que seguí la farsa viví una vida artificial, envidiando de corazón a aquellas criaturas que me rodeaban, que no necesitaban fingir que eran unas niñas buenecitas, porque realmente lo eran. Pero la nitidez misma del personaje me permitía interpretarlo sin problemas, tal y como si me hubieran pasado un guión. Todo se reducía a ajustarse a lo que me habían enseñado: no hacer y no decir ciertas cosas (no soltar palabrotas, no jugar al fútbol, no subirse a los árboles, no discutir, no gritar, no, no, no, no...). Así que, aunque yo no me sentía a gusto, nadie lo imaginaba.

Es decir, desde aproximadamente los once años me empecé a sentir distinta a mis compañeras de clase, muy distinta, pero intentaba que no se notara mucho. A los doce años era una especie de escoba andante, un plumero de greñas rubias plantado encima de un palo. Me importaba un comino la ropa, me daba igual si mis zapatos eran castellanos y mi polo Lotusse o si no lo eran, no me apetecía forrar mis libros de texto con papel de flores en tonos pastel, ni, mucho menos, con fotos de bebés, ni le veía la gracia a llevar el pelo largo si eso significaba tener que pasarme media hora cada mañana batallando contra los enredones. No sentía el menor interés, como se esperaba, ni por las rimas de Bécquer ni por las matinales del Gran Musical, ni por los cotilleos del *Súper Pop*. Miguel Bosé me daba grima, Pedro Marín me parecía una nena e Iván una locaza de cuidado cuando desconocía incluso el significado del término.

A los doce años aprendí a localizar Radio 3 en el dial del aparato de radio y me entusiasmé con un tipo de música que mis compañeras de clase desconocían por completo y no tenían, dicho sea de paso, el menor interés por conocer. A ellas no les sacabas de sus (ya citados) ídolos del *Súper Pop*, quienes, por cierto, más parecían chicas que chicos. Mientras mis compañeras se llenaban el pelo de horquillas rosas hasta que su cabeza adquiría el aspecto de un puesto de mercadillo de domingo, e invertían la paga de tres domingos en la adquisición de la imprescindible sudadera de algodón en tonos pastel, yo me encerraba en mi habitación los domingos por la tarde, escuchaba la radio y leía los libros de la biblioteca de mi padre (los leí todos en aquellos años, uno por uno, desde Balzac a Thomas Mann, enterándome más bien poco de lo que leía) y suspiraba por adentrarme en un mundo que me estaba vedado, un mundo habitado por seres que se parecerían a Siouxsie Sioux y a Robert Smith, llevarían el pelo corto y encrespado y teñido de colores imposibles, se maquillarían los ojos y se pondrían brillantes pantalones de vinilo (inaceptables, según las monjas y según mi madre, tanto para los hombres como las mujeres). Cuando en la tele salían Alaska y los Pegamoides y mi madre ponía el grito en el cielo diciendo aquello de parecen mamarrachos y Dios mío, adónde vamos a llegar, yo sentía secretamente que me habían colocado fuera de sitio, que el mundo al que yo pertenecía por derecho estaba fuera, fuera de mi casa, fuera de mi colegio, escondido en alguno de los rincones secretos de Madrid, en alguna esquina recóndita que no alcanzaba a verse desde mi autobús. Pero ¿dónde?

Entretanto, seguía siendo la niña callada y rarita que vestía idéntico uniforme azul al del resto de las alumnas del Sagrado Corazón, y que se empeñaba en seguir llevando trenzas a pesar de que todas las demás niñas de su clase ya exhibían con orgullo sus melenas libres de gomas y ataduras. Tenía buenas notas y no molestaba a nadie. Luego llegó octavo de EGB y conocí a Mónica.

En mi colegio, los grupos de clase se mantenían inmutables durante años. Es decir, se entendía que durante todos los años en los que una niña asistiese a clase compartiría aula con el mismo grupo de chicas, y esta regla variaba sólo por una circunstancia excepcional: que se repitiera curso, y por tanto, una niña se viera obligada a descender al grupo inmediatamente inferior al suyo, como fue el caso de Mónica. Cuando la conocí era un año mayor que yo. Un año de diferencia, que en la juventud no significa nada y no crea una distancia exagerada, por ejemplo, entre mis veintidós años y los veinticinco de Cat, cobra una importancia significativa en la pubertad, y marcaba, de los doce a los trece, una distancia inmensa, la distancia que distingue a una niña plana y con trenzas de una mujer que usa sujetador y ya sabe para qué sirven los tampones. A Mónica la precedía una fama de alborotadora contra la que las monjas nos prevenían y que le había costado el curso. De hecho, había repetido no tanto por su expediente académico, que era tan malo como el de otras muchas niñas que sí habían superado octavo de EGB, como por la necesidad de separar a la líder del grupo oficial de *rebeldes* de octavo (rebeldes: ése era el término con el que las monjas definían a las descastadas) de aquella cuadrilla de acólitas que la seguían a ciegas, la banda que se internaba en las clausuras a la hora de misa para ver las tocas de las monjas y organizaba excursiones a los comedores para robar donuts de chocolate y quedaba con chicos de los Jesuitas a la salida del colegio. Así que las monjas decidie-

140

ron, por simple tozudez, no aprobarle las dos asignaturas que dejó colgadas para septiembre y obligarle de esa manera a repetir curso, y bastante hicieron no expulsándola, según ellas, que méritos para la expulsión los había acumulado todos, pero había que tener en cuenta quién era la madre, y el hecho de que en los ocho años que la niña llevaba en el colegio el pago de sus facturas no se había retrasado una sola vez, ni una sola, y ése era un detalle muy a tener en cuenta, especialmente en un momento crítico como aquél, en el que se habían puesto de moda los colegios laicos y cada vez había más padres que decidían sacar a las niñas del colegio para llevárselas al vecino Santa Cristina, donde imperaba la educación mixta, y donde asistían los hijos de Ramón Tamames. Y la verdad es que la propia Charo pensó alguna vez en seguir la corriente general e inscribir a Mónica en el colegio Estudio, o en el Base, o en el Liceo Francés, pero en parte estaba de acuerdo con las monjas sobre la naturaleza revoltosa e intratable de la niña y consideraba que mejor le vendría una educación disciplinada para meterla en vereda.

Por entonces no existía peor castigo ni destierro para una niña de trece años que separarla a la fuerza de las amigas con las que había compartido travesuras y confidencias durante ocho y obligarla a integrarse con el grupo de mocosas del curso inferior de las que se había reído durante tanto tiempo. En teoría podría verse con sus amigas de siempre, las de toda la vida, a la hora del recreo, pero Mónica bien sabía que las cosas nunca eran así, que existía una regla escrita según la cual desde el momento en que no existía un enemigo común, en que no se podía malmeter contra la misma profesora de sociales, ni hacer desaparecer todas las tizas minutos antes de que entrara en clase, ni jugar a pasarse notitas clandestinas durante los exámenes, ni ponerse a bailar ballet en el pasillo que quedaba entre los pupitres durante las clases cada vez que la gorda de sor Amparo se daba la vuelta contra la pizarra para explicar el desarrollo de una ecuación, se borraba de un plumazo aquella camaradería construida durante años; y el escaso contacto que pudiera establecerse en los recreos no serviría para mantener algo que se había forjado a base de ocho horas diarias de tortura común.

Bien sabían las monjas, como bien sabía la propia Mónica,

que desde el momento en que la hija de Charo no asistiera a las excursiones de las de BUP, ni a sus retiros espirituales, ni participase en sus obras de teatro ni en la organización de fiestas a beneficio de Cáritas, se convertiría en una paria para el grupo que ella misma lideraba no hacía tanto. Lo sabía tan bien como las monjas que habían decidido, muy conscientemente, convertirla en tal.

Así que gracias a las monjas y a la madre que decidieron que la niña repetiría octavo de EGB, yo conocí a mi alma gemela, en el momento en que más sola se encontraba y más me necesitaba.

Normalmente cada alumna elegía un pupitre el primer día de clase y allí se quedaba durante todo el año. Mónica se encontró integrada a la fuerza en un grupo de desconocidas, y acabó sentándose a mi lado porque yo no tenía amigas íntimas, es decir, que nadie deseaba de forma particular ocupar el espacio contiguo al mío, de forma que Mónica se encontró con un sitio vacío y allí se colocó. Las monjas aprobaron esta decisión ya que creyeron que, como yo tenía buenas notas y era tan calladita, podría convertirme en una buena influencia que atemperaría un poco la impulsividad de aquella niña respondona. Así que de pronto me vi obligada a compartir mi espacio durante ocho horas diarias con la criatura más radiante que hubiese tenido nunca cerca.

Mónica era morena y mate, de ojos negros, rasgados y húmedos, enmarcados por un bosque de pestañas oscuras y rizadas. Vivaces e inteligentes, aquellos ojos siempre dispuestos a sonreír obligaban a prestarle atención, por más que no se la pudiese calificar de guapa, en el sentido estricto de la palabra. Los pómulos sobresalían, tal vez demasiado, a ambos lados de la nariz afilada. Bajo ella, la boca, algo hinchada, formaba un hoyuelo a la derecha que se dejaba ver cuando sonreía y enseñaba una hilera de dientecillos blancos y puntiagudos, como pequeñas piedrecitas de río. En resumidas cuentas, era atractiva, a pesar o a causa de sus facciones irregulares. Pero su belleza radicaba, sobre todo, en sus ojos, aquellos ojos que estremecerían a una esfinge, y que la convertían en una criatura triunfante. Unos ojos que hablaban por sí mismos, que ni siquiera las gafas lograban esconder.

Hablaba y hablaba sin parar, y encontró en mis silencios el caldo de cultivo ideal para desarrollar su vena parlanchina. Siempre daba por hecho que el resto del mundo prestaría, como prestaba, en efecto, atención a lo que a ella le sucedía, y no en sentido inverso. Me fascinó porque era mi alma gemela y a la vez, paradójicamente, mi opuesto total, mi complementario. Me pasaba horas escuchándola embobada, arrastrada por su corriente de energía, mientras ella despotricaba incesantemente contra Charo, contra las monjas, contra nuestras embobadas condiscípulas. Acabó por convertirse en mi amiga, en mi única amiga, y por compartir mis gustos musicales y mis rarezas. Con el tiempo intercambiaríamos libros y discos y álbumes de cómics y construiríamos poco a poco entre las dos un universo privado que yo imaginé eterno. No lo fue.

Al poco de conocerme, me invitó a merendar a su casa. Ni su padrastro ni su madre llegaban nunca antes de las diez, de forma que su casa era un territorio libre, en el que se podía ver cualquier programa que a una le apeteciera en la televisión, escuchar música a todo volumen, atiborrarse de patatas fritas y Coca-cola, en fin, todo lo que a una le apetece hacer a los doce años, todo lo que en mi casa no me permitían hacer. A mi madre no le hacía ninguna gracia ver cómo yo me iba alejando de ella gradualmente, y fue precisamente en aquella temporada cuando comenzaron nuestras discusiones a gritos. Y aquello se convirtió en un círculo vicioso, porque cuantas más tardes pasaba alejada de casa, más insoportable se volvía mi madre, y cuanto más me chillaba mi madre, menos ganas tenía yo de volver a casa. Así que acabó por convertirse en una costumbre que yo me fuera del colegio a casa de Mónica, con la excusa de hacer los deberes, y que muchas noches me quedara a dormir allí. Entonces le tocaba a Charo lidiar con mi madre para convencerla de que no había nada malo en que yo me quedase a dormir en su casa, y que tanto Mónica como yo estábamos en esa edad en la que las adolescentes necesitan intercambiar confidencias y tan importantes se hacen las amistades. Estoy segura de que a mi madre no le hacía ninguna gracia que yo intercambiara confidencias con nadie, y mucho menos con Mónica, pero le impresionaban tanto la elegancia y la mundanidad de Charo que no se atrevía a discutir, y acabó aceptando, aunque a regañadientes, su derrota, y permitiendo que mi intimidad con Mónica se afianzara. Eso sí, lo pagué caro, porque desde entonces todo fueron discusiones y reproches y lágrimas por cualquier cosa, nada de lo que yo hacía o decía le gustaba y se declaró entre las dos una guerra tenaz y callada que se mantendría durante años.

Desde los doce hasta los dieciocho años fue Mónica la persona más importante de mi vida, por encima de mi propia madre, y aunque yo no tuviera entonces una conciencia muy clara de lo que el deseo significaba, puesto que entonces no había, como ahora, artículos sobre el sexo y sus modos y maneras en cada una de las revistas femeninas, sí sabía que, de una forma oscura y poco definida, mi noción de deseo estaba relacionada con Mónica, íntimamente ligada a su imagen, y podría decir que opté por enamorarme de ella, quién sabe, porque las monjas y el mundo se habían encargado de repetirme una y otra vez que yo no era una chica con todas las letras, sino una chica falsa, una farsante que se hacía pasar por tal. Y si yo no era una chica, si era algo así como una especie de alienígena infiltrado que no era *él* ni era *ella*, ¿por qué tenía entonces que enamorarme de un hombre y casarme y tener hijos si a mí no me apetecía? ¿Por qué no iba a enamorarme de quien a mí me diera la gana?

La amaba a los dieciocho de la misma manera que la amaba a los doce. No pensaba en acostarme con ella: me bastaba con sentirla cerca. Estábamos cenando en la cocina —tallarines con queso, para variar: fáciles de preparar y baratos— y la mera presencia de Mónica convertía en acogedor aquel espacio, aquella misma cocina cuyas sucesivas transformaciones yo había presenciado durante seis años, cada vez que a Charo le daba por modernizarla; la misma cocina en la que había cenado o merendado unas tres veces por semana desde los doce años. Ellos devoraban lo que parecían a mis ojos gusanos ensangrentados y yo, como de costumbre, jugueteaba con la comida. No engañaba a Mónica; ella ya sabía que yo no comía, pero hacía tiempo que había desistido de convencerme. Mientras yo me entretenía enrollando y desenrollando la pasta con el tenedor, ellos discutían sobre lo que íbamos a hacer aquella noche. Salir de marcha, por supuesto. Para eso existían las noches: para apurarlas a tragos. El plan estaba decidido. Sólo restaba acordar el itinerario y el medio de transporte.

—El coche no lo sacamos —nos advirtió Mónica—. Eso está muy claro. Y mañana mismo va al taller.

—Bueno, pues vamos en metro —dijo Coco.

—Tú flipas. Yo no voy en metro. Luego sales oliendo a Eau de Metro. Cogemos un taxi, que para eso están —remató Mónica, dándonos a entender que su decisión era irrevocable.

Fuimos en metro, por supuesto. Y fue Mónica, precisamente, la que propuso la idea de meternos en el fotomatón a hacernos una foto de los tres juntos, para la posteridad. El espacio allí dentro resultaba bastante exiguo, de manera que la única solución que parecía adecuada para poder conseguir la foto era que Mónica y yo nos sentásemos sobre las rodillas de Coco. Lo intentamos, pero no resultaba tan fácil, puesto que el taburete sobre el que debíamos apoyarnos nos venía demasiado estrecho, así que, inevitablemente, alguna de nosotras resbalaba, y nos parecía imposible encontrar la posición correcta. Finalmente nos acomodamos como pudimos y Coco introdujo las monedas por la ranura. Yo noté muy bien cómo una mano avanzaba por debajo de mi camiseta y me acariciaba delicadamente la curva de la cintura. No sabía si se trataba de Coco o de Mónica, así que contuve la respiración y me abstuve de hacer comentarios.

Recorrimos los bares de siempre: el Iggy, el Louie, la Vía... y a las tres de la mañana estábamos acodados de nuevo en la barra de La Metralleta. Coco abrazaba a Mónica por la cintura, cariñoso. Yo contemplaba pensativa mi vaso de güisqui, y veía surgir de entre los hielos figuras oscilantes cuyos contornos se desdibujaban y se alteraban a medida que yo iba dándole vueltas al vaso entre mis dedos. Estaba completamente borracha. Necesitaba mojarme la cara. Cuando me incorporé me di cuenta de que me costaba mantener el equilibrio. Calculé unos diez metros de distancia hasta el cuarto de baño, y consideré que po-

día recorrerlos sin excesiva dificultad, sin caerme ni dar el numerito. Lo importante era mantener la cabeza erguida, fijar los
ojos en la puerta del baño, concentrarse en no perder el equilibrio, y avanzar en línea recta imprimiendo un ritmo ágil a mis
pasos.

Estaba a punto de alcanzar la puerta cuando una figura oscura me interceptó el paso. Alcé la cabeza y a duras penas reconocí
el rostro —desdibujado por mi visión borrosa— del tipo alto que
conocí en aquel mismo local la última vez que estuvimos allí, el
mismo al que todo el mundo tomaba por policía.

—Hola, ¿te acuerdas de mí? —me dijo—. El otro día intenté
hablar contigo.

—Sí, me acuerdo. ¿Querías algo? —respondí, intentando
aparentar indiferencia y disimular mi lengua de trapo.

—No sé, eres tan guapa que no sé qué decirte.

—Debe de ser porque se te está yendo la sangre del cerebro
en dirección sur. Pronto no te acordarás de tu nombre.

—La verdad es que me olvido de cualquier cosa cuando te
veo...

Aquél era exactamente el tipo de frase que me producía ganas de vomitar, y de hecho, experimenté al instante la sensación
de una especie de remolino que me ascendía por el esófago.
Aunque en aquel caso las náuseas estuvieran provocadas, casi
con seguridad, por el alcohol.

—Corta, tío. Cuando me dicen cosas así, me pregunto por
qué no llevo un rollo de cinta aislante en el bolso —le respondí,
con los ojos fijos todavía en la puerta del cuarto de baño.

—Deja en paz a mi amiga, viejo verde. —Mónica acababa de
surgir de entre la penumbra del bar. Supuse que me habría visto
hablando con el tipo y le habría faltado tiempo para plantarse
disparada a mi lado intentando evitar males mayores. Exactamente lo mismo que había hecho Coco la última vez. Me
fastidiaba muchísimo la superprotección que ambos se empeñaban en ofrecerme, como si dieran por hecho que yo era incapaz de manejar ese tipo de situaciones o de mantener la boca
cerrada.

El tipo desapareció, como era de esperar, y Mónica volvió a
endilgarme la consabida charla, la misma lata que ya me había

dado Coco: que si debía tener cuidado con quien hablaba, que si la pinta del tipo era sospechosa. A mí me parecía que exageraban y que seguramente el pobre no era más que un chico normalito al que yo le gustaba. Seguro que la policía tenía cosas mejores que hacer que andar por ahí intentando trincar a dos aprendices de camellos de tres al cuarto, pero yo estaba demasiado mareada como para que me apeteciera ponerme a discutir con Mónica. Sólo alcancé a articular que no me encontraba bien y que necesitaba ir al cuarto de baño. Ella me observó con expresión preocupada y me tomó de la mano. Yo me dejé arrastrar.

En cuanto llegamos al cuarto de baño, Mónica me colocó agachada frente al lavabo y abrió uno de los grifos para que el agua fría me cayera en la nuca. Me preguntó si me sentía mejor y yo asentí con la cabeza.

—Has bebido demasiado. Eso es todo. No estás acostumbrada. Suerte que tía Mónica está aquí. Anda, ven conmigo.

Me hizo un gesto con la cabeza señalando a uno de los váteres. Entramos y cerramos la puerta tras nosotras. Entonces ella abrió su mochila y sacó su navajita roja y la cartera. De la cartera extrajo una papelina y su carnet de identidad.

—No quiero jaco —le dije.

—Esto no es jaco. Es coca. Exactamente lo que necesitas tú ahora.

Apoyó la cartera sobre la cisterna y depositó un poco de polvo blanco sobre ella. Con el carnet dividió el montoncito de polvo en dos montoncitos más pequeños que fue alineando en vertical hasta que se convirtieron en dos rayas. Después sacó un billete de su pantalón y lo enrolló para formar un tubo cilíndrico, que me pasó acto seguido. Ella esnifó primero, y luego yo. Al áspero roce del polvo en las fosas nasales le sucedía un regusto amargo y familiar en la boca. El espacio de la cabina era muy reducido y nos obligaba a permanecer muy próximas la una a la otra, prácticamente tocándonos. Yo era más alta que Mónica, pero aquella noche nuestras miradas quedaban a la misma altura porque ella se había puesto unas sandalias con plataforma.

—¿Sabes, Betty? Estás guapa con las mechas éstas. No me extraña que al Chano le entrase semejante perra contigo... —me dijo, mientras agarraba una de mis mechas blancas y la enrollaba entre sus dedos. Luego tiró de la mecha de forma que fue aproximando mi cara hacia la suya hasta que nuestras narices se tocaron, y nuestras bocas quedaron a unos milímetros una de la otra. Desde aquella distancia me parecía que Mónica tenía cuatro ojos, cuatro bolas negras y redondas, cada una presidida por una pequeña bombillita que la iluminaba desde el centro. Permanecí inmóvil, y entonces ella giró ligeramente la cabeza para que nuestros labios se rozaran, pero me dejó a mí responsable de la última decisión. Fruncí los labios y la besé. En realidad fue un beso muy casto, apenas un suave contacto de los labios. Entonces ella volvió a besarme, esta vez acariciándome el labio inferior con la lengua. Retrocedí y me recosté contra el lavabo, y allí me quedé, esperando, con los ojos muy abiertos. Ella volvió a acercarse a mí y percibí su boca inmóvil pegada a mí, sus labios carnosos, calientes y duros. Me recorrió un leve estremecimiento y me apoyé un poco más para atajarlo. Mi corazón estaba tan feliz que no lo reconocía como mío. Luego mis labios se abrieron, despacio, como una flor que saludase al alba. Ella se animó y su lengua se animó con ella. En seguida se tornó apremiante, hábil. Demasiado hábil. Me desasí de su abrazo, jadeante.

—¿Qué va a pensar Coco de esto? —alcancé a articular en un susurro heroico. En mi cabeza, Coco era el único obstáculo que impedía que cediésemos a lo inevitable.

Por toda respuesta, me agarró del cuello y volvió a atraerme hacia ella. Yo nunca había besado en la boca a nadie hasta entonces, por difícil que resulte creerlo. Y ella lo sabía, estoy segura. No sé si sabía también que a ella ya la había besado, muchas veces, en mis sueños. No sé si se divertía conmigo, si jugaba como el gato que simula liberar al ratón poco antes de rematarlo. No sé si era cruel o simplemente inconsciente. No sé, no sé, no sé... Todavía hoy no he encontrado la respuesta.

La oficina de mi padre estaba situada en uno de los pisos más altos de un enorme rascacielos en la Castellana. Para acceder al edificio resultaba imprescindible presentar el carnet de identidad a un guardia que inquiría acerca de la persona a la que querías ver y el motivo de tu visita («personal», en mi caso). Pero se trataba sólo del primer control. Luego había que subir en el ascensor y entrar a la oficina de mi padre, y allí superar el segundo control, más sutil, menos severo y no por eso menos desagradable: el de una recepcionista cuarentona que dirigió una mirada crítica a mi minifalda. Se notaba que, debajo del traje caro y los dos kilos de maquillaje, se trataba de una mujer no demasiado guapa. Me preguntó a quién buscaba. Le informé que venía a ver al señor de Haya. Ella quiso saber si tenía cita.

—Soy su hija —le dije.

—Veré si puede recibirla —replicó, con tono de estar convencida de que el señor de Haya no se dignaría a hacer tal cosa.

Llamó por el interfono y comunicó a mi padre mi presencia en un susurro, como si le suministrara información confidencial. Esperó respuesta y luego me hizo saber con tono desabrido que mi padre me esperaba. Avancé por el pasillo enmoquetado sin rebajarme a dirigirle la mirada. Sabía perfectamente cómo llegar al despacho de mi padre.

Mi padre habitaba diez horas al día un pequeño cubículo cuya relativa intimidad —o sea, el hecho de que tuviera una puerta que pudiera cerrarse si el ocupante de la celda deseaba resguardarse de miradas insidiosas— le confería un cierto estatus dentro de su empresa. Era un despacho como tantos otros, de esos en los que se fotografían los ejecutivos de la revista *Ranking*: mesa de caoba, amplios ventanales de cristales blindados y ahumados, una litografía de Saura tras el respaldo del sillón tapizado, mucho lujo y tronío en general y cierto aire caduco y un tanto egoísta. Mi padre se desenroscó, sinuoso, desde su sillón, haciéndose cada vez más alto. Cuando se hubo alzado del todo me tendió la mano, me indicó con un gesto que me sentara frente a él y me rogó que cerrara la puerta. Así lo hice.

—Ya era hora de que dieras señales de vida, ¿no? Estoy harto de vosotras dos... —Encendió un cigarrillo en un gesto de impaciencia—. A ver, ¿cómo estás y qué quieres?

—Estoy bien. Estoy en casa de Mónica.

—Eso ya lo sabíamos. Y bien... ¿piensas volver? Supongo que sí, porque dudo que tengas la intención de pasar el resto de tu vida en casa de tu amiguita. Deberías hablar con tu madre y disculparte. Es con ella con la que te has peleado. En fin, ya sabes cómo es... Cuando se pone histérica es mejor no hacerle caso. Pero luego todo se le olvida. No le des más importancia de la que tiene. No ganas nada siguiéndole el juego.

De nada hubiera servido decirle que las cosas no eran tan fáciles, que la última discusión había sido demasiado violenta y que yo había llegado a un punto en que la mera presencia de mi madre me amargaba. Resultaba evidente que él estaba intentando a la desesperada zafarse de cualquier responsabilidad, y, en el fondo, yo no le culpaba. En cierto modo casi le agradecía la actitud absentista que había adoptado en los últimos años. Le prefería con mucho así que a como era en el pasado, cuando le daba por intervenir, por saldar las discusiones a golpes y bofetadas.

En ese momento repiqueteó el teléfono. Mi padre accedió a que le pasaran la llamada y acto seguido se enzarzó en una conversación de negocios, completamente ajeno a la presencia de su hija. Discutía, recuerdo, sobre unos márgenes de distribución. Por lo visto el futuro de la Humanidad dependía de que no subiesen un punto. Mi padre se iba acalorando cada vez más y entretanto yo jugueteaba nerviosa con uno de mis mechones blancos, esperando a que él diese por finalizada la conversación. Cuando por fin colgó, se me quedó mirando sin articular palabra, como sorprendido de mi presencia. Quizá, en el calor de la discusión, se había olvidado de mí. Después me dijo que tendría que perdonarle, que debía atender en breve una reunión importante. Entonces me puse a llorar. Juro que intenté contenerme, pero no pude. Él comenzó a tamborilear con los dedos sobre la mesa, visiblemente nervioso.

—Hija, por favor... que ya no tienes edad. Estamos en mi oficina, coño. Haz el favor de no dar la nota como tienes por costumbre.

Abrió un cajón y sacó una caja de pañuelos de papel. Me acercó uno para que me sonara. Me sequé las lágrimas e intenté reprimir los sollozos.

—¿Sabes? —dijo él—, quizá deberías hablar de esto con el psiquiatra. Estás en una edad muy delicada... ya sabes. Tu madre ha estado viendo a uno últimamente y parece que está mejor. Está tomando no sé qué pastillas que parece que hacen milagros, un antidepresivo que acaban de sacar los americanos. Mi secretaria también las toma.

—Pues no parece que a ella le funcionen —dije yo, milagrosamente repuesta—. No se la ve muy contenta, que digamos.

—Además —continuó él, como si no me hubiera escuchado—, parecía que tu psiquiatra te gustaba.

—Precisamente porque me gustaba me convenciste de que dejara de ir —respondí.

El médico al que se refería me escuchó durante tres sesiones y luego insistió en que mis padres fueran a verle, porque le parecía esencial confrontar nuestros problemas en una terapia de grupo. Obvia decir que mi padre se negó categóricamente a participar. Dijo que estaba demasiado ocupado como para perder el tiempo en tonterías semejantes, y que él tenía muy claro que no necesitaba ver a ningún psiquiatra. Después me enviaron a otro, bastante mayor que el primero, que se limitaba a escucharme sin molestar a mis padres.

Mi padre le echó una ojeada nerviosa al reloj y me anunció que debía marcharse. Me dijo que no me preocupara por mi madre, que él se encargaría de decirle que me había visto y que yo estaba bien. Por último, me preguntó si necesitaba dinero. Negué con la cabeza y salí del despacho pegando un portazo.

Antes de abandonar la oficina, a punto de entrar en el ascensor, giré sobre mis talones y le espeté a la recepcionista:

—Adiós, y que siga usted tan amable y tan simpática.

—Que sepas que cuando yo tenía tu edad tenía el mismo o mejor tipo que tú, y era bastante más educada —me respondió ella muy digna.

Mi padre debía de estar más que harto de convivir con dos enfermas mentales, su mujer y su única hija. Porque mi infancia, hace falta explicarlo, transcurrió con la conciencia de que mi madre estaba enferma, aunque nadie me precisó muy bien en qué consistía su enfermedad. Yo sabía que no convenía ponerla muy nerviosa ni someterla a emociones fuertes, que no podía beber alcohol ni pasarse demasiado rato frente al televisor, que debía tomar a diario unas gotas antes de cada comida, que su mesilla estaba repleta de frascos de pastillas de distintos colores a los que ella llamaba, en conjunto, su *medicación*. Y que no podía conducir. Cuando mi madre iba a buscarme al colegio era la única que no lo hacía en coche, y las otras niñas no comprendían que viniese a buscarme en autobús y que luego nos fuéramos de vuelta a casa juntas otra vez en autobús. Para eso, opinaban, bien podía irme yo en el autocar del colegio. Yo no acertaba a explicarles por qué a mi madre le tranquilizaba tanto saber que yo iba a volver con ella, por qué mi madre parecía tan deseosa de estar conmigo a todas horas, de no dejarme sola un momento. Tampoco sabía explicarles entonces por qué no podía conducir.

La primera vez que presencié uno de sus ataques yo debía de tener seis o siete años. Lo recuerdo bastante bien, aunque lógicamente las brumas de la memoria me hayan alterado un poco la escena. La memoria es mentirosa y muchas veces nos engaña transformando los hechos del pasado. Es, además, selectiva y subjetiva porque cuando rememoramos un episodio ya sucedido somos incapaces de reconstruirlo segundo a segundo, sólo recordamos los detalles que fueron más relevantes para nosotros. La memoria se deshace poco a poco en el olvido, como azúcar en agua. Así que trato de reconstruir la escena como puedo, aunque mantengo la seguridad de que mi percepción está alterada por montones de lagunas y lapsos que mi propia mente ha incorporado a aquella comida que tanto me impresionó.

Debía de ser un fin de semana, porque estábamos sentados los tres, mi padre, mi madre y yo, en la mesa del comedor. La luz del día se filtraba por la cristalera, así sé que no se trataba de una cena. Los días laborables mi padre no comía nunca en casa, y yo tampoco, casi nunca, porque lo hacía en el colegio. Fin de semana, pues. Mis padres estaban intercambiando agrias recriminaciones, pero me resulta imposible recordar el tema de la discusión. En un momento dado, mi madre elevó el tono de voz hasta un nivel desacostumbrado incluso para una casa como la nuestra en la que los gritos estaban a la orden del día.

Lo siguiente que recuerdo es que mi madre se derrumbó como una marioneta a la que le hubiesen cortado los hilos. La cabeza se le quedó colgando por encima de la silla, la melena rubia haciendo contraste con el tapizado damasco del respaldo. Estaba tan blanca como el mantel. Un hilillo de baba le caía por la comisura de los labios y descendía hacia la mandíbula. Boqueaba como un pez recién sacado del agua, y le acometían unos espasmos que le retorcían todo el cuerpo, como si le estuvieran aplicando descargas eléctricas: parecía un androide cuyos sistemas de coordinación acabaran de sufrir un cortocircuito. Mi padre saltó de la silla como accionado por una palanca, se precipitó sobre aquella muñeca babeante y desmadejada que hasta hacía unos minutos había sido su mujer, y le introdujo como pudo una servilleta en la boca.

«Llama al médico», gritó mi padre dirigiéndose a mí. «Llama al médico. Busca el número en una agenda negra que hay sobre la mesa de mi despacho. En la M. Explícale a quien te coja quién eres y di que tu madre ha sufrido un ataque.» Por el tono comprendí que la cosa era grave y atravesé el pasillo volando. En dos zancadas me planté en el despacho de mi padre y me precipité sobre la mesa. La dirección y el teléfono del médico figuraban los primeros en la lista de la M y en una letra más grande que el resto de los contactos anotados, para resaltar, sin duda, la vital importancia de esa persona y ese número. Las manos me temblaban de tal manera que me costaba marcar los dígitos en el disco. Por fin llamé y me respondió una voz femenina a la que le expliqué entre hipidos lo que sucedía. Ella me contestó con voz tranquilizadora que no debía preocuparme, que en seguida avisaban al doctor. Volví corriendo al comedor. Mi madre yacía sobre la alfombra agitándose como una lubina recién pescada. Mi padre, que le sujetaba los brazos por encima de la cabeza, intentando contener sus movimientos asincopados, me ordenó, en cuanto vio asomar mi cara asustada por el marco de la puerta, que me fuera inmediatamente a la cocina y que esperara la llegada del doctor. Me quedé, pues, en la cocina apoyando la mejilla contra la puerta para poder escuchar el traqueteo del ascensor y anticiparme a la llegada del médico. Abrí la puerta cinco o seis veces, confundiendo las subidas y bajadas de los vecinos con la llegada de aquel señor, hasta que finalmente, después de una espera que para mí duró una eternidad, llegó aquel doctor al que yo conocía de toda la vida, el mismo que me había curado las paperas y la varicela y me había puesto inyecciones en el culo cuando yo era un mico que no alzaba dos palmos del suelo. Le dije que mi madre estaba en el comedor, y no hizo falta que yo le indicara dónde estaba puesto que ya conocía la casa. Entró en el comedor y cerró la puerta tras de sí.

A través de la madera de pino yo le escuchaba dirigirse a mi madre por su nombre de pila y mantener algún tipo de conversación con mi padre que no conseguía descifrar. Al rato salieron. Mi padre llevaba a mi madre en brazos, inerte como una muñeca de trapo, blanca y hermosa con su pelo suelto cayendo en cascada, como las ilustraciones que representaban a la Bella Durmiente en mis libros de cuentos. La llevó a su cuarto, seguido de cerca por el médico, y yo me quedé esperando. Poco después salió mi padre y me explicó en pocas palabras y con voz grave que todo había pasado, que mi madre se encontraba bien, aunque débil, y que no debía preocuparme. Me envió a jugar a mi cuarto, y yo obedecí como la niña buena que era entonces, y allí me tumbé sobre la cama, ocultando la cara en la almohada esforzándome por permanecer quieta, muy quieta, inmóvil, intentando contener los parpadeos y la respiración, y procurando dejar la mente en blanco como solía hacer cuando algo me preocupaba.

A la mañana siguiente mi madre vino a despertarme más cariñosa que de costumbre. Se sentó a mi lado y me dijo que esa mañana desayunaríamos las dos juntas en la cama, porque ella tenía muchas cosas que explicarme acerca de lo que había pasado el día anterior. Salió del cuarto y volvió al cabo de un rato con una bandeja plegable sobre la que había una jarra de zumo de naranja y un plato rebosante de croissants con mermelada, y entre tragos y bocados me explicó qué era la epilepsia.

A esta conversación se sucederían muchas otras a lo largo de los años en las que mi madre me explicaría el inicio de su enfermedad, sus síntomas y sus consecuencias; y con el tiempo llegué a tener datos suficientes como para poder elaborar un historial· clínico detallado de mi madre, si hubiera querido. Yo fui mucho tiempo su confidente y solía hablarme con una claridad y una sinceridad que los padres no suelen utilizar con sus hijos. Desde luego, mi padre nunca me habló así.

Cuando volví a casa de Mónica, después de la entrevista con mi padre, me encontré a la parejita recién levantada, desayunando en la mesa de la cocina. Mónica me preguntó dónde había estado y le dije que había salido a dar un paseo. Insistió en que fuera prudente con los vecinos y no preguntó más. Luego Coco, sonriente, pasó a comunicarme la última gran idea que habían estado madurando. Después del éxito de la última venta de pastillas, habían decidido ampliar el negocio: hasta las tres de la mañana, Coco seguiría pasando, como siempre, en el bar de Malasaña en el que todo el mundo sabía dónde encontrarle. Después, se dedicaría a pasar éxtasis en La Metralleta. A partir de las cuatro cerraban la mayoría de los garitos, y a esas horas La Metralleta se ponía hasta los topes de jovencitos con ganas de bailar y de drogarse. Lo mejor de todo es que esta nueva operación no iba a requerir coste alguno de inversión, puesto que podrían fabricar algo parecido al éxtasis a partir del arsenal de pastillas de Charo.

—Eso se llama estafar —opiné.

—Te equivocas —respondió Coco—. Se llama aumento de rentabilidad. ¿No eras tú la que quería estudiar empresariales? Pues vete enterando: las anfetas las vendes a cinco libras, y los éxtasis a tres talegos. Además, todo el mundo sabe que en la calle no se encuentra éxtasis del bueno.

Yo ya había oído hablar de esos falsos éxtasis. De los niños que la palmaban de un síncope en medio de la pista de baile, de los que se enganchaban a un jaco que ni siquiera sabían que habían estado consumiendo. No me parecía de ley aquello de vender pastillas de palo.

—Qué tonterías dices... —me reprochó Mónica—. La cantidad de caballo es mínima.

—Bueno, haced lo que queráis —respondí—. Pero que conste que esta vez YO no pienso ser la que los pase.

Llamaron por teléfono: dos timbrazos, pausa, dos timbrazos. El código que indicaba que la llamada estaba dirigida a Coco. Él se levantó despacio y cogió el teléfono. Hubo un breve intercambio de miradas entre Mónica y yo. Yo estaba celosa porque ella le hubiese permitido a él en tan poco tiempo hacerse con su espacio de semejante manera. Y ella no quería que yo me metiera en lo que no me importaba.

—Pensé que nunca llamarías... —dijo él—. Sí, claro que lo tengo... Sí, en tu casa, como acordamos. Pero no te lo voy a llevar yo. Te lo llevará una amiga mía... Muy guapa.

La primera vez que mi madre sufrió un ataque, me lo contó ella misma, apenas contaba cinco años. Estaba jugando tan feliz cuando de repente una especie de fogonazo negro le nubló la vista. Lo siguiente que alcanzaba a recordar era la visión de un enjambre de caras curiosas, agolpándose unas sobre otras, comentando horrorizadas lo sucedido. Ese dato era común a todos sus ataques: el no recordar nada de lo sucedido una vez volvía en sí. Lo malo es que aquello ocurrió en pleno Campo de San Francisco, cuando jugaba al corro con otras niñas, y en seguida se corrió la voz de que la niña estaba endemoniada. Su padre la llevó a Madrid a que la vieran los mejores médicos de la capital. Entonces las cosas no eran tan fáciles. No existían la medicación ni los conocimientos de ahora, decía mi madre. Nadie parecía tener claro lo que le pasaba.

Cuando la niña creció, su madre, su padre y sus tías se pusieron de acuerdo por una vez. La niña no debía quedarse en Oviedo, porque allí todo el mundo sabía lo de su enfermedad, y resultaría imposible casarla. Al padre, que era abogado y había estudiado en Madrid, no le apetecía condenar a la niña a la maledicencia de los ignorantes, y a la madre y a las tías les parecía una pena que una delicia de chica como aquélla, tan fina y tan mona, se tuviera que quedar a vestir santos. (Cuando oía la historia me estremecía un escalofrío al pensar que si mi madre no hubiera sido tan guapa a las mujeres de su familia les hubiera parecido lógico condenarla a zurcir calcetines y a oír misas para el resto de su vida.) Así que la enviaron a Madrid, a estudiar a un internado de monjas francesas donde las señoritas de familia bien aprendían francés, costura, bordado y economía doméstica, preparándose para convertirse en buenas esposas y madres el día de mañana. Las hermanas, enteradas de su problema, procuraron siempre ahorrarle emociones y disgustos a la niña, y habían sido bien informadas de los pasos a seguir si le sobrevenía una crisis.

En Madrid vivía un tío de mi madre que rondaba la cuarentena y tenía fama de vividor, y al que la familia no veía con muy buenos ojos. Ahora imagino que cuando la familia lo discriminaba por soltero y juerguista querían dar a entender su condición de homosexual. En cualquier caso, se trataba del único contacto con el que mi madre contaba en Madrid, así que, como niña educada que era, le hizo llegar una nota formal haciéndole saber su residencia. Su tío no tardó en responderla y rápidamente se convirtió, para alegría de mi madre y escándalo de la familia, en su *chevalier servant*, en el galante acompañante que los fines de semana la llevaba a pasear al Retiro, al cine, al teatro, a mirar escaparates por la Gran Vía, a los conciertos del Real, y a tomar cócteles en Chicote y que, eso sí, la dejaba en la puerta del internado a las nueve y media, como mandaban los cánones. Mi madre lo adoraba y ella estaba convencida de que él la correspondía de una manera platónica.

Habían llegado a tal grado de confianza que ella se atrevió a contarle su secreto, a pesar de que había sido bien aleccionada por su madre y por sus tías para no revelarlo a no ser que resultara estrictamente necesario. Su tío, que era un hombre culto, le enseñó a admitir su propia enfermedad, y le explicó que Julio César había sido epiléptico, y probablemente también la propia

Teresa de Jesús, que se trataba de una enfermedad como cualquier otra, o quizá incluso distinta, porque era patrimonio de genios, y que ella, por tanto, no debía avergonzarse de serlo. Y esto me lo contaba mi madre con un punto de orgullo en la voz.

Tomando cócteles en Chicote, mi madre conoció a mi padre. Mi padre era entonces un abogado joven y guapo (el hombre más guapo de todo Madrid, según mi madre) que de inmediato puso los ojos sobre esa niña recién llegada de provincias y no paró hasta conseguir que se la presentaran. Le debí hacer gracia precisamente, decía mi madre, porque no quería saber nada de él, porque era una chiquilla tímida que no se atrevía a mirarle a los ojos y se negaba rotundamente a salir con él a solas. Le costó meses conseguir sacarme a pasear al Retiro. La verdad es que a mí me volvía loca, pero me hubiera muerto antes de permitir que se me notase.

Al cabo de un año, el día que ella cumplía los dieciocho, él, que ya rondaba la treintena y se confesaba cansado de aventurillas mundanas y deseoso de sentar cabeza con una mujer católica como Dios manda, se le declaró. En cuanto en Oviedo se enteraron de la noticia hubo consejo familiar en el que se decidió que la niña debería quedarse en Madrid, porque si se volvía a Oviedo era seguro que la distancia acabaría con la relación, y no era cosa de arriesgarse a perder a un partido como aquél. Además, si el joven novio iba a visitar a su amada a Oviedo, alguien acabaría por contarle lo del problema de la niña, y, de momento, lo mejor era mantener aquello en secreto. Así que se llegó a un acuerdo con las monjas según el cual, aunque mi madre ya había finalizado su instrucción, se le permitiría continuar residiendo allí siempre y cuando respetase estrictamente las reglas y los horarios de la casa. Mi madre «trabajaba» (es un decir) en la Sección Femenina enseñando cocina y organizando visitas caritativas a los barrios pobres. Y salía todas las tardes, con su tío o con su novio formalísimo, o con ambos, al hipódromo, al Gijón, al Chicote, al Café Comercial, a Lhardy. Tenía el novio más guapo de Madrid y llevaba una vida digna de figurar en los ecos de sociedad. Era feliz, en suma. Nadie le había enseñado a aspirar a más.

Cuando por fin se fijó la fecha de la boda, Herminita hubo de enfrentarse a un serio problema moral. Su novio no tenía la menor idea de lo de su enfermedad. Las monjas habían guardado celosamente el secreto, tal y como habían sido prevenidas, y, afortunadamente, él, mi futuro padre, nunca había tenido que ser testigo de una de sus crisis. La enfermedad era hereditaria, ella lo sabía, y comprendía muy bien que ningún hombre quisiera hacerse cargo de una esposa con semejante problema, y, menos aún, arriesgarse a transmitírselo a su progenie. Habría sido fácil mantener el silencio, tal y como la madre y las tías aconsejaban, y más tarde, cuando sobreviniera alguna crisis, asegurar que aquélla había sido la primera, que nadie sabía nada del asunto, pues no eran raros los casos descritos en los que el primer ataque no aparecía hasta muy entrada la edad adulta. Pero mi madre sabía que la mentira era un pecado, un pecado cuya gravedad se acentuaba más si cabe si se tenía en cuenta que ella iba a mentir a la persona con la que iba a compartir el resto de su vida, unidos por un vínculo basado en el respeto, la lealtad y la sinceridad mutua. Así que lo consultó con su confesor y finalmente resolvió contárselo todo a su novio.

Y cuál no sería su sorpresa cuando él pareció entender perfectamente el problema, y es más, resultó que estaba informado de la naturaleza de la enfermedad y sabía bien que se trataba de un problema neurológico y no de una maldición. Y no le importaba lo más mínimo que Herminita fuese epiléptica y no le parecía que aquello representase obstáculo suficiente como para interponerse entre su amor. Entonces, decía mi madre con un brillo nostálgico en los ojos, *entonces* me quería de verdad, y yo me casé segura de él, de que él me cuidaría toda la vida. Porque siempre la habían cuidado, las madres, las tías, las monjas, su tío, y ella no había podido imaginarse siquiera una vida en la que alguien no estuviera permanentemente pendiente de su persona. Pero él no era así. Él, que había imaginado niños correteando por la casa, uno o dos varoncitos que perpetuaran su nombre y una niña que heredara la belleza de la madre, se decepcionó al ver que aquellos niños no llegaban y se cansó pronto de ella, como un niño que, aburrido de jugar, relega para siempre a un rincón el cochecito por el que había suspirado tantos meses. Durante aquellos interminables años baldíos él se fue distanciando, hastiado de las quejas y suspiros de su esposa, de las consultas de los ginecólogos, de la amargura que envenenaba el aire de la casa. Ella jamás pensó que no tendría niños. Al principio se aburría, luego se desesperó, finalmente se convirtió en una histérica insoportable. Cuando por fin me concibió hacía tiempo que daba por perdido el amor de su marido, pero pensó que ya no importaba, que allí estaba yo para mimarla, para adorarla y para ocuparme de ella. Nunca pudo perdonarme que no lo hiciera.

Aquel portal impresionaba. Una escalinata de mármol que ascendía hasta perderse en un larguísimo pasillo que se adivinaba desde el portón de hierro. En el remate del pasamanos, un gato de piedra se sentaba erguido con dignidad y elegancia. Subí hasta el descansillo. El ascensor era imponente: uno de esos ascensores antiguos, de cabina, en cuyo interior las paredes, de madera noble, estaban revestidas de espejos. Un pequeño asiento forrado de terciopelo rojo sugería, allí dentro, una curiosa idea de anticuada comodidad. Pulsé el botón del tercero. El ascensor baqueteaba y chirriaba mientras ascendía lentamente, y se me ocurrió —tarde— que quizá habría sido mejor subir por las escaleras. Por fin, aquel trasto se detuvo y yo, aliviada, me encontré en el rellano del tercer piso con el chico que me había abierto el portal desde el portero automático y que había salido a recibirme. Se trataba de un muchacho joven, bronceado y engominado, vestido con una camisa a rayas planchadísima, unos vaqueros con aspecto de recién comprados y unos zapatos italianos. Le dije que venía de parte de Coco, y él asintió con la cabeza y me indicó que pasara. Entré y me condujo a un amplísimo salón decorado en tonos claros. Un cuadro enorme colgado encima de la chimenea llamó poderosamente mi atención: era un Zóbel, y parecía auténtico. Me preguntó si quería beber algo; un vaso de güisqui, quizá. Asentí con la cabeza, sin decir palabra. Se dirigió al mueble bar y volvió con una botella y dos vasos.

—¿Esta casa es tuya? —pregunté, por decir algo.

—Sí. Es decir, es de mis viejos. Están de vacaciones —me aclaró.

—Como todos —dije yo.

Sirvió el güisqui en los vasos con mano temblorosa y me alargó uno.

—¿Has traído el paquete? —me preguntó.

Saqué de la mochila un paquete muy pesado que me había dado Coco. Él me rogó que le esperase un momento. Asentí y, una vez hubo abandonado el salón, apuré el vaso de un trago. El chico regresó al minuto, transformado por una expresión de radiante satisfacción que le iluminaba las facciones; relevada, por lo visto, la tensión que suponía la incertidumbre con respecto al contenido del paquete. Se sentó en el sillón y me dedicó una mirada entre sorprendida y escrutadora, como si reparase por vez primera en mi presencia. Aquel día yo iba disfrazada de Mónica, apenas vestida con una minifalda mínima y una raída camiseta dos tallas menor de la que nos correspondía. Además, me había cardado el pelo. Me di cuenta de que el chico no apartaba la vista de mis piernas, y pensé que quizá debiera haber acudido al encuentro vestida de otra manera.

—¿A ti te gusta la música? —preguntó sin venir a cuento.

—Sí, claro —contesté.

—Mi viejo es director de orquesta, aunque dudo que sepas quién es.

Citó el nombre de un director bastante famoso. Le dije que sí, que le conocía —aunque no personalmente, claro—, que incluso le había visto dirigir alguna vez. Le expliqué que mi madre era miembro de la Asociación Filármónica de Madrid, que de pequeña solía ir con ella a los Conciertos del Real. A él parecían sorprenderle mucho mis conocimientos de música. Los tíos deben de creer que cuando te pones una minifalda tu cociente intelectual disminuye automáticamente diez puntos.

—Deberías ver la colección de discos de mi viejo —sugirió—. Ven...

Se levantó y me indicó que le siguiera con un gesto de la mano. Cruzamos un pasillo largo, estrecho y oscuro, de paredes enteladas, que iba a morir a una habitación enorme, de aspecto sobrio y ordenado. Reparé en la presencia de un crucifijo sobre la cama, un detalle que me recordó a la habitación de mi madre. Además de la estrecha cama, había dos sillones de cuero con aspecto de ser muy cómodos, separados por una pequeña mesita. Una pared entera estaba forrada de estanterías en las que se apilaba una impresionante colección de CDs.

—¿Ésta es la habitación de tu padre? —pregunté.

—Sí, duermen separados.

—Los míos también.

Me explicó que en verano, cuando sus padres estaban de vacaciones, él se trasladaba a la habitación de su padre, que era la más fresca y la más tranquila de la casa. La suya daba al patio, me dijo, y entre el ruido de los vecinos y el calor le resultaba imposible dormir. Los dos últimos veranos no había salido de Madrid porque estaba preparando la oposición al Cuerpo Diplomático, cuya convocatoria tenía lugar en septiembre. Lo cierto es que tampoco albergaba muchas esperanzas de llegar a aprobar aquel año, y eso que era la tercera vez que se presentaba.

—Supongo que acabaré dándome por vencido, y entonces no tengo ni puta idea de lo que haré. Espero que el viejo me encuentre un curro en alguna parte.

Me senté en uno de los sillones y empecé a curiosear los lomos de los discos. Cogí el que más me llamó la atención: las Variaciones Goldberg interpretadas por Glenn Gould.

—¿Puedes ponerlo? —le pregunté.

—Por mí... como si te lo llevas. Nadie se va a enterar. Al viejo se los mandan de las compañías, porque escribe en el *ABC* y en varias revistas —me informó—. Fíjate: hay algunos que conservan el envoltorio de celofán. Ni siquiera los ha abierto. Qué raro que a una tía como tú, con esa pinta, le guste esta música... Por cierto, no me has dicho cómo te llamas.

—Bea.

—Yo me llamo Paco. ¿Quieres otro güisqui?

—Vale.

Cuando regresó con la botella y dos vasos, me encontró arrodillada sobre la moqueta, inspeccionando los discos. Yo calculé, de un vistazo, que allí había una pequeña fortuna en CDs. El chico se sentó a mi lado, sirvió un trago para cada uno, y luego inició una conversación sobre compositores que rápidamente se tornó en monólogo: me largó en cuestión de minutos una retahíla de nombres, fechas, obras y movimientos artísticos que me impresionó. Pero lo cierto es que él no mostraba ningún entusiasmo por lo que refería; más bien parecía que se limitaba a la mecánica repetición de una lección aprendida. Seguimos hablando de música y bebiendo. En algún momento él pasó su mano por encima de mi hombro. El güisqui empezaba a hacer su efecto y me resultaba difícil distinguir los nombres impresos en los cantos de los compactos. Me atrajo hacia sí y yo solté una risita nerviosa. Acercó su boca a la mía e intentó besarme. Aparté la cara, suave pero firmemente. Entonces él me apretó contra sí con más fuerza. Yo intenté desasirme y aquello empeoró aún más las cosas, porque la camiseta me venía, como ya he dicho, estrecha, y era corta, apenas alcanzaba a cubrirme el ombligo, de forma que, al moverme, resultó claramente visible el sujetador de satén negro que llevaba puesto (propiedad de Mónica, por supuesto). Me sujetó con fuerza los brazos, intentando besarme mientras yo me revolvía como podía, tratando de quitarme de encima a aquel fardo que babeaba sobre mí. Vamos, no seas cría, me susurraba al oído. Forjeceamos, me arrojó al suelo y se colocó sobre mí, inmovilizándome. Me puso los brazos sobre la cabeza y los sujetó con una mano mientras con la otra intentaba avanzar entre mis muslos. Me juré a mí misma que si salía bien de aquélla no volvería a abandonar los pantalones en la vida (y no lo he hecho). Finalmente hice acopio de fuerzas, las concentré en mis piernas, y le propiné un rodillazo en el estómago que le dejó sin aliento. Aprovechando su confusión, conseguí enderezarme; agarré la botella y le golpeé con ella en la cabeza. Sabía por experiencia que si le golpeaba ya no debía parar hasta dejarle inconsciente, pues si no sería mucho peor. Sabía que los hombres pierden el control cuando se ciegan por la ira, que los golpes les excitan, como a los toros, y que más vale no jugar a azuzarles. Sabía todo eso porque era lo que mi madre repetía al referirse a mi padre. Después del golpe, vaciló unos segundos, e intentó levantarse, así que le golpeé una segunda vez con más fuerza. Esta vez brotó un hilillo de sangre que le resbaló despacio por la frente. Y se desplomó.

Permanecí inmóvil un rato largo, con la botella en la mano,

presa de una especie de hipnotizado terror. Durante unos minutos, el tiempo pareció detenerse. Creo que no moví un solo músculo de mi cuerpo, ni siquiera parpadeé, incapaz de recuperar la consciencia, de explicarme a mí misma lo que acababa de hacer. Cuando volví a hacerme con el control de mi persona, lo primero que hice fue llevarme la botella al coleto y apurar un trago, y después me acerqué cuidadosamente al tal Paco para comprobar que respiraba, que sólo estaba inconsciente. Le empujé levemente hasta conseguir darle la vuelta, y entonces reparé en que la cartera le abultaba en el bolsillo derecho de su pantalón. La extraje de allí e indagué en su interior: me encontré con diez mil pelas que me guardé en el sujetador. Buscando algo más que llevarme, abrí el cajón de la mesilla de noche, donde había papeles, un paquete de condones y el mismo atadijo que yo había entregado esa misma tarde a aquel chaval que yacía inconsciente sobre la moqueta: un paquete compacto y pesado que aún conservaba el envoltorio de papel de periódico, pero no las cuerdas con las que Coco lo había reforzado. Lo desenvolví con cuidado y con curiosidad, y me encontré con una pistola, la segunda que tenía en la mano en mi vida.

Mi padre tuvo alguna vez una pistola, que conservaba oculta en un cajón de su escritorio. Ya desde pequeña, muy pequeña, desde la primera vez en que mi padre pegó a mi madre, o puede que a mí, soñaba con abrir aquel cajón, agarrar la pistola, presentarme de noche en su cuarto y aprovechar el sueño de mi padre para descerrajarla sobre él. Incluso de mayor, más de una vez fantaseé con la idea de dispararla contra él, o contra mi madre, o contra mí misma. Pero nunca supe si la hubiese utilizado de verdad de haberse presentado la ocasión, porque un buen día desapareció de aquel cajón. Probablemente mi padre acabó por adivinar que yo la había descubierto y que a veces jugaba con ella. O quizá se deshizo de ella porque tenía miedo de sí mismo, de dejarse llevar en un arrebato de ira y dispararnos, vete tú a saber. Lógicamente no me atreví a preguntarle directamente por su paradero.

Pistola o revólver —no sé cuál es la diferencia entre una cosa y otra—, se trataba de un arma negra y brillante, que, a diferencia de la de mi padre, no tenía cargador. Era rectangular y compacta, con el mango revestido de madera barnizada, más pequeña que la de mi padre y menos pesada. Se acomodaba bastante bien en mi mano. La acaricié con sumo cuidado y con bastante miedo también, he de reconocerlo. Me situé frente a un espejo que había colgado de la pared y apunté a mi propia imagen.

Ascendía por las escaleras del portal de la casa de Mónica con el pelo enmarañado y la ropa arrugadísima, cargando como podía con dos enormes bolsas pesadas como lápidas. Ya había caído la tarde. Me crucé con los dos vecinos del caniche (aquello empezaba a resultar una obsesión), que me preguntaron —muy amablemente, eso sí— que adónde iba. Cuando repliqué que iba a visitar a Mónica, preguntaron entonces por Charo y su marido. Llevaban días sin verlos ¿acaso no estaban en Madrid? Les expliqué que estaban en Mallorca con los niños pequeños, de veraneo, aunque sabía que Mónica ya se lo había dicho.

—¿Y dejan aquí sola a la pobre niña? —preguntó la vecina.

—Es que tiene que estudiar —le respondí, muy seriecita.

Subí al ascensor y noté cómo, a mi espalda, los vecinos se alejaban, cuchicheando.

Me abrió la puerta Mónica. Me eché en sus brazos y le conté, entrecortadamente, interrumpiéndome de vez en cuando a causa de las lágrimas y los hipidos, lo sucedido: que había entregado el paquete como me habían encargado, que el chico había intentado violarme, que yo había acabado estampándole una botella de güisqui en la cabeza, y que todo había sido horrible. Mónica me abrazó cariñosamente para calmarme y entonces reparó en las bolsas.

—¿Qué traes ahí? ¿No lo habrás despedazado...?

—No, claro que no —me sequé las lágrimas con el dorso de la mano—; no tenía dinero para el taxi de vuelta, así que no tuve más remedio que quitarle lo que llevaba en la cartera. Luego decidí, que, ya puestos, me llevaría todo lo que pudiera. Así que le saqueé la nevera y metí lo que había en dos bolsas de la compra. He encontrado también algunas cadenas de oro de la madre y un walkman. Nada de importancia.

Se me quedó mirando boquiabierta.

—¿TÚ has sido capaz de hacer eso? —preguntó, y su manera de pronunciar el tú me dejó claro que me creía incapaz de hacer algo semejante.

En ese momento intervino Coco, que había estado contemplando la escena, aunque yo no podría precisar cuánto tiempo llevaba en el recibidor. Me dijo, en un tono de voz considerablemente más alto del habitual, que estaba loca, que no tenía ni idea de las consecuencias de lo que había hecho. Ajena a aquella saturación de decibelios, le contesté con la mayor tranquilidad que no le diera importancia a lo que había hecho, puesto que había puesto especial cuidado en no llevarme nada de valor. Se trataba, pues, de un hurto, no de un robo; es decir, nada serio, legalmente hablando.

—Es como robar en el Corte Inglés. No se va a la cárcel por eso —le dije.

—No sabes lo que has hecho —dijo él, moviendo preocupadamente la cabeza de un lado a otro—, me parece que nos has metido en un buen lío.

—¡Tú eres el que me metes en líos! —respondí, indignada—. ¿Qué coño hago yo paseándome por Madrid con una pipa encima? ¡Podías haberme avisado!

Intenta explicarle a tu psiquiatra, a ese psiquiatra al que paga tu padre, lo difícil que resulta que le hables a él, a alguien que no ha pasado por esto que tú estás pasando. Explícale que te sientes enferma, que podría tratarse de un síndrome de abstinencia o de una simple depresión, el caso es que llevas dos días llorando, y que de vez en cuando ese nudo que te atenaza la garganta se hace tan agobiante que tienes que encerrarte en el cuarto de baño para que Mónica no te vea llorar. Si te pregunta que por qué te sientes triste podrías ofrecerle mil explicaciones, o ninguna. Te sientes triste porque ya no crees entender a Mónica, ni crees que ella te entienda a ti. En realidad, y para ser sincera, no crees que nadie pueda entenderte. Lo cierto es que últimamente vuestras diferencias se hacen cada vez más dolorosas y evidentes. Es como si te hubieras empeñado durante seis largos años en construir un refugio privado que se ha desmoronado de repente, y al quedar al descubierto el andamiaje sobre el que habías construido toda esta relación ilusoria, te has dado cuenta de que estaba hecho de cañas frágiles; no de vigas de acero, como te habías creído. Crees que estás tan desesperadamente necesitada de afecto que te empeñas en mantener a tu amiga cueste lo que cueste, aunque la temes, y a veces la desprecias, y a veces también la odias, pero lo cierto, lo tristemente cierto, es que también la amas. La amas con locura, nunca mejor dicho. Supones que te resultaría imposible dejar de verla porque tus afectos son muy primarios: quieres a tu amiga de la misma forma que habrías debido querer a tu padre o a tu madre, irracionalmente, infantilmente. Sabes que las relaciones se deben fundar, idealmente, en un acervo común de ideas, opiniones o intereses, pero tú las basas exclusivamente en tu desesperada necesidad de amor y con tal de sentirte querida sacrificas lo que sea, incluidos tus principios y tu propia seguridad. Pero sabes que junto a tu amiga y su novio estás languideciendo como una lamparita que se apaga. Ya no compartes nada con Mónica, ya no la entiendes, ya no te hace reír. Y por otro lado te resulta insoportable la idea de estar sin ella, porque entonces ¿qué te quedaría en la vida? Intentas superar una serie de cosas, no juzgar, no obsesionarte con la idea de que tus padres son los responsables de tu infelicidad, para evitar dejar en sus manos la posibilidad de que algún día llegues a ser feliz. Sí, ya sabes eso de que hay que mirar atrás con objetividad, recuperar a la niña que fuiste y que sigue estando dentro de ti. Pero ¿y si un día la encuentras?; ¿y si a ella no le gustas o ella no te gusta a ti?; ¿y si cuando la despiertes se niega a volver después a la cama?; ¿y si decide quedarse toda la noche viendo la tele? Te repites a ti misma todos los días que lo importante es seguir adelante, siempre adelante, y olvidar, pero no lo consigues. Hay días en que no puedes soportarlo más. No entiendes por qué te ha dolido tanto la visita que has hecho a tu padre, por qué te hacen sufrir tanto los gritos de tu madre, por qué eres incapaz de encontrarle el lado cómico a sus locuras, tal y como tu padre hace. Intentas explicarle que estás asustada, que te sientes celosa de Coco, que no estás muy segura de los líos en que te estás metiendo. Tus explicaciones son confusas y además están plagadas de términos que el psiquiatra no entiende: Coco es un «macarra reciclado» que se las da de pijo y se dedica al «trapicheo» y a «tangar», y Mónica una «pija reciclada» por mucho que se las dé de «indie» y de «undergrunge», y empiezas a estar harta de que Mónica y Coco no conciban la diversión si no van «puestos», y hay un tío en La Metralleta al que parece que le gustas y Mónica dice que es un «estupa», pero tú opinas que lo que le pasa es que es un yuppie con un «cuelgue sideral»... Intentas explicarle que te encuentras cada día peor, física y mentalmente, pero el doctor no te entiende cuando le hablas del «bajón de las pilulas», y poco a poco te vas liando más y más, y te encuentras con una maraña de pensamientos enredados entre las manos que no sabes cómo desmadejar; no, no sabes cómo empezó todo esto, en qué momento empezó a fallarte la cabeza o cómo podrías organizar tus pensamientos en una lista coherente para buscar entre ellos el que está equivocado. Porque sabes que las cosas no van bien pero eres incapaz de determinar qué va mal exactamente. Y el doctor acaba por recomendarte que practiques más ejercicio y te extiende una receta. Inténtalo, siempre es lo mismo. O al menos eso es lo que me sucedía a mí, y lo que me sucedió aquel 23 de julio en el que acudí a mi cita semanal con el psiquiatra.

Me había largado sin avisar para ir a la consulta, aprovechando que ellos aún dormían. Tras la discusión de la noche anterior no me habían quedado ganas de seguir dando cuentas de mis actos. Al regresar me encontré a Mónica despierta, que me largó, cómo no, la consabida charla. Me dijo que había que evitar, en lo posible, que nos paseásemos de día por su edificio, para que el portero no barruntase que nos alojábamos en su casa. Yo le repliqué que Coco también se había marchado, que habría ido a arreglar alguno de sus negocios, así que no era yo la única a la que los vecinos pudieran haber visto. Le expliqué que venía de ver al psiquiatra y no dijo más, porque ella siempre estuvo de acuerdo en que yo necesitaba ayuda profesional, no fuera que me diera por repetir aquel primer numerito del suicidio. Aunque Mónica siempre mantuvo, eso sí, que la que de verdad necesitaba un psiquiatra era mi madre. Luego, cuando le enseñé la receta que traía, casi dio saltos de alegría. Resulta que el psiquiatra me había recetado un ansiolítico que, mezclado con alcohol, tenía efectos psicotrópicos, de forma que, según Mónica, podíamos ponernos a base de bien, o podíamos intentar venderlo. Obvia decir que a Mónica ni se le pasó por la cabeza que yo siguiera el tratamiento tal y como el prospecto indicaba, es decir, que tomase un comprimido con las comidas y me abstuviese de consumir alcohol. No creía que de verdad lo necesitara.

No hablamos de los besos apasionados que intercambiamos en el cuarto de baño de La Metralleta. Ella hacía muchas cosas cuando bebía, acciones de las que luego se arrepentía o que olvidaba. Por tanto, no me atreví a preguntar. Nunca he tenido derecho a las preguntas.

La manía de enviarme a los psiquiatras vino de mi madre, que, constantemente medicada como estaba por lo de su epilepsia, había dado por sentado que todas las enfermedades podían curarse, o al menos controlarse, con pastillas y especialistas. Aunque a mí nunca me pareció que lo de mi madre fuera para tanto. Tiendo a creer que en realidad utilizaba su enfermedad como arma, para hacernos sentir culpables por la poca atención que, según ella, le prestábamos. A mi madre sólo le conocí otros dos ataques tan fuertes como el primero: los dos en Nochebuena. En esa fecha, la oficina de mi padre cerraba muy pronto, antes del mediodía, y era costumbre que los empleados se fuesen luego todos juntos a celebrar la Navidad. Aquel día del año se olvidaban las jerarquías, y, en un alarde de igualitarismo, los abogados flirteaban con la recepcionista y el jefe de contabilidad le hacía confidencias al botones. Con esa excusa mi padre solía presentarse en casa ligeramente achispado y mucho más tarde de lo que mi madre creía conveniente. Ella se quejaba entonces de que apestaba a alcohol. Él le respondía que el hecho de que ella no supiera divertirse no era razón para impedir a los demás que lo hicieran. Después, ella se ponía a llorar. Y así todos los años.

En dos ocasiones mi padre llegó más tarde de lo esperado, cuando el pavo ya se había enfriado en el horno y las hojas de la escarola comenzaban a ennegrecerse por efecto del vinagre, y se encontró a mi madre hecha un mar de lágrimas, borboteando insultos y reproches, y a mí parapetada tras ella, debatiéndome entre la indignación y el hastío. Ella (a gritos) le dijo: «Te parecerá bonito llegar a estas horas, te da totalmente igual que tu hija y yo nos hayamos pasado el santo día preparando la cena para que el señor llegue a las once de la noche, después de haber celebrado una festividad que se supone santa vete a saber dónde y vete a saber con quién». Él (también a gritos) le respondió: «Herminia, ¡por favor!, tengamos la fiesta en paz. Por lo menos en Nochebuena, para variar. Además ya sabes que no me gusta nada que me montes estas escenitas delante de la niña». Ella (gritando más aún) le respondió a su vez: «Sí, la niña... ¡mucho te preocupa a ti la niña ahora! Como si la niña te importase a ti mucho. ¡Si apenas la ves...! Además, a la niña le vendrá bien saber cómo va a ser el tipo de hombre al que no se tiene que acercar en el futuro». Si no eran estas frases, serían otras parecidas. Reproches que se sucedían al menos una vez por semana. Letanías que habían perdido su sentido de puro repetidas. Pero yo sabía que no me iba a acercar nunca a un hombre como ése o como ningún otro. Yo, por entonces, quería meterme a monja. El único modelo de mujer sola que conocía.

Aquella primera Nochebuena de drama yo tenía doce años, y cuando empecé a ver las convulsiones de mi madre y me di cuenta de lo que estaba pasando, cuando tuve que volver a buscar el número del médico, con el pulso disparado y las manos temblorosas, odié a mi padre por hacerle todo aquello, por ponerla en semejante estado.

La mismísima escena se repitió tres años después. Pero aquella vez mi padre llegaba absolutamente borracho; no simplemente achispado, no: curda perdido. Yo me daba perfecta cuenta, por su lengua de trapo y sus andares en zigzag, de lo que le pasaba. El caso es que cuando mi madre se cayó al suelo tras la bronca consabida y los insultos saturados de decibelios, él no pareció preocuparse, no sé bien si porque el alcohol no le permitía darse cuenta de la gravedad de la situación o porque había llegado a un punto en el que las crisis de mi madre ya no le inspiraban temor, sino cansancio. Fui yo esta vez la que sujetó a mi madre y le puso una servilleta en la boca, pero, para mi sorpresa, él no corrió al teléfono como yo hubiese esperado, sino que se dirigió a su cuarto con paso inseguro y tambaleante. «¿Pero qué haces?», le dije, «¿vas a dejar a mamá así, o qué?» «Encárgate tú», me respondió. «Al fin y al cabo, ¿no estáis las dos tan hartas de mí? Pues arregláoslas solitas.» Mi madre seguía entre mis brazos, ya inconsciente. El ataque había sido corto. Le grité a todo pulmón a mi padre que era un hijo de puta y que le odiaba con toda mi alma. Entonces se dio la vuelta en medio del pasillo y se dirigió hacia mí precedido por el estruendo de sus pasos. «A tu padre no le hablas tú así», vociferaba, «¿entiendes? Tú no le hablas así a tu padre.» Y antes de que pudiera darme cuenta ya lo tenía delante. Me arreó un bofetón que cortó el aire. Las lágrimas se me agolparon a los ojos a la vez que mi madre se resbalaba de mis brazos y caía al suelo. Escuché cómo su cabeza golpeaba contra el linóleo de la cocina y me temí lo peor. Odié a mi padre en ese momento como nunca había odiado a nadie, ni a las monjas, ni a las pijas del colegio. De hecho, creo que nunca he vuelto a odiar de esa manera a ninguna otra persona. Para entonces mi madre y yo ya nos habíamos distanciado, pero por un momento volví a experimentar esa simbiosis, ese sentirme parte de ella, integrada en un ejército en lucha contra un enemigo común.

El método casero de fabricación de pastillas resultaba muy simple. Las anfetas se machacaban en un mortero y se mezclaban con algo de jaco y un poco de aspirina infantil. La mezcla resultante se introducía en unas cápsulas de termalgín previamente vaciadas. Y *voilà*. Resultaba tan simple que yo no creía que de verdad fuera a funcionar.

Coco me había explicado, punto por punto, lo que tenía que hacer. Recibí detalladísimas instrucciones referentes al tipo de preguntas que debía hacer a mis clientes para identificar a posibles policías camuflados. Si te asalta la menor duda, decía Coco, no vendas. Si viene alguien mayor de veinticinco, no vendas. Según Coco, yo iba a ser la camello ideal precisamente porque no tenía ninguna pinta de serlo: mi belleza atraería a clientes indecisos y mi aire inocente no despertaría sospechas. ¿Por qué cuando Coco se refería a mi belleza siempre era para encontrarle aplicaciones prácticas? Yo quería que alguien me viera guapa porque sí, sin esperar nada de ello.

Ya habíamos hecho correr la voz por toda La Metralleta de que yo estaba pasando éxtasis. Así que me dirigí a la esquina de rigor a esperar a mis clientes. Iba tranquila: todo había salido bien la primera vez y no tenía que ir peor la segunda. Ya le había cogido el tranquillo a la cosa y creo que, en el fondo, me gustaba hacerlo. Me consolaba la certeza de que existía al menos una actividad en el mundo que se me daba bien.

Le vi atravesar la pista y me quedé de piedra. No pegaba nada en el sitio. Un yuppie-pijo que se las daba de moderno (vaqueros, camiseta de algodón, sonrisa profidén, estructura ósea de atleta yanqui y bíceps de gimnasio; aspecto general de no haber roto un plato en su vida), y que se acercó a Mónica enarbolando su amplia sonrisa como si fuera una bandera blanca. ¡Javier López de Anglada en persona honrando a La Metralleta con su impecable presencia! Había sido el primer novio formal de Mónica, cuando ella tenía dieciséis años y él veintidós. Estuvieron saliendo juntos casi un año, si bien es cierto que no se veían mucho ni tampoco ella parecía muy interesada en él. Siempre pensé que, en realidad, Mónica le utilizó como una excusa para disponer de mayor libertad y así poder entrar y salir a sus anchas, ya que Charo adoraba a Javier (yo le detestaba, en buena lógica) y desde que él empezó a frecuentar su casa se mostró mucho más permisiva con los horarios y salidas de su hija adolescente. Charo no cesaba de insistir en cuán fino y educado era Javier, y cuán fina y educada su familia. (Me veo obligada a hacer constar que la madre de Javier era una Grande de España y que su nombre solía aparecer en las listas de las más elegantes del año.)

Después de que Mónica le dejara, Javier le escribió cartas y cartas. Estaba obsesionado con su ex novia, y ella se las había arreglado para utilizar esa obsesión y mantener la amistad durante años, porque le convenía. Siempre conviene contar con alguien que te adora y que además nada en dinero. Pero creo que había algo más que ella no reconocía: que en el fondo le conmovía aquella admiración perruna que se mantenía inalterable con los años. En cuanto terminó Empresariales, a los veintidós años, Javier había pasado a ocupar un puesto directivo en una de las empresas de su padre, cobrando un sueldo astronómico, y a los veinticinco ya presentaba ese aspecto serio y contenido, un tanto estúpido, de las personas establecidas prematuramente. Observé cómo él la besaba en la mejilla y cómo ella abrazaba su cintura con naturalidad, sin dejar de preguntarme qué diablos haría Javichu en aquel antro, en el que desentonaba como Alfredo Landa en una carpa dance, y no me cupo duda de que había ido allí buscando a Mónica. Todavía se veían con asiduidad y de vez en cuando se acostaban juntos. Ella me había comentado alguna vez, entre risas, que Javier tenía un aparato enorme, y cuando pensaba en aquello me sentía como ahogada en una especie de vacío mudo, oscuro e inclasificable.

Unos leves toquecitos en el hombro distrajeron mi atención de la escena. Me di la vuelta y me encontré, otra vez, con aquel tipo alto que parecía perseguirme. Me llamó rubita y me dijo si no sabía dónde podía encontrar algo para «animarse un poco». No me puse nerviosa.

—Por la forma en que me estás mirando, creo que yo ya te animo suficiente —le dije—. Por cierto, es Belcor.

—¿El qué?

—El sujetador. Como lo miras tanto...

Sonrió.

—Gracias por la información. Belcor. Compraré acciones.

—Mejor compras Levis. Creo que están subiendo —le sugerí, señalando con un gesto su entrepierna—. Ahora, si me disculpas, creo que voy a ir a bailar un ratito. —Y desaparecí hacia la pista, fundiéndome entre las sombras como un negativo de mí misma.

Me resultaba muy fácil ser descarada por una razón muy sencilla: no estaba interesada en entablar ninguna relación íntima con él, y por tanto, era capaz de dedicarle todo tipo de comentarios equívocos sin el menor rubor, ya que me importaba un comino la impresión que pudiera causarle. Era tímida —soy tímida—, y por eso la gente solía creerme menos lista de lo que en realidad era, pero con dos copas encima podía ser tan ocurrente como Mónica, aunque por lo general no se me presentaban muchas oportunidades de demostrarlo.

Supongo que cuando Mónica me contaba sus noches con Javier yo sentía los mismos celos que tanto reconcomían a Caitlin cuando algunas de sus amantes le narraban sus experiencias con los hombres. Supongo que en el fondo todos sentimos lo mismo, puesto que al fin y al cabo venimos de lo mismo: hidrógeno, helio, oxígeno, metano, neón, argón, carbono, azufre, silicio y hierro, los compuestos básicos del universo, moléculas elementales que existen desde el principio de los tiempos y que, recombinadas entre sí, han dado lugar a otras más complejas. El desarrollo de la vida es un milagro inevitable, una milagrosa combinación de elementos según una trayectoria de mínima resistencia. Dadas las condiciones de la Tierra primitiva, la vida tenía necesariamente que surgir; del mismo modo que el hierro inevitablemente se oxidará en el oxígeno húmedo. Cualquier otro planeta que se pareciese física y químicamente a la Tierra desarrollaría vida. Todos somos inevitables, todos venimos de lo mismo, todos constituimos un milagro en nosotros mismos. Energía y moléculas es vida. Amor y frustración igual a celos. Milagros que provocan en mí reacciones elementales e inevitables. Mujeres que son mundos en sí mismas, mundos habitados por millones de seres vivos —células y microbios y bacterias y parásitos microscópicos que significan a nuestro cuerpo lo mismo que nuestros cuerpos a la Tierra—, mundos similares aunque distantes. Mundos todas nosotras, planetas que orbitamos en torno a una fuente básica de energía: el afecto, o su carencia.

Órbita cementerio.

Vendí éxtasis en Madrid, mi novía los vendía en Edimburgo: la ciudad es siempre la misma, la llevas contigo. Allá donde yo fuera acababa enredada en historias de negocios clandestinos, y atraída por mujeres que demostraban un desprecio arrogante hacia leyes en las que no creían. Lo digo porque la venta de estas pastillitas le arregló el presupuesto a Mónica aquel verano, y constituiría después una de las principales fuentes de ingresos de la chica con la que vivía: Caitlin.

Caitlin y yo siempre teníamos problemas de dinero. Yo vivía, supuestamente, de mi beca, pero lo cierto es que la beca apenas hubiese dado para pagar el alquiler, en el caso de que hubiera debido pagarlo. Como no lo pagaba, parecía evidente que debía encargarme de comprar la comida y abonar las facturas. Aunque nunca lo acordamos de palabra, funcionamos así desde el primer momento. Así que, para redondear el presupuesto, yo daba clases de español a estudiantes de la Universidad, previsibles y aburridos, la cara repleta de granos y el cerebro de aire, y de vez en cuando trabajaba de camarera en un bar que estaba al lado de nuestra casa. No me pagaban muy bien, no tanto como a Cat, porque el mío no era un bar de moda y además no cocinaba, pero el sitio me gustaba. La música sonaba siempre a un nivel más que discreto y el jefe era un tío tranquilo que nunca hablaba demasiado ni se metía en lo que no le concernía. A la hora de comer el local se llenaba de dependientas de Boots que rumiaban sándwiches de pepino con los ojos bajos, mientras leían novelas escritas por la tía abuela de Lady Di. Por las tardes les sucedía algún que otro grupito de estudiantes tranquilos o de treintañeros que jugaban a los dardos. Caitlin, como ya he dicho, trabajaba de *chef* en un local coqueto que se reseñaba en *The List* como uno de los lugares más interesantes de la ciudad. Cat estaba bien pagada, para lo que era habitual, porque el encargado, una loca desorejada que llevaba el pelo teñido de rosa, sabía bien que la cocinera era uno de los mayores reclamos del local entre la clientela femenina. Pero aunque la paga fuese generosa, eso no quitaba que siguiese siendo exigua, como en toda la hostelería. De manera que Cat redondeaba sus ingresos trapicheando éxtasis que vendía entre sus muchas admiradoras y su miríada de amigos.

En Glasgow, el negocio de los éxtasis había llegado a ser tan provechoso que las mafias que los distribuían se enfrentaban a balazos por las calles. En Edimburgo la cosa todavía no había alcanzado aquellas dimensiones, pero parecía que faltaba poco para llegar a una situación parecida. En las fiestas siempre había un tío o tía delgadísimo apostado cerca de la cocina o en el cuarto de baño, distribuyendo entre los invitados la pastillita indispensable. En Cream y en Taste, los dos clubes que se habían convertido en las catedrales norteñas del techno, la masa bailaba en comunión al ritmo de un solo latido, una sola música, una sola droga, un único espíritu que hermanaba a los fieles.

Traficar era muy arriesgado. No se consideraba un delito menor, como en Madrid. Día tras día había redadas en Cream, en Taste, en Negotians, en The Honeycomb, en La Belle Angèle. Se cerraban unos clubes y se abrían otros, y la clientela seguía en hordas a sus DJs de un local a otro como un pueblo elegido seguiría a su profeta en el exilio.

Entre los que trapicheaban los más listos se hacían de oro y los menos avispados acababan con sus huesos en la cárcel. Cat estaba entre los unos y los otros. Yo fingía no querer enterarme de sus actividades, le repetía una y otra vez que estaba harta de drogas, que ya me había metido en un buen lío en Madrid y no quería meterme en otro en Edimburgo. Pero la verdad es que cada vez nos costaba más llegar a final de mes, así que no me quedaba más remedio que transigir y dejar que la cosa siguiera adelante, por necesidad y porque no quería controlar demasiado la vida de Cat. Sabía que a ella la sacaba de quicio cuando le decía lo que debía o no debía hacer.

Los jueves libraba Cat y solíamos salir. Primero íbamos a Negotians a tomar una copa y charlar con Barry, luego íbamos a bailar a cualquiera de los clubes en los que pinchara Aylsa. Yo me metía un éxtasis y me lanzaba a la pista a diluirme en techno y en MDMA. Baila, olvídate de todo, deja de ser persona, fúndete en esa masa que baila contigo. Deja de existir como individuo, deja de pensar por tu cuenta y dejarás de sufrir, mientras el tiempo sigue desangrándose minuto a minuto. En aquellos momentos entendía por qué los hombres y las mujeres de todo el orbe, pese a todo, se empeñan en creer en poderes superiores a las manifestaciones humanas; y es que en medio de aquella extrema exaltación sentía que me perdía por algunos momentos en una vida superior, divina, que me absorbía y me integraba en ella. Como un lucero al despuntar el día, mi identidad se borraba ante una luz mayor.

Así que los jueves me metía mi pastilla de rigor y el resto de la semana me dedicaba a martirizar al ángel que me la había regalado acribillándole con mis remordimientos fariseos.

Hipócrita de mí. No hacía más que recriminarle a Cat que pasara pastillas, pero luego no me sentía capaz de sobrevivir sin ellas. Me hacían feliz, me hacían olvidarme de mí misma, me hacían querer a Cat, me hacían pensar que la vida merecía la pena. No era la misma sin aquellas ayuditas blancas y redondas. A pesar de todo, nunca me metía más de dos a la semana (jueves siempre, sábado a veces). Sabía que todo lo que sube baja, y que lo peor de cualquier escalada es el descenso.

Necesitaba las pastillas, ya no sabía vivir sin ellas. A veces pensaba en mí misma y en la vida que había llevado y me daba la impresión de que era una mujer marcada que ya nunca podría llevar una vida normal, y que, por mucho que me esforzara, me iba a resultar imposible querer a la gente o sentir la más mínima empatía hacia la mayoría de las personas. Mi cerebro, creía yo, ya estaba tocado y durante el resto de mi vida me acometerían de forma cíclica accesos incontrolables de llanto y descensos drásticos de autoestima. Me sentía como si llevase en mi interior una especie de interruptor que una vez accionado desencadenara lo peor de mí, y que se podía activar de varias maneras, existían diversos métodos para ponerme fuera de mis cabales: los gritos de cualquier tipo, las recriminaciones violentas o las frases desagradables repentinas o aparentemente inmotivadas, del tipo de las que usaba Caitlin cuando perdía la paciencia. Entonces volvía a sentirme como cuando tenía ocho años, y empezaban las lágrimas. A las lágrimas sucedían los hipidos y los sollozos. Después llegaban los temblores. Al cabo de diez minutos me había convertido en un patético guiñapo lacrimoso que apenas recordaba la razón de su llorera. Las crisis podía provocarlas por la menor estupidez. Cualquier día llegaba a casa cansada y de mala leche, con los huesos baqueteados del traqueteo del autobús, y la cabeza aturdida, resonantes todavía los ecos de las preguntas estúpidas de mis alumnos, esos estudiantes acneicos a los que intentaba, sin mucho éxito, colocarles algo de gramática española en los intersticios de sus cuatro neuronas. Llegaba a casa y me la encontraba, como de costumbre, hecha un desastre, y a Caitlin hecha un ovillo en el sofá desvencijado y lleno de lamparones, mirando embobada cualquier concurso de la televisión, con el mando a distancia en una mano y una lata de cerveza en la otra. Le reprochaba su abulia con mi tono más áspero. «¿Es que no eres capaz de hacer algo para ti misma?, ¿es que pretendes seguir malviviendo toda tu vida? Tienes cabeza, joder, y tienes tiempo. Ahora no trabajas ni cuatro noches por semana. Podrías dedicar el tiempo que te sobra a estudiar, a intentar hacer algo para salir de esta vida que llevas.» Ella volvía la cabeza y me clavaba en los ojos su mirada, dos brasas verdosas llameando de ira, y me recordaba que ella también trabajaba y también estaba cansada, y que si lo que yo buscaba era otro tipo de persona ya podía salir a la calle a ver qué encontraba y no empeñarme en hacer de ella otra mujer que no era, que más me valía intentar cambiar de persona que cambiar a una persona. Me acusaba de dominante y de histérica. «No me extraña que nadie te aguante, que mis amigos no te puedan ni ver», decía. «No me extraña que nunca recibas una sola carta desde España. Con ese carácter no me extraña que todo el mundo te haya dado de lado. Lo que me asombra es que yo te haya aguantado tanto.» Y seguía en esa línea, soltando sapos y culebras por la boca, frustrada, amarga-da, cansada, harta. A mí se me saltaban las lágrimas y de repente era como el destello repentino de un flash en el interior de mi cerebro: zas, lo veía todo claro. Nadie me aguantaba y nadie me aguantaría nunca porque era una persona insufrible, incapaz de controlar mis arrebatos y mi mala leche, porque estaba tocada. Y no podía estar de otra manera con semejante padre y semejante madre. Tanto por herencia como por educación, estaba condena-da a que la cabeza no me rigiese. La autocompasión me inunda-ba el cerebro y bloqueaba sus conductos, la comunicación entre sus neuronas.

Pero había otros momentos en que me sentía muy feliz. Ha-bía días luminosos en los que Cat y yo poníamos discos en casa y yo bailaba al son de Saint Ettiene e improvisaba absurdos bailes de Isadora Duncan zumbona, atravesando la cocina de puntillas y elevando las manos hacia arriba, más arriba, más arriba, a pun-to de tocar el techo con las puntas de mis dedos, y Caitlin, siem-pre con su vaso de güisqui en la mano, se reía de mi torpeza sentada en una esquina, cruzando y descruzando las piernas con elegancia felina.

Otras veces preparábamos curris y otros platos exóticos (la paella era uno de ellos) mientras escuchábamos a Mc Solaar y yo, pacientemente, le repetía a Caitlin los pasos a seguir en las rece-tas intentando en vano que se los aprendiera. Experimentába-mos con especias y condimentos y nos divertíamos añadiendo ingredientes que no estaban en el libro de cocina. Cat cortaba cebollas, fregaba platos y cuchillos, mientras, serpenteando las caderas al ritmo de la música, seguía un ritmo nor-noroeste entre la cocina y el fregadero, y yo removía la olla como una aprendiz de bruja, con los cabellos revueltos y sudorosos impregnados de olores y refritos, y de cuando en cuando interrumpía mis inten-tos gastronómicos para ofrecerle a Caitlin pequeños besos espe-ciados que sabían a aceite y humo. Cada gotita de agua que res-balaba del grifo, espaciada y musical, se convertía en un luminoso recuento de segundo, chispeando bajo el rayo fluores-cente del neón. Miraba a Caitlin y me sentía invadida por una ternura tan viva como un dolor.

Sí, a ratos adoraba a Cat. No por su belleza ni por su sentido del humor, sino, básicamente, porque sabía que ella era una buena persona, quizá la primera persona auténticamente plena de bondad que había conocido en la vida. Sabía que no me utilizaba y que me quería, que me quería de verdad, que estaría a mi lado si la necesitaba, que nunca me haría daño conscientemente, ¿y ni siquiera inconscientemente? Pero otras veces no podía evitar mirarla con lupa desde el prisma deformante del análisis racionalista, y entonces veía amplificados todos sus defectos. No es lista, pensaba yo. No es tan lista como Mónica. No tiene su rapidez de ideas, ni su capacidad de reacción. Y no es fuerte. No se enfrenta a las cosas. No sabe pelear por lo que quiere. Ni siquiera sabe lo que quiere. No es adulta. Me desesperaba, por ejemplo, la vocecita infantil que adoptaba cuando se ponía cariñosa, los arrullos mininos que me dedicaba. No necesito una niña, le decía, no necesito a alguien a quien cuidar. En todo caso, necesito alguien que me cuide. Pero ella no parecía entenderlo y seguía con sus ronroneos. Cuando me veía sollozar tendida en la cama se deslizaba hacia mí, sibilina como un leopardo cariñoso, y se situaba a mi espalda preguntándome, con un susurro de niña de tres años, qué me pasaba, si podía ella hacer algo, y sólo conseguía deprimirme más aún. Sobre todo porque diez minutos antes la había escuchado hablar por teléfono con alguna de tantas entre su millar de amigas, de esa legión de desconocidas que mariposeaba a su alrededor en el restaurante, una mujer mejor que se habría acostado con ella o que acabaría por acostarse con ella, por estrujar su cuerpo huesudo en alguna esquina oscura del café, y entonces su voz era la de una Cat de veinticinco años, sin el timbre agudo, sin el ceceo y sin las vocales arrastradas que utilizaba conmigo. A veces intentaba explicarle que yo me sentía desesperadamente necesitada de alguien que me comprendiera, y que ella bloqueaba toda posibilidad de comunicación, porque ¿cómo iba a apetecerme explicarle mis cosas a alguien que parecía no estar en edad de comprenderlas? Pero ella no me entendía, o no me quería entender, o quizá no conocía otra forma de acercarse a los que de verdad quería. Y lo único que mi gata conseguía era que yo me fuera distanciando cada vez más, a mi pesar, porque nunca me sentí más necesitada de alguien que me escuchara, ahora que no tenía a Mónica a mi lado para asentir en las pausas de mis monólogos depresivos y para hacer bromas sobre mis morritos y mis lágrimas.

Esos cambios de humor me sorprendían a mí misma, y acababan por confirmarme lo precario de mi estabilidad mental. Aquellas subidas y bajadas no hacían sino demostrarme lo que ya sabía, lo que dijeron los psiquiatras a mi madre: que yo era una maníaca depresiva, que se apreciaban brotes esquizoides en mi personalidad. Las definiciones no abarcan nada. No se puede definir ese enredijo de sentimientos liados unos con otros, aquel amasijo de recuerdos inconexos que constituían mi cerebro.

Algunas veces me resultaba evidente que Caitlin empezaba a estar harta de mí. La notaba hastiada y distante. Podía imaginar las voces de Aylsa y Barry, y las de las chicas que intentaban ligar con ella en el bar, marimachos de pelo al rape y botas militares, murmurando y malmetiendo, y llenando de ideas aquella cabecita rubia: esta chica no te conviene, no te quiere, no es más que una egoísta que sólo sabe pensar en sí misma (¿acaso no lo era?), una neurótica que no te puede hacer feliz, que tiene un carácter espantoso, que no es lo que tú mereces (lo que ella merecía era, por lo visto, una lesbiana radical, militante y activista). ¿Cómo quieres que se anime —dirían—, si sólo sabe mirarse el ombligo? En el fondo disfruta encenagándose en sus propios problemas. Desengáñate, no tiene remedio, y si sigues a su lado no sólo no vas a poder ayudarla, sino que acabarás por deprimirte tú también.

Yo lloraba casi a diario. Abría los ojos por las mañanas y me enfrentaba al panorama oscuro de la ciudad de la bruma y los castillos. Casi nunca había luz. El cielo era una enorme planicie gris malvestida de harapos, de cúmulos sucios y hechos jirones, preñados de tormentas y contaminación. Abría los ojos a ese gris acero, encontrarme desde el primer aliento del día con un paisaje dibujado a base de claroscuros, y recordaba cómo en Madrid la luz se imponía a chorros a través de las ventanas por más que intentáramos contenerla con cortinas y persianas, cómo el sol filtraba sus rayos por los resquicios y convertía al polvo en polen dorado. Aquel Madrid luminoso y claro aparecía en el recuerdo, por contraste, horizontal e interminable. Miraba a mi alrededor con ojos legañosos, pensaba en Madrid y veía nuestra casa, de Caitlin y mía, alfombrada de trastos y papeles, las paredes desconchadas y los muebles cubiertos de polvo que Cat había ido recogiendo aquí y allá a través de los años. Los tapizados estaban deslucidos y la madera astillada. En Madrid habría saltado de la cama para ir a comprar la leche y el periódico, me habría acercado brincando al quiosco de la esquina y de camino habría ido esquivando a señoras paseando perritos de lanas, a parejas de adolescentes arrullándose como palomas, a niñas vestidas de uniforme que apurasen a saltitos traviesos la distancia hasta la parada del autobús. En Edimburgo, en cambio, la calle era un territorio helado e inhóspito donde resultaba imposible brincar puesto que el suelo estaba alfombrado de escarcha. La niebla se adhería al pavimento húmedo, el viento y la nieve se aliaban para empujarte contra el sentido de tus pasos y todas las capas de abrigo que te veías obligada a llevar encima para combatir el frío (camiseta, jerseys, abrigo, gorro, bufanda, guantes) te convertían en un oso torpe de movimientos pesados. A veces la niebla cubría de tal modo la ciudad que apenas podías ver tu propio vaho. El frío aislaba, las calles languidecían desiertas y apagadas, las altas torres de los edificios victorianos proyectaban largas sombras fúnebres sobre el suelo mojado, la gente permanecía encerrada en casas de muros de piedra y calefacción central, y los que tenían que salir a trabajar se replegaban en sus coches acurrucados sobre sí mismos, silenciosos y reconcentrados, ajenos a todo lo que no fuera permanecer lo más compacto posible y lo más cercano al mínimo esfuerzo para mantener el calor.

Mónica me explicó una vez que el cuerpo humano es un sistema entrópico, esto es, que tiende a funcionar con el mínimo de energía. La demostración de esta afirmación la encontraba en mi propia depresión. Me hubiese costado tanto salir de esa situación, enfrentarme a mis demonios y a mis miedos, armarme de valor y hacer algo por y para mí misma, que prefería pasarme mi tiempo libre llorando, acurrucada bajo el edredón, arrastrada hacia el fondo de mí misma por una negra oleada de recuerdos y malos pensamientos, escuchando, mientras sorbía mis propias lágrimas, viejos discos de los ochenta, pesadillas góticas que oscurecían la casa más aún. Bajos minimalistas y estribillos monótonos repetidos hasta la exasperación. *I play at night in your house... I've never loved this life... I drown at night in your house... Pretending to swim...*

No tenía amigos, aparte de Cat, claro. Ni uno solo. Ni una persona a la que pudiera llamar por teléfono para hablarle de mis problemas. Nadie con quien tomarme una cerveza en el pub. No recibía cartas desde mi país, ni llamadas, a excepción de las postales de mi madre, siempre formales y poco más. Dejaba entrever a veces un poso de recriminación e incluso de afecto, pero era evidente que no se atrevía a abrirse del todo. Firmaba siempre «con cariño, mamá». Mi padre no escribía jamás. Es cierto que nunca había tenido muchos amigos, pero cuando tenía a Mónica ni siquiera me paraba a pensar en ello. Ella llenaba todo el espacio que yo tenía para compartir, no cabía nadie más y no lo echaba de menos. Ahora me moría de ganas por sentir algo por alguien. Caitlin se iba a trabajar por las noches y después se iba a Cream a tomar la última copa, y yo me quedaba sola en casa, leyendo un libro. Habría podido acompañarla, pero allí nadie me aguantaba y yo tampoco me sentía cercana a nadie. Escuchaba el azote de la lluvia en las ventanas y me parecía como si los cristales estuvieran llorando conmigo. *I drown at night in your house... Pretending to swim...*

Allá donde vayas llevarás la ciudad contigo. Puede que sea calurosa y brillante, puede que sea húmeda y oscura, pero en el fondo es siempre la misma, un minúsculo puntito dentro de otro puntito minúsculo habitado por seres imperceptibles, versiones de un mismo modelo, infinitas recombinaciones de unos cuantos elementos químicos. En Madrid y en Edimburgo la gente baila la misma música y alucina con las mismas drogas, y busca lo mismo: sexo, amor, razones para aguantar una noche más. Dondequiera que vayas les podrás observar sincronizándose cuando suena la música, y quizá el ritmo no se origine en la melodía, sino que ésta libere un compás común a todos nosotros. Nuestros antepasados creían que al beber y al bailar cedían sus cuerpos a una deidad que los ocupaba. ¿Qué diferencia había en el fondo entre las bacanales y las saturnales, entre La Metralleta y Cream? En aquellos locales, adolescentes famélicos, oscuras radiografías de sí mismos, apuraban las noches a tragos, ensordecidos los oídos por la misma música enlatada y despedidas las plantas de los pies del contacto con el suelo, con la vida. Y yo cedía mi cuerpo a Baco, a Dionisos, a no sé quién, para olvidarme por un rato de que me va a tocar aguantarme durante todo el resto de mi existencia.

La Metralleta cerraba a las seis de la mañana, en teoría. Pero en realidad permanecía abierta hasta las siete o siete y media, porque a la banda le llevaba lo suyo decidirse a abandonar el sitio. Primero se encendían las luces, después se apagaba la música, y luego, a esperar a que el local se vaciara. Algunos borrachos remisos se eternizaban en los sillones, y el personal del local tenía que ir dispersando grupitos de esquina en esquina. Entretanto, en la barra, nosotros apurábamos nuestras últimas copas. Yo había vendido bastantes pastillas, aunque no tantas como la última vez, porque había estado todo el rato pendiente del tipo alto que no me quitaba los ojos de encima, y en muchos casos había despachado sin contemplaciones a los chicos que se me acercaban. Se lo estaba explicando a Coco y a Mónica en la barra cuando Javier se presentó a nuestro lado. Me saludó con una ligera inclinación de cabeza (a sus ojos yo no merecía mayor cortesía, supongo) a la que correspondí con un gesto igualmente insípido.

—Esto está cerrando —informó a su ex novia—. ¿Quieres que te lleve a casa?

Mónica le respondió que aceptaba su invitación encantada, siempre que nos llevase también a Coco y a mí.

—Si no hay más remedio... —dijo él.

Salimos de La Metralleta. Comenzaba a clarear el día y despuntaba una luz rosada que generosamente concedía a nuestros rostros demacrados un repentino aire de dulzura a pesar de las ojeras. Javier se adelantó hacia el coche, y Coco aprovechó para cuchichear al oído de Mónica.

—Yo prefiero que cojamos un taxi. Ése es un gilipollas —le dijo en voz baja, pero no tan baja como para que yo no pudiese oírle.

—Es un caballero —replicó ella.

—O sea: un gilipollas. Un memo con escudo familiar y máster en gestión de empresas.

Subimos todos al coche. Coco y yo ocupamos el asiento trasero. Mónica se quedó al lado de Javier. Él no hacía más que dirigirle miraditas de cordero degollado en cada cambio de marchas, Coco y yo fingíamos no enterarnos, y el trayecto transcurría en un agrio silencio. Finalmente, el coche se acercó al edificio en el que vivía Mónica. En el soportal había aparcadas cuatro vespas con cuatro jovencitos sentados sobre ellas, con pinta de esperar a alguien. El vecino jubilado que salía del portal en aquel momento, arrastrando de la correa a su obediente perrito —lo sacaba a pasear cada mañana a las siete, con implacable regularidad—, se quedó contemplando extrañado a aquella congregación motorizada. Al ver las motos, Coco pegó un brinco y profirió una exclamación de sorpresa. Se adelantó hacia Javier y le dio un ligero toquecito en el hombro.

—Hemos cambiado de idea —le dijo, intentado aparentar una tranquilidad desmentida por el ligero temblor que subyacía en su voz—. Llévanos a desayunar.

Mónica articuló una tímida protesta.

—Pero tío, que yo tengo sueño...

—Haz lo que te digo, ¡rápido! —insistió Coco.

Reconocí al tal Paco sentado sobre una de las motos. Había sobrevivido a mi botellazo. En otra estaba el chico del chalet, el destinatario del primer paquete que Coco me hizo llevar. Miró hacia mí, me señaló: me había reconocido. Avisó a los otros, que inmediatamente cabalgaron sus vespas e iniciaron la persecución de nuestro coche.

—La hemos jodido —dijo Mónica, que acababa de reparar en el espectáculo.

—Tranquilos, que esto es un GTI 16 válvulas —dijo Javier, obviamente desesperado por impresionarla, y pisó a fondo el acelerador—. No nos van a alcanzar con esas motitos de mierda.

Efectivamente, el coche corría que se las pelaba y tomaba las curvas a velocidad de vértigo, con tal violencia que Coco y yo nos empujábamos constantemente el uno contra el otro, primero hacia un lado del asiento trasero y luego hacia el opuesto. Nos saltamos un semáforo. A nuestra espalda se oyó un golpe seco, seguido del chirrido de un frenazo. Coco y yo volvimos la cabeza para ver lo que había pasado: una de las vespas que nos seguía había chocado con un coche que iba en dirección contraria. La moto se había quedado tirada sobre la acera, de costado, con los neumáticos girando a toda velocidad, y a unos metros el conductor yacía sobre el asfalto, boca abajo, inmóvil mientras un ejército de curiosos hormigueaba a su alrededor. Mónica empezó a aplaudir de alegría y a felicitar efusivamente a Javier. Él parecía encantado.

—Ya te dije que podías confiar en mí. Estás en el mejor coche de Madrid, y lo conduce el mejor piloto.

Por supuesto, y gracias al bendito accidente, en cinco minutos habíamos dejado a las vespas atrás. A los cinco minutos ya estábamos en Gran Vía, pero Mónica ya no parecía tan feliz. Tenía la expresión demudada y estaba tan blanca que la piel se le transparentaba como papel de fumar.

—Yo conozco a esos tíos —dijo Javier, rompiendo el silencio—. Van mucho por Pachá... Uno de ellos estudió en el Icade conmigo. No sé en qué lío te has metido esta vez, Mónica. De verdad que no entiendo cómo una tía tan lista ha acabado juntándose con tan malas compañías, y siempre metida en líos raros. —Esta última afirmación la subrayó con una expresiva mirada dirigida a los ocupantes del asiento trasero, o sea, a Coco y a mí. Ambos hicimos caso omiso de la indirecta.

Mónica le escuchaba como quien oye llover. En realidad, los esfuerzos de Javier por intentar reconducirla hacia «el buen camino» resultaban patéticos. Al rato ella le pidió que nos dejara cerca del Vips, y quedó muy claro para todos que Mónica no tenía la menor intención de que su ex novio desayunara con nosotros. Javier detuvo el coche en un semáforo. Mónica salió y sostuvo la portezuela para permitirnos salir a los demás. Cuando salimos, se inclinó hacia el interior del coche y despidió a Javier con un beso de tornillo que dejó al pobre chico sin aliento y a Coco con los ojos como platos. Acto seguido salió, cerrando el vehículo de un portazo.

Entramos los tres en el Vips y nos sentamos en una mesa de plástico. Pedimos tres cafés al camarero. Luego Coco me explicó la situación. ¿Cómo no se me había ocurrido que semejante gilipollas sólo podía ser miembro de un comando de la CEDADE?

—Bueno, lo de comando es un decir. Ésos no tienen ni idea de lo que es organización. Son cuatro niños pijos que van de neonazis como podían ir de hare krisnas: porque se aburren. No sé a qué se dedican, en realidad. Supongo que a pegarles palizas a travestis y gilipolleces por el estilo.

El caso es que a los del grupito les debía de parecer que un comando que se preciara no podía ir por ahí sin armas, así que en su día se dirigieron a Coco, que por entonces les vendía cocaína a algunos de ellos, para informarse de cómo conseguir unas pistolas, y Coco, consciente del hatajo de pardillos con los que trataba, decidió vendérselas él mismo, al doble del precio que él podía adquirirlas a Chano. Un negocio redondo. De hecho, Coco estaba seguro de que se trataba de pistolas marcadas, aunque a él ese detalle le traía al pairo: nunca pensó que aquellos niñatos las fueran a utilizar. Pero a cuenta de lo del botellazo (y Coco recalcaba aquello de «el numerito de Bea», como si la culpa de todo fuese mía, como si él no hubiese insistido en que fuese yo, precisamente yo, la que entregara las malditas pistolas), nos habíamos metido los tres en un buen lío y nos tocaba buscar sitio donde alojarnos, porque, evidentemente, no podíamos volver a casa de Mónica con unos inconscientes armados esperándonos en la puerta. Coco calculaba que bastaría con retirarnos una semana o así de la circulación, hasta que las aguas volvieran a su cauce. Si era necesario, ya se encargaría él de hablar con los pijos aquellos e intentar aclarar el malentendido.

—Pues nada, a buscar una pensión —dijo Mónica—. Suerte que llevo la Visa encima. Es la de la cuenta del viejo y lo notará, pero si no queda más remedio...

—Quizá no haga falta que toques la Visa —apunté—. Tenemos el dinero que he hecho esta noche. Unos doce talegos, calculo. Y aún nos quedan éxtasis. No los he colocado todos. Siempre podemos venderlos.

Mónica no parecía excesivamente preocupada. Daba la impresión de que se tomaba el asunto como una aventurilla más, un incidente sin importancia que acabaríamos por solventar. En realidad, lo único que le importaba era que sus vecinos no se enterasen de nada. Por eso resultaba primordial lo de no volver a su casa, de momento. Ella y Coco discutieron sobre el lugar adonde convenía ir. Yo no metí baza, porque no había conocido en Madrid más alojamiento que mi propia casa (o para ser más exactos, la de mis padres) y la de Mónica (ergo, la de Charo Bonet). Mónica insistía en ir a cualquier pensión de la Gran Vía, idea absurda, en opinión de Coco. Según él, Mónica no aguantaría ni diez minutos en un antro de aquéllos, con las putas y los camellos entrando y saliendo, y durmiendo entre sábanas arrugadas que aún conservarían restos tangibles de encuentros mercenarios acordados a tres talegos la media hora.

—Tengo una idea mejor. Confía en mí.

Pagamos, salimos de allí, cogimos un taxi y Coco le indicó al conductor que nos llevara a la calle Libertad.

Era un hotel extraño, con una entrada diminuta en la que un cartel advertía «Este hotel dispone de alarma conectada directamente con la policía». Al entrar, sin embargo, se accedía a un vestíbulo bastante amplio y suntuoso, recargado en exceso y de un gusto chillón. El suelo imitaba al mármol y el mostrador de la recepción a caoba. A la derecha había un tresillo forrado de terciopelo rojo y tras él se abría una escalinata rematada por un pasamanos de bronce pulido. Aquel escenario no presagiaba nada bueno. Un conserje que vestía una librea rococó bastante ajada dormitaba en el mostrador, entre llaveros y teléfonos silenciosos. Coco se dirigió hacia él con gesto seguro y anunció su intención de reservar una habitación. El tipo nos dirigió a Mónica y a mí una mirada suspicaz.

—¿No serán menores de edad, verdad? —preguntó el portero a Coco, señalándonos con un gesto de la cabeza.

Yo me sonrojé y Mónica se limitó a sostenerle la mirada sin el menor asomo de rubor. Coco negó con la cabeza y firmó con aire indiferente el comprobante de estancia que el conserje le acercó.

—Habitación 313 —le informó el tipo con voz monocorde y rictus impasible—. Ésta es la llave. Tercer piso.

No me atreví a decir que a mí una habitación con dos treces me sonaba a malhadada. Entramos en el ascensor y las puertas se cerraron a nuestro paso con un quedo susurro.

La habitación era digna de película de Sara Montiel. La cama estaba cubierta por una colcha de seda adamascada, a juego con la moqueta y con los sillones forrados de terciopelo. Unos pesados cortinajes que filtraban la claridad de la calle, bañando la estancia en luz roja. Lo peor de todo: había un espejo en el techo.

—¡Nos has traído a un meublé! —exclamó Mónica, entre sorprendida y divertida.

—Me sorprende que no lo conozcas. Yo pensaba que una chica como tú conocería todos los hoteles de citas de Madrid —apostillé.

Le pregunté a Coco que de qué conocía semejante sitio. No me contestó, pero explicó que se le había ocurrido llevarnos allí porque, además de no ser demasiado caro, sabía que nadie en aquel hotel pondría reparos a que subiera a dos chicas a su habitación, y aprovechó para sugerir que, puesto que al fin y al cabo teníamos que compartir la cama, podríamos disfrutar la circunstancia para pasar «una noche inolvidable». Mónica se río como si aprobara la idea.

—Ni pensarlo —dije—. Si quisiera alegrarle la vida a sátiros como tú, estaría posando en el *Interviú*.

—Venga, Bea... Reconoce que lo que te pasa es que eres virgen —me dijo Mónica, riendo todavía.

—Y tú gilipollas —respondí.

Me metí en el cuarto de baño dando un portazo. Estaba completamente revestido de espejos; el baño, el lavabo y el bidé eran de mármol, los toalleros de bronce pulido y las toallas, cómo no, rojas. Lo que faltaba.

El universo posee una extensión de treinta mil millones de años luz, un tiempo y un espacio sencillamente inimaginables para nosotros. Un año solar es el tiempo que tarda el sol en completar una órbita alrededor de la Vía Láctea. Hace tan sólo cuatro meses solares los dinosaurios dominaban el planeta. Si pienso en ello, en lo poco o nada que Mónica significa en medio de esta enormidad inabarcable de protones y neutrones y materia negra, no debe importarme lo que yo sentía por ella, que tanto significó para mí y que en el fondo, no era nada. Mónica casi no cuenta, prácticamente no existe dentro de la Tierra, los Planetas Superiores, el Sistema Solar, la Próxima de Centauro, la Espuela de Orión, la Vía Láctea, el Grupo Local, el Supercúmulo Local... y finalmente del Universo, este universo majestuoso en que las estrellas estallan al morir. ¿No resulta milagroso que un punto infinitesimal cobrase tamaña importancia?; ¿no resulta increíble que en toda una extensión de treinta mil años luz el resplandor que emitía una presencia tan ridícula como Mónica fuese lo único importante para mí?; ¿no resulta alucinante que en ella se concentrase el universo entero?

Mónica me gastaba aquellas bromas sobre mi virginidad porque no era nada tonta, y sabía ver dentro de mí. Ella ya sabía entonces, estoy segura, que a mí me gustaban las chicas, y me pinchaba con la esperanza de que algún día yo acabara confesándoselo. Pero la cosa no se reducía a un término tan simple como que a mí me gustaran o no las mujeres. Me gustaba ella. Ella, sólo ella, reconocible en medio de este monstruoso criptograma cuántico que es el universo. Y si hubiera sido un hombre, me habría gustado también.

Porque importa la esencia. La irrepetible combinación de hidrógeno, helio, oxígeno, metano, neón, argón, carbono, azufre, silicio y hierro que hace a una persona diferente de todas las otras.

Y lo sé ahora, porque años después, en 1995, me acosté con un hombre.

Conocí a Ralph en la Universidad. Había pasado por los dos primeros cursos casi sin enterarme, y sin entablar prácticamente relación con ninguno de mis condiscípulos. El tercer año escogí especialidad: un seminario dedicado a literatura femenina. Había leído en su día a las escritoras que admiraba, a Virginia, a Jean, a Djuna, a Dorothy, a Jane, a Carson, a Sylvia, a Charlotte, a Doris, y supongo que, al principio, igual que me ocurrió con la fe católica en mi infancia, encontré una Causa, con mayúsculas, un objetivo trascendente al que entregarme, una ambición superior a mi propia existencia que traspasara mi rutina diaria con anhelos de inmortalidad. Había esperado encontrarme con personas constructivas y voluntariosas, dispuestas a levantar un proyecto de futuro armadas de entusiasmo y determinación. En su lugar me esperaba aquel ejército de fanáticas que asistían a mi curso, uniformadas en pantalones negros y botas militares, sosas y apagadas, inquietantes como los perfiles de los edificios de la ciudad en la que vivían: mis compañeras. Había ingresado, sin saberlo, en una secta.

No conseguí integrarme, ni al principio, cuando desparramaba a mi alrededor sonrisas y saludos forzados, en un intento desesperado por hacerme con el favor de mis condiscípulas; ni al final, cuando ya estaba sumida en lo peor de mi depresión y no saludaba ni sonreía a nadie. Ellas (y digo ellas porque, que yo recuerde, no había alumnos varones en nuestro grupo) se apiñaban en pequeñas subsecciones, corrillos de dos o tres chicas que se sentaban siempre juntas, que cuchicheaban nerviosas en las conferencias y se ayudaban las unas a las otras a redactar sus ensayos respectivos. El fluorescente de neón suspendido en el techo nos anegaba en una luz marchita que no favorecía a nuestros rostros ojerosos y cansados. En nuestro grupo de estudios debíamos de ser unas quince, y en el aula yo siempre me sentaba en la última fila. Miraba hacia delante y veía lo que me parecía un regimiento de mesas dispuestas en cuatro filas; pequeñas muchachas de negro, inclinadas, de las que únicamente distinguía sus nucas rapadas o alguna que otra coleta estirada como una soga. La incómoda luz vibrante de los neones fluorescentes y la monótona cantinela letánica de la profesora me sumergían en una especie de trance. Pasaban las clases sin que yo me enterase, no era consciente de los temas a debate ni del paso del tiempo.

Todas eran solemnes y vegetarianas y practicaban el yoga y el control mental, y organizaban con devoción de beatas encuentros semanales en los que discutían sobre problemas mil veces examinados, seminarios que versaban sobre temas como *La voz femenina*, *Más allá del mito de la belleza*, *Sexo, rol y género* o *Revolución desde dentro*, y a los que no lograban arrastrar a nadie, excepto al exiguo grupito de las ya convencidas. No poseían el más mínimo sentido del humor o de la ironía, y sus discursos, repetitivos hasta la saciedad, solían basarse en tediosas acumulaciones de datos, fechas, estadísticas y consignas. Cada una de ellas, metida a oradora, podía hacer alarde de una memoria prodigiosa que hacía las veces de verdadera inteligencia. Me aburrían terriblemente.

Yo extraje desde el principio una conclusión poco esperanzadora: que la batalla estaba perdida de antemano, que no encontraría allí lo que iba buscando, y decidí dejarme vencer por el sopor que me invadía en cada clase sin esforzarme ni implicarme demasiado. Mis compañeras comenzaron a ignorarme en cuanto vieron que no conseguían atraerme a las reuniones extraacadémicas. Algunas de ellas eran habituales del bar de Cat y yo deseaba imaginar que advertía en sus ojos un punto de envidia recelosa.

Seguía adelante con mis estudios, sin embargo, porque mi

beca exigía unas buenas notas y porque sabía que mi única posibilidad de retornar a Madrid algún día con suficientes cartas en la mano como para hacer una buena jugada de mi vida futura se cifraba en un título académico en condiciones. No me resultaba difícil, además, destacar. Me limitaba a sentarme frente al ordenador y ponerme a escribir todas las tonterías que se me pasaban por la cabeza. Si me veía apurada, inventaba fechas y datos con la mayor naturalidad. Mis ensayos estaban esmaltados de frases de una grandilocuencia altanera que entusiasmaban a mis tutores. Redactaba elucubraciones sembradas de citas diversas para demostrar mi condición de estudiante culta, leída y escribida; me esmeraba redondeando las conclusiones, desarrollando ideas que sabía que gustarían a mis profesores y que yo, secretamente, consideraba estupideces supinas. Me sentía una farsante. Sabía que no daba de mí ni la mitad de lo que hubiera podido ofrecer. Pero también me asaltaban dudas sobre mis propias capacidades. Si les gustaba tanto lo que hacía, que a mí no me gustaba en absoluto, ¿les gustaría tanto lo que hubiese hecho si hubiese trabajado en serio en mis ensayos, si hubiera sido eficiente y honesta? Quizá no. Quizá más valía dejar las cosas como estaban, seguir copiando frases de otros y guardando para mí mis propias opiniones. Seguía leyendo libros y más libros y escribiendo aquellas tonterías pretenciosas que embelesaban a mi profesora. Me sentía inflada y vacía como un globo, y me parecía que podría explotar en cualquier momento.

En casa no teníamos ordenador y me veía obligada a usar los de la Universidad, así que, a mi pesar, pasaba en aquel edificio gótico mucho más tiempo del que hubiera deseado. Comía en el comedor de estudiantes replegada en una esquina, procurando no llamar mucho la atención, incómoda en medio del bullicio académico, y se me hizo inevitable, a mi pesar, conocer a alguna gente. Antes o después se sentaban a mi lado y se presentaban. Yo procuraba ser amable y correcta, pero tampoco les daba la menor oportunidad de enzarzarse en una conversación. Normalmente no volvían a sentarse a mi lado, y al día siguiente les veía merodear por el comedor, bandeja en mano, en busca de una compañía más animada. Me gané fama de antipática. Era consciente de ello, pero tampoco me importaba gran cosa. Pensaba que la única manera de seguir adelante era no relacionarme demasiado con la gente, no exponerme a que me conocieran, a que me despreciaran más tarde por ser tan distinta. A que me hirieran, en suma.

Con el tiempo acabé por fijarme en un individuo que, a primera vista, resultaba diferente al resto. También él solía comer aislado, escondiendo la cabeza tras un libro; tampoco él parecía interesado en relacionarse. No era demasiado guapo, es cierto, pero se me hacía interesante. Se trataba de un tipo de edad indefinida, demasiado moderno para haber llegado a la treintena pero con un rostro excesivamente vivido para los veintitantos. Fornido, rotundo, no demasiado alto, tenía cierto aspecto de jugador de rugby, con aquel cuerpo cuadrado y sólido. Llevaba el pelo muy corto, al uno, teñido de un rubio platino insolente que dejaba ver las raíces negras, y los rasgos de su cara eran tan compactos como sus propios miembros: nariz chata, labios carnosos, ojos hundidos, cejas excesivamente próximas entre sí. Cuando leía, fruncía el ceño con expresión de concentración y una única ceja le atravesaba la frente. De vez en cuando alzaba los ojos con expresión ausente, como buscando una idea dentro de su mollera, y al cabo de un minuto volvía a su lectura con interés renovado. Me gustó un detalle familiar que me hizo sentir una inmediata simpatía por su persona: miraba por encima de sus gafas igual que hacía Mónica.

Me llamó la atención el hecho de que siempre llevaba puesto algo naranja. Tenía varios canguros, chándales de esos que llevan una capucha, todos ellos con diferentes motivos impresos en la espalda o en el tórax. El canguro era naranja, o la camiseta era naranja, o los calcetines eran naranjas, el caso es que siempre había un punto de luz en su indumentaria. El pelo cortado al uno, rematado con un copete a lo Tintín, y los canguros de colores brillantes me recordaban a los chicos que pululaban por el local donde trabajaba Cat, y desde el principio supuse que aquel chico era gay. Al cabo de un mes empecé a pensar que me apetecía conocerle, porque me asaltaba la corazonada de que podríamos tener mucho en común.

Ya llevaba casi un año en Edimburgo, y no tenía un solo amigo aparte de Cat.

No sabía cómo establecer contacto, porque era evidente que él no era del tipo de los que se sientan a tu lado en el comedor, y yo no me sentía capaz de dirigirme directamente a él y presentarme; pero de algún modo debió de captar mis miradas insistentes y cayó en la cuenta de que despertaba mi interés. Una mañana gélida de enero en la que la escarcha formaba carámbanos en las ventanas del comedor, coincidimos el uno junto al otro en la barra del buffet, quiero pensar que no fue casualidad, con nuestras bandejas respectivas. Nos sonreímos tímidamente e intercambiamos frases banales sobre la nula calidad de la comida. Yo dije que ya estaba harta de patatas y que echaba de menos las ensaladas de mi casa, y eso le dio pie a preguntarme, tal y como yo esperaba, de dónde venía. Mencioné Madrid. Nunca he estado allí, dijo él. ¿Está bien? Asentí sin mucho entusiasmo con un escueto movimiento de cabeza porque no quería hacerle un menosprecio a su ciudad, y no quise hacerle saber, puesto que no lo conocía, lo maravillosa que era la mía, lo mucho que la echaba de menos.

Hubo más encuentros después del primero. Medidos, controlados. Cada día nos demorábamos unos segundos más en nuestra conversación de circunstancias. Con el tiempo nos fuimos acercando el uno al otro, muy lentamente, tanteando el terreno. No es que yo esperase impaciente su llegada al comedor, pero el corazón se me alegraba cuando entreveía de lejos un borrón naranja, que al cabo de un rato se desdifuminaba y se convertía en su figura. A veces se acercaba a hablar conmigo; otras se dirigía directamente a su rincón. Luego yo empecé a adquirir confianza y me dirigía a él, socarrona, haciendo bromas sobre sus camisetas y su pelo, que él encajaba con deportividad e inteligencia. Le expliqué que en España el naranja era el color de las bombonas de gas. Él me explicó que lo llevaba porque era el color de Detroit, de la música industrial, del techno, y porque, qué narices, a él le gustaba. A mí también. Me parecía que nos venía bien una nota de despreocupada estridencia en aquel paisaje monocromo —agua, bruma, nubes, sombras, hiedra y musgo— del Edimburgo invernal.

Se llamaba Ralph. Estudiaba historia del arte. Nos hicimos amigos. Al cabo de un tiempo sabíamos, sin necesidad de citas ni de acuerdos, a qué hora podíamos encontrarnos, y descubrimos que teníamos un sentido del humor muy similar. Nos encantaba hacer bromas sobre los diferentes subgrupos que pululaban por el comedor: los estudiantes de filosofía, perillas y vaqueros raídos; los de medicina, cardigans de lana y gafas de concha; los de cine, microjerseys y adidas setentonas; los de arte, aquellos esnobs que comían el arroz con dos pinceles a modo de palillos. Y las de mi grupo de estudio, pelo corto, botas militares y diez kilos de más. Ralph podía crucificar a cualquiera con una sola frase, y su lengua afilada no conocía excepciones: se reía de todo y de todos. También la tomaba conmigo a veces, y entonces le daba por hacer bromas sobre mi acento, o sobre mis problemas con las eses. *Darling*, decía, *ad yu gonna take the baz?*, imitando amaneradamente mi deje madrileño.

Mi humor mejoró. Había encontrado un amigo. O eso creía. No confiaba mucho en él, pero al menos experimentaba una sintonía, una misma manera de percibir las cosas y entender las situaciones, que no había conocido desde Mónica, y que, desde luego, Caitlin no me proporcionaba. Siempre que pasaba por la cafetería de la facultad el corazón me latía un poco más deprisa, acelerado ante la perspectiva de ver aparecer su pelo amarillo y sus camisetas naranjas.

Me hablaba tanto de la música que le gustaba que consiguió despertar mi curiosidad. Desde Mónica, yo no había conocido a nadie que mostrara semejante avidez por la música, tamaña curiosidad por estar a la última, por no perderse una sola nota de lo que salía al mercado. Me hablaba del *jungle* que escuchaba al levantarse, para animarse, del *trance* que acompañaba sus lecturas, del *lounge* que bailaba a veces solo en casa. No entendía nada, pero me gustaba.

No sé qué hacía Ralph cuando no estaba conmigo. Desconozco en qué empleaba sus noches, porque apenas me hablaba de su vida privada, y jamás se refería a lo que hacía o dejaba de hacer cuando yo no estaba a su lado. ¿Cómo serían sus viernes y sus sábados por la noche? Jamás me lo encontré en ninguno de los clubes que frecuentábamos, ni en los gays ni en los mixtos, y eso que iba con los ojos bien abiertos desde que lo conocí, prestando especial atención a cada punto naranja que intuía en la penumbra de aquellos clubes sombríos y apagados... Una de las cosas que más echaba de menos en Edimburgo eran los bares de diseño. Los clubes que conocí, en comparación, me parecían tristes como un funeral lluvioso, por mucho que contásemos con los mejores DJs del mundo. Quizá existiera en la ciudad alguno un poco más refinado, pero si ése es el caso, yo no lo he pisado. La última vez que noté la mano de un decorador fue en Madrid, hace cuatro años.

Hace cuatro años nos gustaban los bares, y nuestras prioridades eran muy básicas. Ya podía perseguirnos un comando neofascista, ya podía caer la bomba atómica, que nosotros no íbamos a dejar de salir de marcha. Estaba claro que nos tocaba cambiar de aires porque lo lógico era que los de la CEDADE nos buscasen por el recorrido habitual de Coco. Así que nada de Iggy, ni de Vía, ni de Metralleta aquella noche. Nos fuimos a un bar de copas de la Castellana.

Era un bar caro, para gente cara, y eso se apreciaba nada más poner un pie en el local: luminosidad y decoración elegante, barra brillante, superficies curvilíneas, taburetes de patas espiraloides diseño Philip Starck que tenían aspecto de ir a derrumbarse en cualquier momento si alguien se sentaba sobre ellos. La luz azulada del neón confería un aire espectral a caras familiares de gente cuya existencia diurna se resumía en una etiqueta: diseñador, artista, cantante, modelo, conde.

—Este sitio es un muermo —se quejó Mónica.

—A mí me mola —dijo Coco.

—A ti te mola cualquier cosa que parezca cara. Eres un hortera, y canta muchísimo que eres de Carabanchel —replicó ella.

—Te advierto que mi viejo está forrado.

—Qué coño tu viejo, si tu vieja es viuda.

—Te equivocas. Eso dice ella. Soy hijo ilegítimo. Se quedó preñada del señorito de la casa en la que servía y para quitársela de en medio la familia le soltó un mazo de guita. Con eso es con lo que montó la panadería.

—Hala, no os peleéis, que el sitio mola, a su manera —corté yo—. Y además, no está mal variar de vez en cuando.

Y para demostrarlo me dirigí a la pista.

Unos bultos irreconocibles se agitaban allí, y sobre ellos unos altavoces esparcían un fondo de música salsera que a pesar de ser bastante predecible, o quizá precisamente por ello, incitaba al baile. Cerré los ojos y me dejé llevar por el sinuoso ritmo de las maracas en mi cabeza, contoneando elípticamente las caderas y los hombros, precisa y oscilante como un metrónomo. Al rato alguien me tocó el hombro y me di la vuelta. Mónica.

—Sígueme —me susurró al oído—. Tengo algo para ti.

Avanzó por delante de mí agitando sus caderas con movimientos eléctricos y la multitud se abrió a su paso, como las aguas se separaron a la orden de Moisés.

Alcanzamos a Coco en la puerta del cuarto de baño de tíos. Los tres ocupamos una cabina y cerramos la puerta. Mónica se sentó en la tapa del váter, sacó del bolso heroína, una cucharilla, un mechero y una jeringuilla. Al principio no entendí a qué venía toda esa parafernalia.

—No me digas que te vas a pinchar —exclamé, atónita, cuando caí en la cuenta de qué iba la cosa. Me explicó que por lo general evitaba pincharse porque sabía que las marcas de los brazos la delatarían, pero que en realidad, prefería inyectarse heroína a fumarla, ya que «ponía» mucho más. Depositó un poco de heroína en la cuchara, calentó la base de ésta con un mechero, y cuando la heroína se fundió la absorbió con la jeringuilla.

—¿Quieres probarlo? —me dijo.

—Ya sabes que no.

—Tú te lo pierdes.

Se la pasó a Coco. Coco se inyectó primero y ella después. No tardaron ni tres minutos. Yo desvié la cabeza intentando evitar el espectáculo, que me parecía bastante grimoso. Lo que no entendía era por qué Mónica se empeñaba en convertirme en la espectadora de todas sus transgresiones (el atraco, la excursión a la Celsa, sus picos...). Quizá me necesitaba como obligado contrapunto, quizá quería convencerme de que la siguiera en aquel descenso vertiginoso. En mitad de estas reflexiones alguien se puso a aporrear la puerta como loco. Mónica salió abrochándose el sujetador, intentando fingir que lo que hacía en el cuarto de baño no tenía nada que ver con las drogas sino con el sexo. Fuera nos esperaba un tipo trajeado, enorme, con musculatura de cibercop y expresión de asesino a sueldo, que agarró a Mónica del brazo, la sacó del baño y la arrastró por toda la discoteca. Coco y yo le seguíamos estupefactos, y a punto de alcanzar la puerta, comprendimos lo que sucedía.

—Tío, pero ¿qué coño estás haciendo? —dijo Coco.

Por toda respuesta, el gorila cogió a Coco por el cuello, que se zafó con violencia. Entonces el gorila le empujó contra la puerta y la cara de Coco se golpeó en el marco. Como respuesta Coco le dio un codazo en la barriga. El tipo le empujó y Coco cayó de espaldas sobre la acera.

—No quiero veros más por aquí —dijo el grandullón, y cerró la puerta acristalada del local en nuestras narices.

Nos sentamos en un banco y discutimos a dónde ir. Yo opinaba que deberíamos ir al hotel. Coco argumentaba que era demasiado pronto, que la noche era joven, y Mónica no decía nada, se limitaba a fijar los ojos turbios en un punto indeterminado. Al final yo propuse un sitio: el Miami, una discoteca bakalao que abría precisamente a las tres (eran las tres menos diez), y a la que había ido alguna vez con Mónica. La frecuentaban hordas de pijos jovencitos y nos resultaría fácil vender las pastillas. A Coco le pareció una buena idea. Conocía el sitio y se llevaba bastante bien con una de las camareras, con lo que teníamos garantizadas copas gratis.

—Me alegra ver que empiezas a tomar decisiones por tu cuenta. Estás creciendo, nena —dijo Coco.

—Me parece que tú ya la encuentras bastante desarrolladita. No creo que le haga falta crecer más —añadió Mónica con una voz tenebrosa que nos sobresaltó, y que parecía surgir de lo más profundo de su garganta.

Cuando llegamos al Miami, Coco se dirigió directamente a la barra a charlar con su amiga la camarera. No sé cómo pudo contarle nada, porque el fragor del bakalao impedía cualquier conversación medianamente coherente, pero de alguna manera se las arregló para informarle de que teníamos éxtasis, para que hiciera correr la voz.

Acto seguido sugirió que fuéramos al baño para hacernos unas rayas. El numerito que acabábamos de protagonizar no parecía haberle escarmentado. Aquello empezaba a parecerse a un ritual. Métete en una cabina, haz unas rayas; las de Bea y Mónica, de cocaína, la de Coco, cortada con heroína. Aspirar, aspirar. Un leve estremecimiento en la nariz, una corriente eléctrica disparada al cerebro. Reconocí la navaja automática con la que Coco cortó las rayas. La misma que Mónica le regaló.

—Hay que reconocer que es bonita, la navaja.

—Quédatela —dijo Coco—. Te la mereces.

—Tío, ese bardeo te lo regalé yo, y un regalo no se regala —protestó Mónica.

—Anda, amor, no des la brasa. A Bea le vendrá bien. Sabes cómo usarla en caso de necesidad, ¿verdad, bonita? Aprietas este botón, así, y la hoja sale disparada. Entonces atacas, sin miedo, con el filo hacia arriba, y sobre todo con seguridad, sin dudar, hundiendo la navaja hasta el fondo.

Se me escapó una de mis características risitas nerviosas. Un estremecimiento me recorría la columna al pensar en clavarle a alguien una navaja, algo que ni remotamente imaginaba hacer, y también al sospechar que Coco hablaba de algo que probablemente había hecho.

—Ahora, me debes un regalo —me dijo Coco poniéndome la navaja en la mano—; siempre que te regalan un cuchillo tú tienes que dar algo a cambio. Si no, trae mala suerte.

Mónica, escéptica como siempre, nos conminó a que dejásemos de decir chorradas. Yo me guardé la navaja en el bolsillo trasero del pantalón.

Salimos del baño y nos dirigimos a la barra. Coco pidió dos güisquis a su amiga la camarera, que parecía bastante simpática.

—Voy muy ciego —dijo Coco—; de repente me está entrando un muermo sideral. Necesito despejarme un poco.

—Prueba una de las capsulitas de marras —sugirió Mónica—; al fin y al cabo, la mayor parte es anfetamina.

—Paso. Ya me he metido demasiado como para atreverme con mezclas raras...

—No me seas aprensivo, que pareces Bea —le dijo ella—. Además, mala hierba nunca muere.

—Vale. Bea, ¿me das uno de esos termalgines rellenados?

Le pasé una de las capsulitas y se la metió acompañada de un trago de güisqui. Luego me pidió otra.

Los omnipresentes termalgines... Cápsulas de paracetamol. En Edimburgo siempre había que tenerlos a mano, para combatir los síntomas de los inevitables resfriados del invierno. Pero en marzo ya no hacían falta. El frío desaparecía y con él los ojos lacrimosos, las narices moqueantes, las gargantas irritadas y los dolores de cabeza. Llegaba marzo a Edimburgo y los días se iban haciendo más claros. Los rayos de sol, aún tímidos, arrancaban destellos turquesas a las hojas, y la ciudad ofrecía un aspecto de dama elegante y digna, imponente y desdeñosa, con sus edificios juzgándonos mudos desde lo alto de sus torres de piedra.

Una tarde de marzo Ralph me dijo que tenía que pasarme por su casa para ver sus discos. No vivía muy lejos de la universidad. Podíamos ir dando un paseo ahora que había mejorado el tiempo. ¿Con quién vives?, le pregunté. Me sorprendí cuando me dijo que vivía solo, ya que no conocía a ningún otro estudiante que pudiera permitírselo: todos vivían en habitaciones en pisos compartidos o en residencias de estudiantes. Ralph me había dicho que tenía treinta y un años. Lo cierto es que tampoco conocía a muchos estudiantes de su edad. Supuse que su familia tendría dinero, si es que él podía permitirse vivir del cuento a sus años, y no quise hacer demasiadas preguntas, porque consideré que no era asunto mío.

Vivía en Baker Street, no demasiado lejos de mi casa, en realidad. Un lugar tan bueno o tan malo como cualquier otro. Ascendimos a través de unas escaleras mugrientas. Él abrió la puerta. Y nada más entrar, contemplé el cielo.

Lo primero que me sorprendió fue el orden y la limpieza de la casa. En Edimburgo no conocen la manía española por la limpieza diaria, y desde el principio me sorprendió el aire decrépito y lúgubre de todas las casas que había conocido. Manchas de humedad en los techos, montones de trastos inútiles desperdigados por doquier, moquetas que no habían conocido un aspirador. Los destartalados interiores de las casas de Edimburgo transmitían una sensación de abandono y desidia que se adhería a los huesos como el frío. Pero el apartamento de Ralph era distinto a todos los precarios refugios temporales, aquellos apartamentos de estudiantes rebosantes de provisionalidad que yo había conocido.

La moqueta estaba aspirada y se notaba que alguien se había encargado de quitar el polvo a las estanterías. El apartamento entero estaba ordenado con una pulcritud minimalista. Pero lo que me llamó la atención, lo que consiguió transportarme a dimensiones de dicha casi olvidadas, lo que me devolvió recuerdos arrinconados tanto tiempo en mi cerebro, fueron los discos y los libros. Había muchos, muchos, muchos. Cientos, ¿miles?, reposando unos contra otros en estanterías que ascendían del suelo al techo, alineados como los soldados de un ejército de notas y palabras. Arrastré mi dedo índice de un lado a otro de cada estantería, embarcada en una singladura de letras a través de los cantos de los ejemplares, embelesada, embobada, entusiasmada, atónita, y repetía en voz baja los nombres de cada uno de los autores: Malouf, Maquiavelo, Marais, Mauriac, Melville, Milton, Mishima... Ralph era tan metódico...

Y los discos. Discos en vinilos, de los que ya no se fabrican. Discos de grupos cuya existencia tenía casi olvidada.

Ska, punk, góticos, siniestros. Lounge, ambient acid jazz, trip hop. Grunge, blues, rock and roll, indies. Sones, guarachas, boleros, vallenatos. Rai, sufi, soka, zen. Samba, tango, merengue, calypso. Ragas, reggae, be bop, new age. Toiki, sukú, forró, gamelán. Gnawa, bhangra, qawwali, sefharad... Nombra algo, estaba allí. Allí había de todo, incluidos Sinatra y Tony Bennet. Había orquestas clásicas y boleros, y discos de rai, de Lokua Kanza y de Ruychi Sakamoto y de otra gente cuyo nombre no me decía nada.

Me sentía como Hansel y Gretel al descubrir la casa de chocolate.

Había permanecido tan absorta contemplando el tesoro almacenado en aquella casa que ni siquiera me había parado a pensar en mi anfitrión hasta que sentí su aliento calentándome la nuca. Me estaba abrazando con su cuerpo de oso, acomodando cada mano sobre uno de mis pechos. «¿Pero qué pretendes?», le pregunté. «¿No se nota?», respondió él, e impostaba la voz para hacerla sonar profunda y cavernosa en una especie de imitación de lo que él debería de pensar que era sexy. «¿Pero tú no eres gay?», pregunté yo, y según acababa de formular la pregunta me di cuenta de lo inapropiado de la frase en semejante situación. Por toda respuesta me volteó y me colocó cara a cara contra él. Sonreía. No dijo más palabras, simplemente acercaba un cuerpo interrogante. No ofrecí resistencia cuando acercó sus labios a los míos y sabía muy bien que la primera razón por la que iba a permitirle besarme radicaba en su impresionante colección de libros y discos antes que en ninguna otra de sus cualidades.

Creí que había encontrado a mi segunda Mónica.

Besaba bien, y nuestras lenguas se entrelazaban, húmedas, como dos anguilas en el lecho de un río. Se me aceleró la respiración y sentí un calor desconocido en los pezones y en la ingle. Sus manos me examinaban el cuerpo con la codicia y la impaciencia de un buscador de tesoros, y al llegar a mi espalda, hizo que sus dedos tamborilearan de arriba abajo por la columna, dejando a su paso huellas de escalofríos. Adelantó su pierna y la plegó entre las mías. Sentí un bulto duro contra mi pubis. Escuchaba nuestras respiraciones entrecortadas superponiéndose la una a la otra como una sinfonía de jadeos amplificados a su máximo volumen, estrellándose contra el silencio de la tarde. En inglés puedo describirlo mejor que en español. *I fancied him*. Él me gustaba, me apetecía. Me apetecía con la misma urgencia imperiosa con la que a mis trece años me sentía atraída, cuando me puse por primera vez a régimen, por las palmeras de chocolate que exhibían los escaparates de las pastelerías. Quería devorarle a bocados y saborearle entero. Me apetecía tanto, así, de pronto, que fui incapaz de pararme a pensar en las razones ocultas tras semejante capricho absurdo, porque yo no debía desearle, porque yo ya estaba comprometida.

Comparado con la dulzura envolvente y felina de Cat, Ralph resultaba una catástrofe natural, como un tornado imparable que a su paso arrasaba casas y devastaba maizales, como un torrente desbordado, como una tormenta de granizo. ¿De qué hubiera servido oponer resistencia? Me sujetó las manos tras la espalda con una de las suyas y me arrastró contra las estanterías. Comenzó a recorrer a lametazos el camino que descendía desde mi oreja izquierda al pecho, demorándose tranquilo por mi cuello mientras me desabrochaba el pantalón con la mano que le quedaba libre. Cuando éste cayó al suelo me bajó las bragas de un tirón y me separó las piernas. Se ensalivó el dedo índice y comenzó a masajearme el clítoris arriba y abajo. Sentí cómo se hinchaba.

La percepción de su deseo activó el mío, como la proximidad de un fósforo encendido prende a otro. Mi cuerpo respondía, era evidente, así que debía de ser que yo también le deseaba. Una parte de mí le había deseado durante mucho tiempo, una corriente subterránea de deseo que yo misma había negado albergar. Sexo es sexo, pensé. No va a haber mucha diferencia, no tengas miedo. Millones de personas hacen esto a diario. No va a hacerte daño. Déjate llevar. *Go with the flow.*

—¿No deberíamos ir a la cama? —articulé en un susurro heroico.

Caímos en la cama entrelazados y nos despojamos mutuamente de la ropa a tirones impacientes. Desnudo, su cuerpo compacto resultaba imponente hasta la intimidación. Todo en él era grandioso, casi monumental en su anatomía: el torso, los muslos, los antebrazos, el cuello, y su miembro, por supuesto. Cincelados en piedra, trabajados. Se colocó sobre mí apoyándose sobre los brazos, como si hiciera flexiones en una clase de gimnasia. Entró sin hacer daño, entró sin hacer ruido. Me sorprendió lo fácil que estaba resultando. No hay que temer aquello de lo que nada se sabe. Ni al sexo, ni al amor ni a la muerte. Me adapté a su ritmo. Era simple. Realmente, no se diferenciaba mucho de una clase de gimnasia. Él hacía flexiones y yo puentes. Arriba, abajo, arriba, abajo. Cierra los ojos, no pienses con quién lo estás haciendo, flotando en un mar de sensaciones cuyas olas se hacen más inmensas por segundos, y de repente los diques se rompen, todo el agua se desborda. Después yacer el uno al lado del otro, exhaustos pero no ahítos, perlados de sudor, el silencio punteado por nuestros jadeos agitados. Intentar recuperar el aire, boqueando como una lubina recién pescada.

Lo hicimos tres veces seguidas. Y lo hubiéramos hecho más si yo no hubiese mirado el reloj y caído en la cuenta de que Cat debía de estar a punto de llegar a casa.

Me despedí dejándole en los labios un beso apresurado, de mariposa arrepentida, que le di de puntillas en la puerta de su casa. No quise decirle que había sido mi primera vez. Él no reparó en ello. No hubo dolor ni sangre para que él los advirtiera. De jovencita me habían prevenido tanto contra este momento que yo imaginé durante mucho tiempo que tras el primer encuentro amoroso una debía guardar cama durante semanas para curar su herida, y me veía a mí misma en el hospital, con un ramo de rosas rojas, muy rojas, reposando en la mesilla de noche. Pero las monjas y mi madre me habían mentido: hay virginidades cuya pérdida no se hace notar. Y si él advirtió algo, nada dijo. De todas formas, yo no era virgen. Sólo técnicamente se me podía considerar así.

A la mañana siguiente me levanté con su perfume en mi piel. Me pasé el día obsesionada, olisqueándome la piel con curiosidad canina, intentado mantenerlo vivo, captarlo para siempre en el olfato, enterrarlo en la pituitaria, porque sabía que al cabo de un rato su olor abandonaría mi piel y después sería imposible recordarlo de manera exacta. Sabría que olía a cedro y a naranjo, y eso sería todo, ya no sentiría aquel cosquilleo familiar en la nariz. De ese modo, a pesar de sentirme agotada aquella mañana, me conservaba de un excelente humor, inusitado en mí, el humor que Ralph me transmitió, el humor que se me pegó de su piel junto con su perfume, y cruzaba los pasillos de mi casa, o debería decir, de la casa de Cat, casi de puntillas, como si en realidad anduviera por encima del suelo, de lo feliz que me sentía. No sabía cuánto duraría, cuánto tardaría en evaporarse, cómo lo recordaría al cabo de una semana, pero en aquel momento la sensación era tan viva que sólo con cerrar los ojos volvía a ver a Ralph, como una fotografía.

Cat me había dicho que ella sabía si una mujer había estado con un hombre porque una mujer a la que un hombre había penetrado se ensanchaba. Aproveché que la rutina de nuestra convivencia había distanciado bastante nuestros encuentros para esperar unos días hasta estar con ella. Me sentí mentirosa, pese a que no mentía; sólo ocultaba la verdad, que no es lo mismo. No quería perderla. Puede que me acostara con otro, que echase en falta muchas cosas, pero no quería perderla.

La conexión con Ralph fue algo inesperado. Había cerrado la puerta de mi casa, pero supongo que, deseando algo sin saberlo, me olvidé de cerrar las ventanas, y ellas esperaban, sin fe, que Ralph entrara.

En el hotel me despertó la insidiosa luz de la mañana que, filtrándose por la rendija que separaba las cortinas, se difundía por la habitación. Emergí lentamente de un sueño que no recordaba, pero que había dejado una vaga huella en mi memoria. Algo así como si acabara de atravesar un corredor de dolor, largo, estrecho y ciego, sin puertas ni ventanas, un recorrido que me había dejado la cabeza pesada, embotada de sueños destruidos, de trozos de recuerdos estrellados. A mi lado, Mónica dormía plácidamente. La abracé intentando concentrarme en su respiración rítmica y regular y aspiré su olor, una mezcla de sudor, feromonas y perfume caro, de una dulzura densa y penetrante, que había aprendido a reconocer como familiar. Mónica suspiró en sueños y se desasió ligeramente de mi abrazo. De pronto sentí el peso de un brazo tibio que se desplomaba sobre mí como un tronco caído. Era Coco. Su mano fue bajando y se detuvo en mi pecho. Comenzó a acariciarme uno de los pezones. Me desasí e intenté incorporarme. Visto y no visto, él colocó sus manazas sobre cada uno de mis hombros y me empujó hacia atrás, contra la almohada. Su cara descendió oscuramente sobre la mía, sentí su aliento agrio como una bofetada y unas gotas de saliva me golpearon los labios. Comencé a debatirme y a morder. Se abalanzó sobre mí y me inmovilizó con las piernas. No creí que fuese en serio y, en voz baja, para no despertar a Mónica, le dije que parara, que no me apetecía, que no le veía la gracia al jueguecito. Noté su verga hinchada frotándoseme contra la ingle. Entonces fue cuando me puse a gritar.

—¿SE PUEDE SABER QUÉ COÑO HACES?

Instantáneas que se suceden a toda velocidad, como en un vídeo que se rebobina: Mónica se despierta, se despereza, se frota los ojos con los nudillos. El aliento rancio de Coco, y la visión se oscurece. Pataleo, le golpeo con los puños. Quiero que Mónica reaccione, que me ayude, y los segundos se eternizan. Su cuerpo sobre el mío. Fundido en negro. Luego Coco retrocede, se aparta y se tumba a mi lado.

—Joder, Bea; eres una histérica.

—Y tú un macarra.

—Y tú una pija, no te jode.

No dijimos más. Un silencio tenso sucedió a toda aquella algarabía. Coco se incorporó y se dirigió a la nevera. Sacó una botellita de güisqui, desenroscó el tapón y se la bebió prácticamente de un trago.

—Di que sí, Coco; tú bebe más todavía, que es lo que te hace falta —dijo Mónica—. A ver si se te ocurren unas cuantas tonterías más.

—Métete en tus asuntos, si no te importa —respondió Coco.

—No, si lo que es por mí... como si te la machacas —replicó tranquilamente Mónica—. Pero, como comprenderás, no es que me entusiasme precisamente que me despierten a gritos en mitad de la noche.

—La histérica de tu amiga... —dijo él.

—Yo no soy ninguna histérica —interrumpí.

—No, sólo una reprimida —apostilló Coco.

—¿QUERÉIS CALLAROS DE UNA PUTA VEZ, JODER? —cortó Mónica.

La obedecimos. Coco sacó otra botellita y se la bebió. Yo me acurruqué en el regazo de Mónica pensando que me iba a resultar imposible volver a conciliar el sueño, y sin embargo me quedé dormida casi inmediatamente.

Dormí mucho, mucho, mucho. Me desperté con la cabeza espesa como la melaza. La boca parecía hecha de arena, y la afilada claridad del mediodía, un reproche luminoso que me traspasara las retinas. Tenía una resaca seria. Me encaminé al baño zigzagueando a pasos vacilantes, tropezando con los muebles.

En el baño me encontré a Coco que, sentado en el bidé, apoyaba la cabeza entre las manos. Ni siquiera le saludé y me dirigí directamente al lavabo a beber agua. Después de examinar mi cara en el espejo, pálida y ojerosa, me la lavé con agua fría intentando desentumecerme las facciones y borrar la expresión amodorrada. Entonces reparé en que Coco había permanecido inmóvil todo el tiempo y me asaltó un mal presentimiento. Le llamé por su nombre en voz alta. No contestó. Le zarandeé y su cuerpo se desmoronó sobre las baldosas de mármol como un castillo de arena.

Estaba rodeada de Beas atónitas, reflejadas por todo el cuarto de baño, y por un momento albergué la esperanza de que aquello fuera una pesadilla. Me pareció que aquellas resplandecientes paredes, bajo mis pies, sobre mi cabeza y a los cuatro lados, se cerraban como una cámara de tortura y amenazaban con comprimirme hasta estrujarme viva.

Regresé a la cama y desperté a Mónica. Se me quedó mirando con ojos opacos, no parecía entender lo que le estaba diciendo. Luego se incorporó de un salto y se dirigió al cuarto de baño. Coco seguía donde yo lo había dejado, aplastado sobre el suelo blanco. Mónica se agachó, le llamó por su nombre, le sacudió. Pero él no reaccionaba.

—¿Qué le pasa? —pregunté, como si Mónica fuera doctora.

—No tengo ni puta idea —dijo ella—. Puede que sea el golpe en la cabeza o puede ser una reacción a todo lo que se metió ayer. O un coma etílico... Yo qué sé. Pero parece serio. No reacciona. Ni siquiera estoy segura de si respira o no. Vamos a tener que llamar a una ambulancia.

Me dirigí al teléfono. La voz de Mónica me interrumpió antes de que descolgara el auricular.

—Desde aquí, no —me dijo Mónica—. Desde la calle. Y recoge tus cosas. Asegúrate de que no te dejas nada.

—¿Quieres decir que pretendes dejarle aquí solo?

—Tal y como está no se va a enterar de si estamos o no —me respondió ella, tajante. Se estaba poniendo los pantalones.

—No me lo puedo creer. Eres tú la que te lo follabas. No digo que tengas que amarlo locamente, pero se supone que implica cierta responsabilidad.

—Bea, si le pasa algo grave, si la palma de camino al hospital, o si la ha palmado ya, nos vamos a meter en el lío del siglo, no sé si te das cuenta. ¿Qué hacíamos las dos en la cama de un hotel con un tío que debe de llevar una bomba química en el cuerpo? Llamaremos a la ambulancia y ya se encargarán de él.

—No me creo lo que estoy oyendo; no me lo puedo creer... —musité.

—Te recuerdo que hace un rato casi te viola en esta misma cama —me cortó ella.

—Y yo te recuerdo que no ha parecido importarte gran cosa. Flipo contigo: no te preocupas de nadie excepto de ti misma. Seguro que si me diera un pasón a mí me dejarías tirada como a Coco.

—Te equivocas —dijo ella—, tú serías la única persona a la que nunca dejaría tirada.

Se puso la camiseta y las zapatillas, recogió su bolso con tranquilidad y caminó hacia la puerta. Al tomar el picaporte se dio la vuelta.

—Haz lo que quieras. Yo me bajo a llamar por teléfono. Calculo que la ambulancia tardará de cinco a diez minutos. Tú puedes quedarte aquí haciendo de hermanita de la caridad si tanto te apetece. Si me necesitas, sabes dónde encontrarme: me voy a casa de Javier.

Y abandonó la habitación pegando un portazo.

Cuando Mónica se fue regresé al cuarto de baño. Albergaba la esperanza de encontrarme a Coco de pie, o sentado, de que todo hubiese sido un malentendido o una broma pesada, o un mal sueño. Pero Coco seguía allí, exactamente donde lo había dejado. Me senté a su lado y hablé con él, le expliqué que era consciente de que probablemente no podría oírme, pero que, como había visto en la tele que algunos pacientes en coma escuchaban lo que sucedía a su alrededor, no perdía la esperanza de que me entendiera; le dije que la ambulancia estaba en camino y que, con suerte, en el hospital le pondrían una inyección de buprenorfina y que volvería a estar como unas pascuas en tres días, y luego, mientras le explicaba todo esto en voz alta, caí en la cuenta de que no tenía por qué ser tan amable, que Mónica tenía razón, al fin y al cabo aquel hijoputa había intentado forzarme, por no decir que me había apartado de la que había sido mi mejor amiga, mi única amiga, pero el caso es que, a pesar de todo, le tenía cierto cariño a Coco, me había conmovido que me regalase la navaja, y que me alabase, que me tratase como a una adulta, me caía bien a su manera, y en aquel preciso momento reparé en que siempre acababa por justificar a aquellos a los que odiaba.

Volví a recoger mi bolso y entonces me fijé en la chaqueta de Coco, que había dejado colgada en el respaldo de uno de los sillones. Metí la mano en el bolsillo del forro interior y le quité la cartera. Había unos cuantos billetes allí dentro. Tenía la desagradable impresión de que Coco ya no los iba a necesitar. Los guardé en el bolsillo de mi pantalón, me vestí en dos segundos y me marché.

Bajando por la calle Libertad vi llegar a la ambulancia.

Era un día de verano sofocante. El sudor me picaba en las sienes. La luz del sol limpia, caliente, sin viento, asesinaba los colores, y los edificios grises adquirían un aspecto amenazador bajo aquella claridad sesgada. Daba la impresión de que el asfalto humeaba. No había peatones, ni pájaros ni perros; sólo un silencio denso: la vida entera parecía haberse detenido en la inmovilidad de la tarde. Bajé a la calle Pradillo y me metí en la única cafetería que encontré abierta, y que gracias a Dios tenía aire acondicionado. Según mi reloj, eran las tres de la tarde. Pensé en comer y al momento me di cuenta de que sería imposible meterme nada en el estómago, que parecía hinchado por una especie de bola grumosa y pesada, así que pedí una Coca-cola. Después me acerqué al teléfono y marqué el número de Javier: saltó el contestador automático y colgué inmediatamente. No sabía qué hacer, no sabía dónde iba a pasar la noche, pero tenía claro que no pensaba volver a casa de mi madre. Tenía veintipico mil pesetas en el bolsillo y unas cuantas pastillas que podía vender.

El Miami estaba prácticamente vacío, y la camarera simpática, que seguía tras la barra con cara de aburrida, no me reconoció hasta que le dije que era amiga de Coco. Entonces pareció caer en la cuenta. Le expliqué que quería pasar unos equis, y ella opinó que la cosa estaba complicada, porque en verano, entre semana, casi no había clientela.

—Si quieres vender pastis, lo mejor que puedes hacer es irte a La Metralleta —me aconsejó—. Aquello siempre está lleno. Los colgaos que van allí no tienen dinero ni para veranear.

Le di las gracias y me marché.

La Metralleta, efectivamente, rebosaba de gente. Un enjambre de adolescentes bailaba frenético en la pista, labrando sinuosas figuras sin seguir muy bien el ritmo. Alcancé la barra, me hice con un güisqui y, no sin antes recordarle a la clónica de Morticia que si alguien le preguntaba por éxtasis le dirigiese a mí, me encaminé a la columna de siempre.

La columna era esencial para sostener el techo de aquel antro y a mi propio cuerpo, que amenazaban con derrumbarse de un momento a otro. Cuando ya casi me había olvidado de lo que estaba haciendo allí, un chico con una camiseta de Pavement se me acercó buscando éxtasis. Lo reconocí, porque ya le había pasado pastillas antes. Después la noche se fue sucediendo como un sueño cibernético: el ejército de luces azuladas que golpeaban las retinas, el pandemónium ensordecedor de golpes sintetizados, la oscuridad que confundía los cuerpos que transitaban aquel espacio viciado por el humo. De cuando en cuando alguien se acercaba a hablarme. Algunos me preguntaban tonterías, alguno intentaba ligar, alguno buscaba algo que ponerse. A la mayoría de ellos acabé por colocarles una capsulita. Empecé a pensar que había nacido para aquello. De pronto, a través del gentío, divisé a mi pretendiente, el treintañero alto, en el fondo de la barra. Me sonrió y avanzó hacia mí moviéndose felinamente a través de la confusión de cuerpos, al compás de la música de sintetizador. Antes de que pudiera evitarlo, lo tenía al lado.

—Ayer no viniste —me dijo—. Ya estaba empezando a preocuparme.

—¿Acaso vienes a esperarme todas las noches? —le pregunté.

—Desde luego. ¿Te apetece tomar una copa?

Me lo pensé un segundo. No tenía adónde ir aquella noche. Me había pasado la tarde vagando por el Retiro, dormitando un rato a la sombra de un árbol, y luego paseando Castellana abajo hasta que, sin darme cuenta, reparé en que había caído la noche y decidí pasarme por el Miami. Había pensado que cuando el local cerrara, me marcharía a un banco de la Plaza de España a dormir, o a pensar, o intentaría localizar a Mónica. Quizá aquel tipo tuviera un apartamento con un sofá cómodo en el que yo pudiera pasar la noche... Le miré a los ojos, y descubrí, para mi sorpresa, que me gustaba. Su rostro tenía un aire lánguido, exquisitamente delicado a su manera, un no sé qué femenino que le hacía parecer casi hermoso, aunque no tengo muy claro que lo fuera. Un mechón de pelo liso le caía sobre la nariz de corte rectísimo que dividía en dos su cara. Intuía al mirarle una especie de mutuo reconocimiento, de comprensión sin palabras. Se me ocurrió que podía dejarme llevar por la corriente cálida de su amabilidad y su sonrisa desenvuelta. Por un instante pensé que quizá fuera distinto de los otros. Pero luego imaginé lo predecible, cómo intentaría enredar su cuerpo pegajoso al mío, pasear sobre mí sus manos inevitables y grasientas, como habían hecho todos los demás. En mi reloj las agujas marcaban las seis y cuarto.

—Te lo agradezco —le respondí, intentando parecer amable—, pero tengo que ir a casa a intentar arrancarme el maquillaje. Con suerte sólo me llevará unas dos horas. Es una forma rápida de perder kilos.

Él se rió.

—No digas tonterías: no vas maquillada.

Se llevó la mano a la chaqueta, sacó su cartera, la abrió y me entregó su tarjeta. Me la guardé en el bolsillo de los vaqueros.

—¿Me llamarás?

—No sé... —contesté—. Si se me ocurre en el curso de mi vida social increíblemente ocupada, y si tengo a mano un teléfono y no ponen nada bueno en la tele, tal vez, a lo mejor...

Salí a la calle. Enfrentarme de nuevo a la madrugada, cuando el cielo va perdiendo su negrura, y empieza a dejarse ver el día, como una estela de humo que se estrecha y palidece entre los tejados. La tarjeta de aquel tipo me quemaba en el bolsillo. Reparé en que no sabía su nombre, ni él el mío. Saqué aquella tarjeta: Pablo San José, médico. Clínica tal... ¡Médico! No era policía, y nosotros tres éramos unos paranoicos. Con sólo volver sobre mis pasos tenía garantizado un lugar donde dormir. Di unas cuantas vueltas a la tarjeta entre mis dedos y la rompí en un montón de pedacitos blancos. No quería llevar la tentación encima.

Aquel tipo me gustaba. Habría podido acostarme con él y entonces probablemente no habría existido Cat, y quién sabe, quizá hubiera terminado por convertirme en una chica como tantas otras, femenina y heterosexual. Pero creo que resulta fácil de comprender que después de dos intentos de violación en menos de una semana no me apeteciera mucho la perspectiva de tener un hombre encima. Pero, repito, me gustaba. Su insistencia, su sentido del humor, su amabilidad habían conseguido conmoverme. Yo puedo amar a hombres y a mujeres. No distingo entre sexos.

Los niños van de rosa, las niñas van de azul. Rosa es el color de los afectos. Azul el de los uniformes de trabajo. Monos de mecánico, trajes de azafata. Azul. Corbatas de ejecutivo, bolígrafos para hacer cuentas. Rosa. Cubiertas de novela romántica y cajas de bombones. Los hombres son racionales y las mujeres sentimentales.

Se nace persona. Dos días después te perforan las orejas. Te ponen unos patucos rosas. Ya eres una niña. Vas a un colegio de niñas. Te visten con falda y coletitas. Cumples catorce años. Tu primer pintalabios. Ya eres una mujer. Cumples quince. Zapatos de tacón. Te sonrojas ante los chicos en la parada del autobús. No corres los cien metros. No escuchas heavy metal. Ya eres una cretina.

¿Qué aprendí en la facultad? ¿Qué escribía en mis trabajos? El concepto de género está sometido a manipulaciones sociales. Una convención impuesta. No asociada a factores biológicos. Nacer hombre o mujer no supone implicaciones de comportamiento irreversibles. Nos comportamos como tales por educación. Los roles sexuales se aprenden en función de los hábitos culturales. No son innatos. Las mujeres no son hembras porque lleven tacones Los hombres no son machos por llevar corbata.

Cumplí quince años y dejé de ir a misa. Cumplí dieciocho y besé a Mónica. Luego me largué a Edimburgo. Y allí me rapé el pelo y me compré unas botas de comando. En la calle nadie sabía si yo era chica o chico. Fue la última transgresión. La última transgresión.

Cada delicado detalle de mi cuerpo puede ser interpretado o reinterpretado, según quiera ser mujer o persona. Mi vagina puede ser la puerta del placer o de la vida. Mis pechos, fuente de leche o puntos eróticos. Mi ombligo perforado puede ser un reclamo o la señal de una conexión futura entre mi vida y la de otro que dependerá de mí. Mi cuerpo, con un feto dentro, ¿estará pleno de vida o simplemente invadido, deformado y destruido?

Académicamente hablando, debería escribir que cuando hacía el amor con Ralph era él el que me poseía, el que me tomaba. Sin embargo era yo quien lo hacía, era yo quien le acogía en mi interior, porque él entraba en mí. Le sentía como el otro, indescifrable y complementario a un tiempo. Si le acogía dentro, pensaba, me completaría. Cielo y Tierra, Luz y Tinieblas, Vida y Muerte, Caos y Orden. No tendría que preguntarme a cada paso quién era yo en realidad. Le sentía a él como a la parte de mí que me faltaba, una Beatriz esencial que había perdido en un tiempo indefinido, hacía muchos, muchos, muchos años, en un paraíso perdido e infantil que no podría ya recuperar. Después, cuando abandoné aquel territorio anterior a todo, aquel estado de gracia ajeno al trauma de la definición, me convertí en un ser separado de mi mitad. A la melancolía de la separación se unía la inutilidad del esfuerzo, el deseo nunca satisfecho que trata de llenar el vacío, el reencuentro que desespera por la incapacidad de reproducir el estado inicial, aquel todo equilibrado y positivo en el que todo estaba y nada faltaba. Cuando pensaba en esto, nuestros abrazos se me antojaban estériles y absurdos. Ansiaba la perfección de un estado primordial, un estado de fuerza y autonomía anterior a lo masculino o a lo femenino. No quería ser la mitad de uno. Sentía una profunda nostalgia de un ideal que llevaba dentro, quizá más inexistente que perdido, y creo que buscaba la Totalidad a través del sexo, añorando dolorosamente una reunificación que sabía de partida imposible, mero deseo de fusión. ¿Para qué intentar tocarnos si proveníamos de universos irreconciliables?

La mujer que amó a Ralph era la misma que amó a Cat y sé que será difícil comprender, para quien no lo haya vivido, que amó del mismo modo al uno que a la otra. Que no hubo grandes diferencias en lo que hacíamos. Que la fisiología no determinó nunca la mecánica amorosa. Que yo nací persona, y amé a personas.

Cuando estaba con Cat una parte de mí se disgregaba en átomos minúsculos. Me diluía y me hacía fuego líquido para fundirme con sus entrañas, transportada por oleajes de lava. Me extendía más allá de mí misma, superando límites físicos y químicos. Con Ralph, al contrario, las cosas estaban bajo control. Los dos, coordinados, sincronizados, a movimientos bruscos y precisos, avanzábamos al mismo ritmo marcial hacia una meta común, como en una competición deportiva.

Ella proponía, él se imponía. Ella me moldeaba a su gusto. Él me convertía en una contorsionista, en una equilibrista, en una plusmarquista. Ella era más profunda; él, más aventurero. Ella era detallista y esmerada; a él le sobraba la energía. Ella era sábanas lavadas; él, condones usados. Ella avanzaba, él embestía.

Pero su piel, la de ella, no era comparable. Bastaba con acariciarla para sentir placer. Él no contaba con aquella ventaja. Su piel era tan áspera como su carácter.

Cuando estaba con ella la besaba con los ojos abiertos y arrastraba mis dedos por sus greñas doradas. Indagaba en sus ojos redondos y limpios y veía una imagen líquida y verde de mi propio rostro. Caitlin de ojos de agua. Tomarla en mis brazos, besar aquel trozo de piel donde el cabello dorado se convertía en una pelusilla blanca y sedosa. El perfume dulzón mezclándose con otro aroma, el mío; su mano que descansa en mi vientre, y las puntas de sus dedos que descienden tamborileando hacia la cumbre de mis muslos; abrir las piernas y adelantar las caderas para facilitar el avance de sus dedos; rodar y revolcarnos enredadas en una masa de brazos y piernas; una pulsación bien definida que estremece mi interior a un ritmo salvaje; la habitación que a mi alrededor se fragmenta en trocitos y se disuelve; la gozosa complicidad que sucedía al placer compartido; las huellas de sus dedos impresas en mis caderas como un sello violáceo.

Con él, con Ralph, sentía la maravilla de mi propio cuerpo tenso, de mi corazón palpitante, el milagro del fluir de mi sangre, de mis músculos contraídos. Me sentía una corredora de cien metros lisos avanzando hacia la meta con los labios apretados. Cuando estaba con la una pensaba en el otro, y viceversa. Vivía sometida a la tiranía del orgasmo.

Ya no lloraba a diario ni me acurrucaba bajo el edredón a escuchar discos lóbregos de los ochenta. Me levantaba con una sonrisa, hacía bromas coquetas, había incluso recuperado el apetito, aunque hacía esfuerzos hercúleos para controlarlo y no perder mi figura filiforme. Caitlin advirtió el cambio, e incluso lo comentó, pero no indagó en sus causas. Quizá prefería no conocerlas o quizá no buscaba explicaciones, como tampoco buscaría explicaciones al sobrevenir de las tormentas o a la caída de las hojas. La plácida Cat recorría la vida guiada únicamente por las tenues luces del impulso y la costumbre y hay que agradecerle a la providencia su naturaleza tranquila y sosegada, que convertía su vida en un remanso, pese a su supuesta inconvencionalidad, una carrera en la que nunca aparecían obstáculos insalvables, porque Cat aceptaba de buen grado todo lo que le llegaba: amigos, trabajo, novia, y no lo discutía ni se lo cuestionaba.

Katriona Mac Cabe seguía iluminando cada tarde mi salón con su sonrisa de trescientas veinticinco líneas. Caitlin seguía contemplándola con admiración y orgullo, y jamás olvidaba recordarme que aquella preciosidad había sido su amante. Pero Katriona había dejado de importarme. Gracias a Ralph yo había descubierto que era imposible que Katriona escondiera tras la pantalla algo que yo no tuviera.

Lo que había buscado en Ralph, sin embargo, no era sexo, sino apoyo, y a veces me arrepentía de haberme dejado llevar, porque pensaba que el hecho de que se acostase conmigo alteraba su percepción de mi persona. Yo deseaba poseer parte de su mente, fagocitar su inteligencia, buscaba en él a un trasunto de Mónica que, al igual que hizo ella en el pasado, arreglase mi cabeza y me ayudase a salir de aquel pozo negro en el que chapoteaba. Pero él me veía como a una amante antes que como a una amiga, y, por tanto, no me concedía la confianza que yo buscaba. A partir de entonces no hacía sino preguntarme cuáles debían ser los pasos a seguir en el ballet que jugábamos, una danza en la que cada uno de los bailarines debía improvisar los movimientos a medida que seguía adelante. Si él se mostraba insistente, ¿debía yo ceder?, ¿debía negarme?, ¿cómo? ¿Debía a veces tomar yo la iniciativa?, ¿hasta qué punto?, ¿quién daría el siguiente paso hacia adelante y hacia atrás?, ¿qué significaba comportarse como un hombre y comportarse como una mujer? Desde que me convertí en su amante adopté un papel: era su contrario, y él nunca, nunca, volvería a verme de la misma manera. Lo habíamos estropeado todo.

Él, por supuesto, sabía que yo vivía con otra persona, pero nunca hizo preguntas al respecto. Nunca dijo que me quisiera, ni hizo planes de futuro ni habló de *nosotros* en relación con el mundo, como solía hacer Cat. *Us* no era un pronombre que él utilizara. Yo indagaba muchas veces en mi cabeza sobre la razón que le impulsaba a mantener lo nuestro. El sexo, por supuesto. Pero había algo más. Supongo que él también se sentía agobiado bajo el peso de la soledad y le venía bien contar con una persona que de cuando en cuando le aliviase su carga de recuerdos. Nos acostábamos juntos, eso era todo. Nadie propuso más. A su lado me sentía a veces como al lado de otro viajero solitario en el compartimiento de un tren, cercana a un extraño tranquilo y amable a cuya compañía estaba condenada por un lapso de tiempo que nunca duraría demasiado.

Vivía con una chica que me quería y tenía un amante con el que mantenía una relación ocasional, no sé si a mi pesar. Yo le encontraba fascinante, pero intuía que el sentimiento no era mutuo, así que hacía lo posible por no mostrarme demasiado cariñosa. Ralph y yo seguíamos encontrándonos sin acordar citas prefijadas, en el comedor de la universidad. A veces charlábamos sin más y cada cual se iba a su casa. Otras veces proponía ir a su casa y entonces nos íbamos a la cama, como por casualidad, como quien se toma una caña, como si ninguno lo hubiese deseado demasiado. Nunca acordábamos citas en el sentido estricto de la palabra. Ni siquiera fuimos a un pub a tomar una pinta. Yo sentía que había una muralla que nos separaba, y no poseía ni la fuerza ni las herramientas que me hubiesen permitido derribarla.

Al principio me venía muy bien, a qué negarlo, el tránsito titubeante de aquella relación, porque así evitaba comprometerme yo y hacer promesas o asumir responsabilidades. Me esforzaba en mantener las distancias, de hecho. Pero luego, a medida que lo que yo sentía fue aumentando y aumentando, a medida que veía crecer mi propia entrega, ya no entendía muy bien a qué venían la desconfianza y los silencios. La tristeza me sorprendía a traición al pensar en su rutina, lejana a mí, en aquel lejano orden de horarios, necesidades y ataduras que yo intuía pero no podía precisar, unas normas de vida que habían precedido a nuestra historia y que la sobrevivirían. Imaginaba lo que haría Ralph sin mí. Leería, ordenaría sus discos, daría largos paseos por los Meadows... Persistía en aquella trampa de imágenes inhóspitas porque no conocía otro modo de aproximarme a él, e inventaba un pasado que imaginaba horrible precisamente porque él nunca se refería a él: todo lo que no sabía, lo que le hacía callar tantas cosas, las que sabía ocultar entre otras cosas que, aunque insignificantes, tampoco me aclaraba. Aquello que le hacía detenerse en medio de una frase, pensarse tanto una observación trivial, como quien teme a la espontaneidad porque ésta desvele una verdad. Lo que me hacía a mí misma guardar silencio y no exponer preguntas. El muro de dudas y reservas que se interponía entre nosotros con tanta fuerza como la distancia enorme y vacía que nos separaba. Todo lo que no se sabía; ni él de mí, ni yo de él. Lo que por ello dejé de saber de Ralph, de mí misma, y los dos de nosotros. Los silencios que se alargaban entre nuestras frases lo revelaban todo, las cosas que no nos atrevíamos a decir. Me parecía que algo se quedaba en el aire, la líquida noción inaprensible de algo que me perdía.

Le sentía tan mío que no estar a su lado era como una amputación. Deseaba tenerle a todas horas, morderle, chuparle, devorarle, poder hacerme con algo más tangible que la imagen difusa que componía en su ausencia, entre retazos de conversaciones semiolvidadas, fragmentos imprecisos de revolcones varios e instantáneas veladas de sus gestos. Acababa cansada de mirar las cosas huyendo con cuidado del miedo a encontrarle en el eco de cualquier silencio, en el hueco de cualquier espacio, en perfiles entrevistos a traición en la calle, en aromas de colonia cara arrastrados por desconocidos que en el autobús me recordaban a él. Me apetecía crearme una capilla, un espacio del deseo, un territorio aparte, privado, que contuviese en sí mismo las imágenes, los rituales y las oraciones del amor.

Todo lo que había entre nosotros era sexo, entendí. Y sin embargo, yo sentía nuestro vínculo como algo sólido e intenso. ¿Por qué? Porque los momentos que estaba con él los vivía amplificados: Una vez, la real, la que sucedía en el tiempo y el espacio; y muchas, muchas veces más: cuando repetía aquellos momentos en mi cabeza y revivía las cosas que hacíamos, su piel, su cuerpo, su vello, su sexo, su voz. Le sentía muy cerca, porque Ralph pasaba mucho, mucho tiempo a mi lado, incluso cuando él mismo no sabía que estaba conmigo.

No me gustaba tenerle encima de mí. Era pesado, ya lo he dicho. Y yo proponía todo tipo de juegos y figuras acrobáticas para evitar tener que cargar su peso sobre mí, porque entonces me inmovilizaba y me creaba la impresión de que no tenía escapatoria. El miedo me atenazaba y me fallaba la respiración, como cuando a mi madre le daban los ataques. Cuando intentaba explicárselo Ralph se limitaba a repetir su frase de siempre: que yo era una tía muy rara.

¿Rara? No sabes hasta qué punto puedo llegar a ser rara, le respondí un día. ¿Sabías que casi me cargué a un tío en Madrid? Me sorprendió oírlo de mis labios, porque en Edimburgo nunca le había mencionado el tema a nadie, ni siquiera a Cat. Este desliz por mi parte me hizo darme cuenta de lo necesitada que estaba de un amigo, de alguien con quien compartir mis problemas, de un espejo en el que reflejarme. Se me escapaban los secretos por los poros. Pero no me traicioné. Le dije que le estaba gastando una broma y sonreí, aunque por la expresión que adoptó pude darme cuenta de que había introducido la duda en su cerebro, una comezón que le roería por dentro desde entonces.

Hubiéramos podido ser grandes amigos, supongo, pero el sexo se interpuso y nos convirtió en contendientes, porque sobre nosotros planeaba la amenaza de una serie de exigencias que no se hubiesen planteado en el caso de una amistad sin sexo. Aunque él fingiera que lo de Cat no le importaba, tenía necesariamente que importarle, lo sé, y yo, ¿quién sabe?, probablemente hubiera deseado que lo de Cat sí le importara, que se atreviera a exigirme que acabara con aquello, a proponerme un futuro en común. Yo quería que él quisiese algo más de mí; ¿por qué quería yo eso?, ¿por orgullo? No tenía razones para desear de él otra dedicación que la que me ofrecía, porque yo sabía bien que la situación era perfecta tal y como estaba, que se trataba de un arreglo muy cómodo, lo de tener novia y amante a la vez, pero aun así, hubiese deseado más, hubiese deseado más de él, por muchos problemas que ese *más* me hubiera supuesto.

Ralph se acostaba conmigo e imponía decidido su voluntad, o lo intentaba. Recuerdo su abandono furioso, su manía de inmovilizarme con las piernas contra el colchón, de sujetarme los brazos por encima de la cabeza, la forma que tenía de estrellarse contra mí, como impulsado por la fuerza de las olas, convertido en una corriente embravecida.

Cat significaba, por el contrario, la amabilidad de la carne tácitamente poseída, sin acuerdos ni negociaciones previas, la conexión perfecta, puesto que cada una sabía, por propia experiencia, lo que la otra buscaba y necesitaba. Cada noche recorría su geografía conocida, sus dunas, sus lagos, sus llanuras, sin brújula, sin miedo. Cat estaba allí siempre y me quería. Nunca me hubiera negado la posibilidad de verla.

Según el tópico, yo conocía lo mejor de los dos mundos. (¿Sólo hay dos? ¿Y dónde se supone entonces que resido yo?) Y mi vida seguía entre una cama y otra. Contacto. Mis agarraderas al mundo en la noche de Edimburgo, donde el día se acaba a las cuatro de la tarde.

Entonces yo me sentía pura energía andante. Mis movimientos se hicieron más elásticos, más conscientes. Percibía claramente los contornos de mi cuerpo bajo el jersey, los pantalones y la camiseta. El sexo me ofrecía una clara conciencia de mí misma, desde la distancia, como si fuera otra. Ni siquiera notaba el frío. El deseo, en mi interior, irradiaba calor suficiente. Llevaba conmigo las imágenes de mis amantes como habría podido llevar un relicario mágico apretado contra mi pecho. Esto sucedió ayer, como quien dice, ayer, pero parece que hace siglos de eso. Por soledad los busqué, en soledad los recuerdo.

Desde la primera vez que me acosté con Ralph, desde que compartí al uno y a la otra, mi corazón se convirtió en algo borroso, indefinible, indescifrable. Porque si me hubieran preguntado en ese momento si yo era lesbiana o si era heterosexual, e incluso si era bisexual, que parecía la respuesta más convincente, no hubiera sabido qué responder. Estaba tan perdida como lo estaba tres años antes, cuando deambulaba por las calles de Madrid, cuando me empapé las manos con la sangre de un desconocido. A veces me sentía lady Macbeth: sabía que esas manchas no se borrarían, como no se borraban, en mi corazón, los años en mi casa, aquella relación irreparable con mi madre, ni mi amor a Mónica.

Volvía a estar en la calle y sin la menor idea de lo que iba a hacer. Pensé que lo mejor sería ir a tomarme un café, reflexionar sobre lo sucedido y sobre el siguiente paso a seguir y llamar a Mónica. Antes o después yo tendría que volver a casa. Pero volver a casa, después de todo lo que había pasado, me parecía imposible. Volver a ninguna parte me parecía imposible. Seguir adelante me parecía imposible. Vivir me parecía imposible. Cuando intentaba pensar, extraer alguna conclusión lógica del desbarajuste impenetrable que se había montado en mi cabeza, sólo conseguía que me atronasen las sienes. Pensé en Coco, quizá en una cama de la Paz, quizá en el depósito de cadáveres. Enfilé por una callejuela desierta. Oí unos pasos tras de mí y tuve la extraña impresión de que alguien me seguía. Me volví y no vi a nadie. Seguí adelante, y de pronto recibí un mazazo en la espalda que me empujó contra un muro y me dejó sin respiración. Antes de que hubiese podido darme cuenta estaba inmovilizada contra la pared, con el antebrazo de un hombre atenazándome el cuello.

—Vaya con la zorrita... —dijo una voz áspera y saturada de graves, un sonido ronco y desapacible que me erizó el vello.

Me estaba ahogando. Pensé que si el tipo aquél apretaba un poco más, me partiría la tráquea. Podía percibir su corazón palpitando regularmente contra mi seno derecho. Olía a tabaco y a sudor. Sabía que tenía que patalear, sacar fuerzas de flaqueza para quitarme al tío de encima, pero no podía moverme, ya fuera por el miedo o por la falta de aire. De pronto reconocí la identidad de mi atacante: era el tío al que había golpeado en la cabeza con una botella. Había sido una imbécil al ir a La Metralleta. Aquel tipo conocía bien a Coco, sabía por dónde se movía. Había ido a buscarme y me había encontrado.

Mientras me mantenía inmovilizada, comenzó a manipular su cinturón. Comprendí lo que iba a hacer. En su extraño código de honor, no podría parar hasta arrebatarme por la fuerza lo que yo le había negado. Entonces recordé que tenía la navaja de Coco en el bolsillo trasero del pantalón. Y mis brazos estaban libres. Mi única posibilidad se cifraba en mantener la calma. Si me movía demasiado bruscamente, él reaccionaría y me sería imposible atacarle. Él parecía muy ocupado intentando desabrochar uno a uno los botones de su bragueta. Intenté distraer su atención para que se fijara en mi cara y no en mis manos.

—Escúchame... —le dije en un susurro tranquilo para no asustarle. Me miró sorprendido y comprendí que la cosa iba bien—. Escuchame tío; siento lo que hice, de verdad que lo siento, pero es que me asustaste y...

Acercó sus labios a los míos. Le devolví el beso mientras intentaba a la desesperada sacar la navaja. No era tan fácil. La condenada estaba en el fondo del bolsillo. Agradecí al cielo que los pantalones me estuvieran tan holgados. Percibía un trasfondo de alcohol en el sabor acre de su saliva. Seguía apretándome la garganta, pero relajó un poco la presión. Parecía confiado. Se me ocurrió pensar que quizá yo le gustaba, o que él creía que a mí me gustaba.

Tenía la navaja fuera. Mi brazo me caía al costado, paralelo al cuerpo. Me esforcé por repetir en la memoria las palabras de Coco. Aprietas este botón, así, y la hoja sale disparada. Entonces atacas, sin miedo, con el filo hacia arriba, y sobre todo con seguridad, sin dudar, hundiendo la navaja hasta el fondo. Sin pensarlo. Le clavé la navaja en el costado con todas mis fuerzas. La sangré brotó a borbotones extendiéndose sobre su camisa. La sentí, viscosa y caliente, escurriéndose por mis dedos. Se le escapó un agudo grito de dolor, pero no me soltó. Apuñalé una segunda vez, sin llegar a sacar la navaja del cuerpo. Él se dobló sobre sí mismo y cayó al suelo, retorciéndose en posición fetal.

Salí corriendo calle abajo, sin mirar atrás, con la navaja en la mano.

Debía de tener siete u ocho años cuando sucedió. Mi madre me había enviado a la tienda de la esquina a comprar cien gramos de jamón de York. A la vuelta me detuve en el parque, que estaba solitario y oscuro. Sabía que no debía hacerlo, pero la tentación de los columpios vacíos fue demasiado fuerte. Un señor muy amable vino a sentarse al columpio de al lado. Me hizo muchas preguntas y me dio caramelos, mientras me acariciaba los muslos, desnudos bajo la falda tableada. Luego me tomó de la mano y me llevo detrás de unos arbustos. Después me obligó a tocarle el sexo. Cuando acabó, salí disparada hacia mi casa, por las calles oscuras, sin mirar atrás. Nunca había vuelto a correr tanto hasta aquella madrugada, cuando avancé sin objetivo durante lo que a mí me parecieron horas. Me detuve al llegar a la calle Quintana, y me senté en un banco. Ya era casi de día, y al mirarme la mano ensangrentada reparé en que aún tenía la navaja en la mano. La luz rebrillaba en el filo blancoazulado, todavía manchado de restos de sangre seca. La tiré a una alcantarilla.

Fui a parar a un bar cuyas paredes estaban empapeladas de calendarios de talleres mecánicos con chicas desnudas, dotadas de unos pechos más que generosos, y en el que un grupo de obreros estaba tomándose el primer café de la mañana. Había uno que hablaba a gritos sobre fútbol, comentando goles y alineaciones que me sonaban a chino. Me miró con ojos ávidos, y a berrido limpio comentó lo buena que yo estaba. Nadie hizo la menor observación, sin embargo, sobre las manchas de sangre de mi camiseta. Pedí un café y la llave del baño, que resultó ser un cuartucho lóbrego que apestaba a orines. Allí incliné la cabeza sobre el inodoro y vomité un líquido marrón, todo el güisqui con Coca-cola que mi estómago almacenaba. Me quedé allí un buen rato, temblando como un animalillo asustado. Cuando conseguí incorporarme, hice gárgaras con el agua del lavabo para quitarme el mal sabor de boca. Acto seguido me quité la camiseta y la enjuagué en el lavabo. El agua que corría era primero roja, luego rosada y por fin transparente; la mancha sobre el tejido se diluyó hasta convertirse en una sombra parda. Luego retorcí y retorcí varias veces la camiseta intentando secarla. Casi no reconocí a la mujer pálida y demacrada que me observaba desde el otro lado del espejo. Con la camiseta todavía mojada me escabullí trotando del bar, para no escuchar las obligadas bromitas sobre los bultos de los pezones a los que se adhería el algodón mojado.

Llamé a casa de Javier desde un teléfono público. Reconocí al instante su voz engolada y pregunté por Mónica.

—Está durmiendo —me contestó con voz huraña.

—Despiértala. Es urgente. —Hubo una larga pausa y por fin, cuando yo estaba a punto de colgar, se puso Mónica. Parecía recién levantada. Su voz, pastosa, había perdido la viveza y la musicalidad que normalmente la caracterizaban.

—¿Dónde estás? —preguntó.

Le expliqué, a grandes rasgos, lo que había pasado. Me llamó estúpida por haber vuelto a La Metralleta. Parecía enfadada de verdad; el timbre de su voz se había vuelto afilado de repente. Me dijo que pasase a verla, y que hablaríamos.

Cogí un taxi. Ya llevaba dos días sin dormir y las manos me temblaban ligeramente. Capté una mirada suspicaz del conductor que me espiaba desde el espejo retrovisor. Bajé los ojos durante el resto del trayecto, y cuando llegamos no le di propina.

Javier vivía en un apartamento en la Castellana, y en cinco minutos estaba frente a su portal. Desde el taxi reconocí la figura de Mónica, que me estaba esperando en la acera que bordeaba el edificio, fumando un cigarro. Me recibió con un beso.

—Es mejor que no subas —me dijo—. A Javier no le hace mucha gracia que nos veamos, ya sabes. Anda, vamos a tomar un café.

Entramos en una cafetería de esas de barra de acero reluciente y camareros con pajarita. Pedí un zumo de naranja y un café solo para ella. Mónica encendió un segundo cigarrillo y, mientras revolvía el azúcar en la taza durante mucho tiempo más del que hubiera sido necesario, me largó un discurso que supongo llevaba preparado. Había estado hablando largamente con Javier y también había meditado a solas. Lo sucedido con Coco, dijo, le había hecho recapacitar. Tenía la impresión de que había estado apurando la vida demasiado rápido, y que de pronto le había estallado entre las manos. Se sentía vieja a los diecinueve años, y ahora, de repente, experimentaba una nostalgia repentina de otra vida que no había vivido pero que siempre había tenido cerca, al alcance de los dedos. La vida que Javier representaba: mañanas en el club de Golf, tardes de compras en Serrano, meriendas en Embassy y cenas en Lucio... todas esas cosas que había rechazado siempre y a las que, sin embargo, estaba abocada por nacimiento. No tenía sentido, decía, intentar negar el ambiente al que pertenecía. Hablaba con seguridad, casi con vivacidad, y noté que me arrastraba hacia un terreno resbaladizo, un pantano de arenas movedizas en el que yo agitaba los brazos desesperada, luchando por mantenerme a flote. Destrencé, con esfuerzo, sus palabras, y al soltarlas se hizo evidente una contradicción entre lo que decían sus labios y lo que afirmaban sus ojos. En ningún momento el panorama que dibujaba Mónica resultaba creíble. Podía escapar de Malasaña, de los bares oscuros, de los picos y las malas compañías, pero no de sí misma.

—¿Sabes? —me soltó de repente, como quien comenta algo intrascendente, el encuentro casual con una antigua compañera de colegio o la posibilidad de cambiar de peinado—, Javier me ha pedido que me case con él.

—No digas tonterías. Tú sólo tienes diecinueve años.

—¿Y qué? No tiene que ser este año. Además, mucha gente se casa a mi edad, y más jóvenes.

—Además, tú no le quieres —protesté, intentando zanjar el tema con un argumento definitivo.

—Un poco sí —respondió ella—; al fin y al cabo hemos estado juntos muchos años. Además, lo del amor es muy relativo.

—Sí, ya veo que lo del amor, para ti, es muy relativo.

No captó, o fingió no captar, la ironía. Parecía haber envejecido cinco años en un día. Dos arrugas encuadraban sus labios cuando hablaba, y advertí que no desaparecieron cuando calló. Pero en seguida retomó la palabra. En cuanto a lo del tal Paco, Mónica había hojeado los periódicos y nada mencionaban sobre el incidente. Casi con seguridad no pasaría nada, él no me denunciaría. No podía ir por ahí diciendo que ya me conocía, porque eso supondría admitir que había comprado ilegalmente una pistola. E incluso si me denunciaba —cosa que no iba a suceder, en cualquier caso— tampoco había que preocuparse demasiado. Yo no tenía antecedentes, era prácticamente menor de edad y había actuado en legítima defensa. Por supuesto, si alguien se iba de la lengua, si salía a la luz todo lo del trapicheo que habíamos organizado con las pistolas, nos meteríamos en un buen lío, pero Mónica confiaba en que eso no sucedería. Lo mejor, opinaba, era que me fuera a casa, que esperase a ver qué pasaba y que no me dejase ver en una temporada. Que me fuese al Escorial, si podía. Paco no sabía dónde vivía, así que era casi imposible que me localizase en una ciudad tan grande como Madrid.

—Pero sí saben dónde vives tú. Irán a buscarte.

—Ya lo he pensado. Yo me quedo en casa de Javier todo el verano. Para septiembre ya se habrán olvidado de mí. Mira, en peores líos me he metido antes con Coco, y al final las aguas siempre han vuelto a su cauce. La gente no habla, no se moja, y no le da más vueltas a las cosas. El tío ese se llevó un navajazo, pero él te atacó primero, así que ya sabía a lo que se arriesgaba. Si no das primero te dan a ti, y te jodes. Es la vida.

—¿Y si lo he matado?

—Si lo has matado, mejor. Entonces sí que no hablará nadie. Y a ti no tienen cómo relacionarte con el tipo. Además, seguro que no te lo has cargado. Relájate.

Topé con sus ojos sombríos y sentí una opresión en el estómago, un impulso nostálgico de acercamiento que contrastaba con una inmensa distancia recién fijada. Intenté aproximarme a ella, avancé unos pocos centímetros y, a punto de tocarla, retrocedí. Me obligué a dirigirme nuevamente hacia su piel, pero volví a detenerme antes de rozarla siquiera, como si hubiera chocado con un cristal. Entre Mónica y yo acababa de establecerse una zona de nadie, un abismo de vértigo, y sentí que cuando hablaba me miraba desde muy lejos. Pagué mi zumo de naranja y su café y salimos de la cafetería. No la besé al despedirme.

Mónica era un mal bicho, dirán algunos; otros, más benevolentes, podrán decir que Mónica estaba desequilibrada, o no sabía lo que quería, o no sabía quién era. Está bien, yo siempre me he topado con chalados, pero ¿acaso no los he ido buscando? Yo misma rechacé a los retoños de familias normales, a las niñas de mi colegio, a aquel pobre chico que me perseguía por La Metralleta y que seguramente era un encanto de persona, con su carrera acabada y ya establecido. Cuando pienso en la gente con la que me he relacionado a veces se me ocurre que he tenido mala suerte, y otras pienso que los he ido buscando, que es como si mi corazón estuviera blindado con un sistema secreto de seguridad que sólo pudiera desactivarse introduciendo una combinación determinada, y de esta forma sólo acceden a mi interior gentes con determinadas características: personas que reniegan de su pasado, en permanente huida de sí mismos, como Mónica, como Caitlin, como Ralph.

Una tarde en la que Ralph y yo cruzábamos los Meadows de camino a su casa, casi nos dimos de bruces con Barry, que andaba mirando al suelo, con las manos en los bolsillos. Por supuesto Barry nada podía saber de la relación que nos unía, pero aun así me sentí pillada en falta y me invadió un sentimiento de culpabilidad y miedo. Reapareció mi sempiterna conciencia católica, que yo creía acallada, y se me ocurrió de pronto que Barry se daría cuenta sólo con vernos de que éramos amantes, como si yo llevase la falta escrita en el rostro. Para mi sorpresa Barry no se dirigió a mí, sino a Ralph, al que saludó con un breve movimiento de cabeza.

—Hola, colega. Años sin verte...

—No tantos —le respondió Ralph, lacónico.

—Hola —me dijo a mí, y señalando a Ralph con la cabeza—: ¿Os conocéis?

—Somos compañeros. En la universidad, ya sabes —corté yo, inmediatamente.

—Ah, claro... Bueno, pues me voy a Negotians, que hay que abrir. Nos vemos.

—Muy bien —dije yo.

—Nos vemos —dijo Ralph.

No podíamos haber sido más secos, los tres.

Dos o tres días después, al regresar a casa desde la universidad, me encontré a Barry en la mesa de la cocina, tomando el té con Cat y Aylsa. Yo ardía en deseos de averiguar la razón por la que Barry conocía a Ralph, pero no me atrevía a preguntar, a aparentar interés por alguien que oficialmente no era sino un mero conocido. Barry se anticipó a mis deseos, como si me hubiera leído el pensamiento, y sacó a colación el tema de Ralph.

—Ese tipo con el que ibas el otro día, es Ralph Scott-Foreman, ¿no?

—Se llama Ralph —confirmé. No conocía su apellido.

—¿Estudia literatura?

—No, estudia arte. Pero coincidimos en un seminario común de estética —mentí. No quería verme obligada a explicar cómo le había conocido, porque nunca le había dicho a Cat que hubiese hecho amistades en la universidad.

—Hacía siglos que no le veía. Y siempre me he preguntado qué habría sido de él.

—¿Tanto le conoces?

—Todo el mundo le conoce. El pequeño de los Scott-Foreman. Su padre era lord.

—¿Y de qué conoces tú al hijo de un lord? —pregunté, cogida de improviso por la misma sorpresa que me sacudió años atrás cuando me enteré de que Coco tenía amigos en la Moraleja.

No eran precisamente amigos, me explicó. Cuando Barry era un chaval, trece o catorce años a lo sumo, se hizo inseparable de su primo, que era unos años más mayor que él y que se ganaba la vida trabajando en una tienda de discos, y pinchando de vez en cuando música en discotecas —entonces no se llamaban clubes— y en fiestas de gente de dinero. Lo segundo estaba mucho mejor pagado que lo primero y pronto el primo se había hecho con una cartera de clientes que iban recomendándose sus servicios los unos a los otros: gente de clase alta, de apellidos compuestos y religión protestante, educados en *public schools*, que hablaban inglés sin acento, con una dicción neutra digna de un locutor de la BBC, y cuyos padres podían presumir de haber sido invitados alguna vez a Balmoral. A Barry le encantaba acudir a aquellas fiestas. Ayudaba a su primo a cargar los platos y los discos, y no cobraba nada porque se conformaba con disfrutar de la oportunidad de conocer el interior de mansiones que sólo había imaginado hasta entonces gracias a la televisión, y de poder beber cerveza sin límite ni restricciones, sin que nadie indagara por su edad.

Una vez contrataron a su primo para animar una fiesta muy especial, que tendría lugar en la residencia de lord Scott-Foreman, una granja de doscientos acres situada entre Fetercairn y Stonehaven, a unas veinte millas de Aberdeen. Llegaron hasta allí en la vieja camioneta de su primo y, a pesar de que ya estaban acostumbrados a mansiones increíbles, se quedaron boquiabiertos ante la magnificencia del lugar. Había guardas de seguridad y alarmas, jardines cuidadísimos, establos, piscina, helipuerto... Apenas pudieron entrever el interior de la casa, pero Barry imaginaba que aquello debía parecerse a la mismísima residencia de la reina.

La fiesta tuvo lugar en una especie de pub o discoteca, con barra, camareros, luces y pista, recién acondicionado en uno de los sótanos de la enorme casa, que debía de tener unos dos siglos de antigüedad. La reunión, sin embargo, no estaba muy concurrida. Habría allí unas cuarenta personas, a lo sumo. Niños bien borrachos como cubas y niñas pijas y solemnes, *sloane girls* despectivas, dueñas de melenas peinadísimas y brillantísimas, de rostros sin la más leve huella de acné y de cuerpos gráciles y esbeltos (lo que hace la buena alimentación y la práctica constante del deporte...), adolescentes de belleza impecable que no se dignaron a cruzar palabra con aquellos dos macarras contratados para animar la fiesta. Sin embargo, el homenajeado, el hijo pequeño de lord Foreman, resultó ser un chico bastante amable, muy puesto en música, que se pasó un rato largo de charla con el primo de Barry, muy interesado, al parecer, en los discos que pinchaba. El primo le habló de la tienda en la que trabajaba, y, para su mayúscula sorpresa, una semana después se presentó allí el joven Ralph, que compró media tienda con la mayor naturalidad, como si gastarse cien libras (de las de entonces) en discos fuese un lujo al alcance de cualquier jovencito de dieciocho años. A partir de entonces solía descolgarse por la tienda de cuando en cuando, dilapidando siempre cantidades astronómicas. El primo de Barry, que sabía bien que él nunca dejaría de ser, a ojos de gentes como los Scott-Foreman, más que escoria católica de Glasgow, se debatía entre el rencor visceral que le inspiraba aquel niñato forrado de pasta y una irreprimible simpatía derivada del hecho de sentirse admirado; porque aquel niño bien, tímido, apocado y educadísimo, parecía beber de sus palabras y escuchaba sus recomendaciones con la misma atención con la que una beata atendería al sermón. Aquel niñato no podía comprar con sus millones el trabajo de Brian ni su erudición, pero sí podía comprar todos sus discos.

Un buen día el niñato dejo de descolgarse por la tienda. Ni Barry ni Brian repararon realmente en su ausencia. Barry comentó algo como «Ya no vemos al pequeño lord por aquí». Y Brian respondió, irónico: «Sí, no sé en qué andará metido. Probablemente en asuntos de trata de blancas y narcotráfico». Los dos rieron la ocurrencia a mandíbula batiente y no volvieron a hablar de él hasta que un año después saltó a la prensa la noticia de la muerte de lord Scott-Foreman, y se inició un culebrón que se mantuvo en portada de los tabloides amarillistas durante semanas. La historia se resumía más o menos así: El deportivo del lord se había despeñado contra un acantilado. Hasta ahí, nada extraño. Pero la anciana madre del fallecido, que detestaba a su nuera, a la que el testamento designaba como albacea de la fortuna familiar, había insistido en que practicaran la autopsia al cadáver. Se descubrió entonces que éste presentaba una cantidad excesiva de barbitúricos en sangre. Parecía improbable que lord Scott-Foreman hubiese sido capaz de conducir tras haber ingerido un cóctel de pastillas que debía haberle dejado, por fuerza, medio dormido, y se barajó la hipótesis de que alguien hubiese colocado el cuerpo inconsciente en el coche y hubiese despeñado el vehículo acto seguido. Todas las sospechas apuntaban a su esposa. Salieron a la luz entonces todos los trapos sucios familiares: historias de alcoholismo, de abuso y maltrato. Lord Scott-Foreman, por muy lord que fuera, no dejaba de ser un borrachuzo que golpeaba frecuentemente a su mujer y que una vez la había empujado rodando por las escaleras de la casa, provocándole un aborto. Ella, por otra parte, mantenía desde hacía años una relación con un hombre mucho más joven que ambos, al que se le suponía cómplice del presunto asesinato. Se hicieron pruebas y análisis, pero nadie pudo certificar la veracidad de las afirmaciones. Era cierto que se había encontrado una alarmante presencia de barbitúricos en el cadáver, pero también lo era que el fallecido consumía cantidades desmedidas de tranquilizantes y que era aficionado a mezclarlos con alcohol. Hubo juicio, pero el forense no pudo asegurar con certeza que el conductor estuviera inconsciente en el momento del accidente, por muy probable que esa afirmación pudiera resultar. Aylsa y Cat, que recordaban vagamente la historia, opinaron que, como de costumbre, se había presupuesto la culpabilidad de la esposa sólo porque ella era infiel, y, para colmo, con un hombre joven; y que, de haberse tratado de un hombre, ni siquiera habría habido juicio partiendo de una acusación basada en tan débiles pruebas. El caso es que finalmente la esposa fue absuelta de todos los cargos. Pero el escándalo había sido sonado y debió de afectarla sobremanera, porque desde entonces renunció a la vida pública, y falleció poco después de un ataque al corazón; o eso creía Barry, al que le parecía recordar haber leído la noticia en un periódico. Ralph, según Barry, tenía otro hermano, un chico muy guapo que solía ir acompañado de tías despampanantes, muy dado a las broncas y a las juergas, y que, si la memoria no le fallaba, era famoso en todos los clubes de Edimburgo, de Manchester y de Londres porque se bebía hasta el agua de los ceniceros, y Barry suponía que durante los últimos años debía de haberse pulido en alcohol y drogas la fortuna que había heredado...

Me levanté de la mesa muy despacio, procurando aparentar tranquilidad. No quería que ninguno de los presentes advirtiera cuánto me había impresionado la historia para que no dedujeran hasta qué punto apreciaba a su protagonista. Me disculpé aduciendo cansancio, cosa que a nadie le sorprendió, puesto que estaban más que acostumbrados a mi escasa sociabilidad, y me fui al cuarto de baño a vomitar el té, un líquido tan bilioso y oscuro como la historia que acababa de escuchar.

Acababa de comprender que Ralph no me querría nunca.

Ralph no me querría nunca, Mónica no me querría nunca... Mónica había elegido a su novio de apellido compuesto, que tenía dinero, y posición, trabajo estable, sueldo fijo y un pene que le colgaba entre las piernas.

Castellana abajo caminé durante lo que a mí me parecieron horas, y mis pasos me condujeron, por pura inercia, al Retiro. Busqué un hueco fresco y sombreado frente al lago, al abrigo de un sauce llorón. El dolor me había bloqueado, como bloquea el miedo a todos los animales, y me había dejado paralizada, incapaz de reaccionar. Se sucedieron las horas sin que yo me diese cuenta; el cielo fue cambiando de color; a mi alrededor las parejas se sustituían por otras parejas; aparecían y desaparecían señores y perros y ciclistas; y los cisnes recorrían una y otra vez el lago buscando miguitas de pan.

Rilke dijo que la belleza consiste en el grado de lo terrible que todavía podamos soportar. Yo había soportado cosas terribles, o no. Terribles son las imágenes de los telediarios, los cuerpos calcinados en las guerras, los niños famélicos, las mujeres violadas, la mirada imborrable del odio en los rostros infantiles, esos conmovedores llantos inaudibles que nacen de las sordas minas del hambre. Quizá había víctimas de primera y segunda categoría. Quizá nada importaba nada, si, al fin y al cabo, todos venimos de lo mismo y acabaremos en lo mismo. Al morir nos descompondremos en hidrógeno, helio, oxígeno, metano, neón, argón, carbono, azufre, silicio y hierro y retornaremos, después de millones de años, cruzando la atmósfera, a nuestro lugar de origen, el sol, una estrella agonizante, una bomba de hidrógeno en permanente explosión.

El sol, la luna y las estrellas salen siempre por el este y se ocultan por el oeste. Resucitan cada noche, cada noche, y completan idénticos ciclos que vuelven a repetir una y otra vez. Ahí seguirían, pensé, aunque yo muriera. Existía allí arriba un orden, una predicibilidad, una permanencia en los astros casi tranquilizadora, que me hacía sentirme insignificante. Porque ajeno a lo que a mí me sucediera, el mundo seguía su curso, y así lo demostraba la tarde que caía, inexorablemente, derramando sobre el cielo violetas y grises, como venía repitiéndose desde hace trillones de años, como seguiría haciendo trillones de años más, cuando mi cuerpo se hubiese reinsertado en la rueda de la naturaleza, y se hubiese convertido en tierra, en planta, en animal.

Saqué mi cartera y la registré. Aparecieron papelillos, unas cuantas pastillas envueltas en papel de celofán, una papelina de coca, las fotos del fotomatón... Nuestras tres caras impuestas al olvido.

El cielo, convertido de noche en un lienzo brillante, presidía mi angustia nocturna. La luna llena a la que tanto había temido de pequeña reinaba allí arriba, bien arropada por su corte de estrellas, la muy zorra. Ella, tan acompañada, me hacía sentir más sola. Daba la impresión de que se reía de mí. De niña me enseñaron que alguien que me amaba vivía allí arriba, que las nubes ocultaban la ciudad de Dios. La bóveda estrellada sobre mi cabeza aún excitaba mi curiosidad. Allí vivían, en mi infancia, los ángeles, los santos y los profetas, y yo miraba al cielo como si esperase una respuesta escrita a golpe de luz. Deseaba que alguien en quien no creía escuchase mis plegarias, comprendiese mi desazón. Pero el cielo me decía únicamente que había llegado el fin de un día largo, que se hacía tarde, que debía regresar a casa. Que allí no vivía nadie, sólo unos cuantos satélites solitarios condenados a acabar sus días en la órbita cementerio.

Y entonces me levanté y caminé hasta la salida. Frente a la puerta de Alcalá encontré una cabina. Y cuando mi padre descolgó le dije sencillamente: Soy Beatriz. Quiero volver a casa.

No hay nada que conecte físicamente la Tierra y la Luna, y sin embargo la Tierra está constantemente tirando de la Luna hacia nosotros. La Luna sigue una línea tangencial a su órbita alrededor de la Tierra. La Luna ama a la Tierra, que ama a su vez al Sol, para demostrarnos que estos pequeños dramas de amor y desamor que día a día vivimos no son patrimonio de la Humanidad; como tampoco lo son estos sistemas familiares o laborales en los que los unos dependen de los otros. La Luna controla las mareas y los ciclos de vida de muchos animales. La Luna es femenina porque el ciclo de la Luna, que se completa cada veintiocho días, coincide con el ciclo menstrual (un dato crucial para una especie apasionada, y obsesionada por su continuidad). Está comprobado estadísticamente que existen más asesinatos en las noches de luna llena. No es extraño que de pequeña yo tuviera miedo a la luna llena. Tenía razón.

Ralph también me dejó en luna llena. Volvimos a vernos muchas tardes, volvimos a encontrarnos en la cafetería, volvimos a mantener conversaciones triviales como si nunca nos hubiésemos abrazado, como si no hubiésemos compartido cama, sudores y orgasmos. Como si no tuviéramos memoria. Esa frialdad tan absurda que acepté sin discutir, con la resignación con la que se toma lo que viene dado.

Sucedió una noche en la que Cat estaba trabajando en el bar y yo volvía a atravesar uno de mis momentos negros. De pronto me encontré sola y desamparada, lejos de Madrid, de mi casa, de Mónica, inmersa en una vida que no entendía y en la que no participaba. Necesitaba desesperadamente hablar con alguien, sentir a alguien cercano, atravesar las aguas de aquel océano fangoso, ascender a la superficie y tocar la luz con las puntas de los dedos. No podía contar con Cat en ese momento, porque ella tenía prohibido recibir llamadas en el trabajo excepto por urgencia absoluta. Así que llamé al servicio de información telefónica y pregunté por el número de Ralph. Mr Scott-Foreman; 9, Baker Street. Por increíble que resulte, no sabía su número, nunca le había llamado por teléfono.

Su voz grave y oscura, aislada de su persona, disociada de su consistencia física, adquiría un matiz distinto y sonaba intensamente follable. Me atrapaba con la inmediatez con la que la música se hace con los sentidos. De pronto me invadió una necesidad imperiosa de sentirle cerca, de bailar al ritmo de esa voz cadenciosa, de dejarme llevar por su corriente de testosterona. A pesar de que yo nunca le había llamado antes ni él me había proporcionado su teléfono, no parecía sorprendido. ¿Cómo estás?, preguntó. Dejé transcurrir unos segundos durante los cuales podía escuchar el *ambient* que sonaba en el fondo del auricular. No sé, respondí finalmente. No muy bien. ¿Qué sucede?, preguntó él. Me siento sola. Todos estamos solos, respondió. Cuanto antes te acostumbres a ello, mejor. No quiero empezar a acostumbrarme esta noche. No precisamente esta noche. Esperaba que me invitase a su casa, pero él no dijo nada. Los sintetizadores de The Orb volvieron a tomar posesión del silencio. ¿Qué haces?, pregunté al final. Trabajando en mi tesis, respondió, y debo volver a ella. Cuídate. Nos vemos pronto. Y colgó.

Salí a la calle. Iba cayendo la helada, iba cayendo la noche, y la niebla iba tomando posesión de la ciudad a igual velocidad que la inquietud que devoraba mi organismo; se diluían los contornos de los edificios amenazantes, el mundo parecía liviano y un tanto vacío. Caminaba por Edimburgo y me sentía como en un sueño. Los puntos de referencia —el castillo, el puente, la montaña— suspendidos en el aire como decorados de tramoya, aislados e inconexos entre la niebla. Avanzaba a la deriva en un paisaje incompleto, una especie de boceto del Edimburgo que conocía, farolas y torres flotando fuera de contexto, en el aire salpicado de puntitos luminosos.

De pronto la vi en el cielo, inmensa, presagiante, velada por las lágrimas y por las nubes y por el vaho de mi propia respiración. La imagen empañada de la luna llena. Superstición absurda, pero el caso es que yo, por tradición, hacía el amor todas las lunas llenas, desde que conocí a Cat. Todas las lunas llenas, excepto aquélla. Oh sí, hubiera podido volver a casa y esperar hasta que ella llegase, cómo no. Pero no deseaba hacerlo con Cat, porque estaba deprimida y no disponía, por tanto, de la energía ni la sonrisa necesarias. Debía tener una especie de fidelidad absurda hecha un cromosoma, impresa en mi dotación genética, que me forzaba a desear a Ralph y sólo a Ralph, al menos esa noche. Así que desanduve el camino a casa zigzagueando por las aceras, esquivando a borrachos, pensando. Mi rival, mi competidor, mi amante, aquel hombre al que le envidiaba de corazón el dinero, la tranquilidad y la sangre fría de las que yo carecía, me había fallado cuando le necesitaba.

Por una parte me sentí enormemente culpable por querer imponerle mi presencia a todas horas, por ser tan posesiva y exigente, por querer que él viviese su vida para mí. Por otra, ¿acaso no había leído en tantos libros que era aquél un sentimiento universal, aquella obsesión por el objeto de deseo, aquella ansia de exclusividad? Los dos habíamos sido unos cobardes. Yo no me decidí entre Cat y él. Él no se decidió por mi persona.

Me pregunté a mí misma, Beatriz, ¿por qué? Cuando resulta evidente lo que te pasa, que dentro de ti ya has elegido, que te quedas con la legítima, con tu chica gato, la que puede ofrecerte una estabilidad y un lazo sólido que os une, tejido a base de tiempo y complicidades construidas poco a poco, ¿por qué no asumes hasta el fin tu elección? ¿Por qué no dejas de llamar a Ralph, por qué te obsesionas con lo que no tienes? ¿Por qué no asumes de una puñetera vez que lo que no puede ser, no puede ser, y además es imposible?

Lo que dolía, lo que dolía de verdad era aquella herida infectada de impotencia, aquel querer y no poder que me comía viva. La esencia de mi angustia radicaba en los deseos reprimidos y los encuentros abortados. Todo lo que podría, y no podía, dar y recibir. *For all the lovers and sweethearts we'll never meet*. Y yo me preguntaba, ¿cómo me atrevo a reclamar exclusivas que yo misma no puedo conceder?

Me detuve frente a una cabina roja. Entré. Había retenido el número de Ralph, impreso en la memoria con la tinta del deseo. Introduje una moneda y marqué los siete números. Él descolgó.

—Soy yo otra vez. Quiero verte —dije.

—Te he dicho que no puedes —respondió.

—¿Hay alguien más ahí? —pregunté.

—Nadie, sólo yo.

Larguísima pausa. The Orb continuaban sonando en la distancia, poniéndole banda sonora a mi ansiedad. Al cabo de un rato volví a escuchar su voz. Beatriz... Su nombre sonaba distinto en sus labios, ya no era mi nombre, el que me dio mi madre, ahora era el nombre que él me daba, que me convertía en otra con sólo mencionarme, cuando cambiaba por una ese la zeta de mi nombre. Beatrice... Él no quería ser mi Dante.

—Beatriz, creo que esperas demasiado de mí. Que esperas algo que yo no puedo darte. Hay ciertas cosas que no puedo permitirme.

—¿Qué es lo que no puedes permitirte?

—Dejémoslo aquí. Beatriz, no quiero llegar más lejos. No quiero explicarte... Y tú eres demasiado lista como para seguir preguntando.

No dije nada.

—¿Estás bien? —le oí decir.

No dije nada más. Volví a colocar el auricular en su sitio. Él nunca me había prometido nada, y tenía razón. Yo no tenía siquiera derecho a las preguntas.

Nunca he tenido derecho a las preguntas, ni a las respuestas ni a las explicaciones de ningún tipo. Ralph me pilló preparada, acostumbrada a acatar las decisiones ajenas sin discutirlas ni cuestionarlas, a dar por buenos comportamientos absurdos sin preguntar, sin exigir, sin reclamar, a creerme que yo no merecía ser querida, ni respetada, ni aceptada. Por eso no luché por él. Un ejemplo: cuando regresé a casa, aquel último verano en Madrid, tal y como Mónica me había aconsejado, no hubo recibimiento de ningún tipo. No parecía importarles un comino si yo estaba en casa o no, y a mí ni se me ocurrió que las cosas pudieran ser de otra manera. Mi madre se encerró en su cuarto durante días, pretextando jaqueca, y mi padre no estaba nunca. Salía a trabajar a las ocho de la mañana y no volvía hasta bien caída la noche. Se estableció un sistema raro. Desaparecieron los horarios, las rutinas, los sistemas. No existía una hora para comer o para cenar. Mi madre desayunaba y después se encerraba en su cuarto durante todo el día. Salía alguna vez —muy pocas— para jugar a las cartas con sus amigas, y en aquellas ocasiones ni siquiera se despedía de mí. Por lo visto, había decidido no tener nada que ver conmigo. Yo sabía que entraba o salía porque escuchaba el ruido de la puerta al cerrarse, y entonces deambulaba por la casa como un fantasma, o aprovechaba para hacer incursiones a su botiquín y hacer acopio de las pastillas que me ayudaban a soportar todo aquello. No sé si mi madre esperaba que yo comiera sirviéndome yo misma algo de la nevera, no sé si le importaba algo si yo comía o no. Pero no, no comía. No comía, apenas dormía, ni tampoco hacía gran cosa. Vegetaba. Me encerraba en mi cuarto y, tumbada en la cama, miraba al techo e intentaba mantener la mente en blanco, porque mi cabeza parecía incapaz de seguir funcionando, como si algún resorte interno hubiese saltado por un exceso de presión y el mecanismo ya no funcionase. Ya no me reconocía a mí misma, me había perdido. Cuando intentaba leer, las letras se desdibujaban, se ampliaban y se empequeñecían como una mancha de aceite flotando en un mar tormentoso, y si, haciendo un esfuerzo enorme, lograba descifrar varias palabras, era para descubrir que la frase que componían carecía por completo de sentido para mí. Si intentaba escribir, aparecía en el papel un trazo desigual que no reconocía como mío, y que tampoco articulaba nada coherente. Alguna vez me dio por encender la televisión, pero me parecía que las pequeñas figuritas humanoides de la pantalla nada tenían que ver conmigo, que vivían en un mundo diferente, a millones de años luz de mi realidad.

Tampoco podía dormir. En cuanto apagaba la luz, una angustia constante me roía por dentro como un gusano alojado en una manzana, y daba vueltas y vueltas y vueltas en la cama. A veces conseguía conciliar brevemente el sueño, pero al instante pegaba un brinco, sacudida por una imperiosa sensación de alarma, con la impresión de que desde dentro de mí alguien me avisaba de que estaba a punto de adentrarme en territorio peligroso.

Las pastillas que le robaba a mi madre no conseguían que durmiera, pero me mantenían en una especie de ensoñación nebulosa que diluía el tiempo: los días se fundían unos con otros en una amalgama absurda. Horas que sucedían a horas que sucedían a horas que sucedían a horas en un amontonamiento informe de minutos inútiles, encerrada en mi cuarto, comprobando en la esfera de mi despertador la implacable progresión de las agujas, mientras mi escasa lucidez se consumía a un ritmo lento y constante, como la ceniza de un cigarrillo.

Vivíamos en un quinto. Dos o tres veces al día me asomaba a la ventana de mi cuarto e imaginaba un último salto. Unos cuantos segundos en picado, y luego el cráneo que se estrella contra el pavimento. Miraba al suelo, y las baldosas parecían agrandarse y agrandarse, amenazaban con hacerse tan enormes como para absorberme en aquella inmensidad gris espejismo.

Al cabo de unos días, no sé cuántos, tres, o cuatro, o cinco, o quizás una semana, o más, decidí ducharme por vez primera desde que volví a casa. Tampoco había comido desde entonces. Lo había intentado, pero cada vez que me acercaba a la nevera me sobrevenían unas náuseas vertiginosas, como si un enanito alojado en la garganta se dedicase a tirar de mi estómago con un hilo y lo empequeñeciera.

Me di una ducha muy caliente, a pesar de que estábamos en pleno agosto. Cuando salí, al inclinarme sobre los grifos para asegurarme de que los cerraba bien, me sentí de improviso comprimida entre aquella asfixiante blancura de baldosas que bailaban a mi alrededor. Intenté buscarme en el espejo para conseguir un punto de referencia, pero no me encontré. Mi propia imagen me había abandonado. Y luego sentí que el desagüe de la bañera me atraía irremediablemente como al agua, en un torbellino. No opuse resistencia y me dejé caer, caer, caer.

Me encontró mi padre, poco después, desmayada en el suelo del cuarto de baño. Aquel día era sábado y él no había ido a trabajar. Le costó un buen rato reanimarme. Cuando abrí los ojos no recordaba nada. No sólo cómo me había caído; tampoco recordaba mi nombre, ni reconocía al señor que me había despertado. Él pensó que me había dado un golpe en la cabeza.

El médico diagnosticó una depresión nerviosa.

Primero estuve en un hospital, no demasiado tiempo, me parece, aunque lo cierto es que no recuerdo gran cosa. Creo que me sedaron. En la memoria conservo la imagen de un tubo conectado a una botella; ese tubo acababa pinchado con una aguja en mi brazo y rematado por un esparadrapo. Estaba desnutrida y deshidratada, y sufría una crisis de agotamiento nervioso, o eso me explicó mi padre más tarde, cuando vino a recogerme para llevarme de vuelta a casa. Su coche olía a tabaco y a colonia de lavanda, y durante el trayecto entero no cruzamos una palabra.

Sé que casi todo agosto lo pasé en la cama. Por lo visto me dio por llorar y derramé todas las lágrimas que debí haber derramado antes. Me despertaba a gritos por las noches, en medio de convulsiones histéricas. Eso también me lo explicó mi padre, porque yo no logro acordarme de aquel mes. Por lo visto mi madre permaneció casi todo el tiempo a mi lado, en la cabecera de la cama. No lo recuerdo. No me vienen imágenes a la cabeza. Mi cabeza es indulgente y lo ha borrado todo, cubriendo aquellos días con un velo piadoso y negro.

Después mi padre me envió a otro psiquiatra. Esta vez se trataba de una mujer joven, bastante guapa, con una voz apacible y melodiosa, que me hacía muchas preguntas. Preguntas cuyas respuestas yo elaboraba cuidadosamente antes de decidirme a contestar, para no suministrarle demasiada información comprometida; y así, al menos al principio, me las arreglaba para acabar hablando de poesía o de pintura. Pero al cabo de dos o tres semanas pensé que al carajo, que me daba igual lo que les contase a mis padres, y empecé a sincerarme. No hablé nunca, por supuesto, de la última semana de julio, ni de nuestros trapicheos, ni del posible asesinato que yo quizá había cometido. Pero hablé de mi madre y de mi padre y de la atmósfera gelatinosa, irrespirable, de mi casa y de la envidia irreprimible que sentía al confirmar que no todas las familias eran así, que había lugares en los que la gente se hablaba e incluso se quería. No, no odiaba a mis padres. ¿Qué culpa tuvo mi padre de que le endosaran de por vida a una niña malcriada a la que casi no conocía, y a la que nadie le permitió conocer? ¿Qué culpa tuvo mi madre de encontrarse de la noche a la mañana encerrada en un piso enorme junto a un hombre que nunca estaba y que no le hacía el menor caso? Nadie le había enseñado a valerse por sí misma, no la prepararon para lo que se avecinaba. No, no hay culpas, sólo causas. Y una intenta enterrar el dolor, pero ese dolor se filtra a través de la tierra bajo tus pies y acababa envenenando el agua que bebes y contaminando el aire que respiras, sin que tú misma sepas qué es lo que te hace sentirte tan mal.

El polvo del centro de la Vía Láctea es como niebla, opaco a la luz visible e impenetrable para los astrónomos que quieren escudriñar su interior con telescopios ópticos. Por eso sabemos menos acerca del centro de nuestra propia galaxia que de los de otras mucho más alejadas. De la misma forma, nos resulta mucho más fácil entender las trampas que regulan el funcionamiento de cualquier familia, o de cualquier pareja, que las de la propia.

Se me ocurren millones de razones por las que me volví loca.

Pero las más importantes son las que no se me ocurren, las enterradas.

Una tarde mi padre regresó del trabajo más temprano que de costumbre, y me propuso que fuésemos a tomar algo. Lo inusitado de la proposición —mi padre en la vida había mantenido una conversación larga a solas conmigo— me hizo barruntar que algo importante estaba a punto de suceder.

Me llevó a un bar que estaba en la plaza de las Salesas, un sitio oscuro animado por una música suave de jazz, matizada, sin estridencias, y concurrido por algunas parejas de mediana edad que se distribuían por las mesas. Preferí no adivinar si mi padre se descolgaba a menudo por aquel bar, ni con quién. Él pidió un güisqui solo y yo una tónica, ya que la psiquiatra me había advertido que no podía tomar alcohol porque me estaban medicando a base de ansiolíticos. Nos sentamos en una mesa de un rincón y se me ocurrió pensar qué aspecto ofreceríamos a los camareros. ¿Se imaginarían que yo era su hija o me tomarían por una amante jovencita? Mi padre seguía siendo bastante atractivo, pese a su edad. Mi madre repetía siempre que de joven había sido guapísimo, y aún conservaba restos de su antigua belleza: la nariz griega, por ejemplo, y los ojos azules, de un azul uniforme, mucho más claros que los míos. Vestía bien, y olía mejor, y empecé a comprender la razón de sus ausencias. Siempre lo había sabido, en el fondo, pero nunca me había resultado tan evidente.

Me habló con mucha calma, y le agradecí con todo mi corazón que me tratase en todo momento como a una adulta, sin paternalismos.

—Beatriz —me dijo—, he estado hablando con tu doctora. Te considera muy inteligente, casi una superdotada, aunque eso ya lo sabíamos.

Primera noticia. Yo siempre había tenido la impresión de que me tomaban por idiota.

Continuó: No habíamos tenido ocasión de hablar del tema, pero se suponía que yo ya debía estar haciendo la preinscripción universitaria. Mi padre daba por hecho que, dadas las circunstancias, yo ni siquiera me habría parado a pensar en el tema. Y era verdad. Yo había coqueteado durante el curso pasado con la idea de estudiar derecho o económicas, pero ahora todo aquello se me antojaba una posibilidad remota ¿Cómo pensar siquiera en estudiar cuando no era era capaz de leer tres líneas seguidas? Así que asentí con la cabeza y él prosiguió con su discurso. La doctora tampoco creía conveniente que comenzase mis estudios universitarios ese mismo año y opinaba que lo más sensato sería aplazar un curso la decisión. Le había dicho a mi padre que la influencia de mi madre no era beneficiosa para mí, que mi equilibrio emocional se resentía del ambiente familiar, y había sugerido que me internasen en una clínica privada para que yo siguiera una terapia intensiva. Contuve la respiración: no quería ir a parar a ningún sanatorio. Pero a mi padre todo aquello le parecían tonterías (yo suspiré aliviada al escucharlo), y, si bien estaba de acuerdo con la doctora en que debía alejarme de mi madre, no iba a consentir, me dijo, en ingresar a su propia hija en un loquero, para que los médicos la atiborrasen de pastillas como ya habían hecho con su mujer. Él había pensado en enviarme fuera de España un año, para que aprendiera inglés, como hacían tantos colegas de su trabajo con sus hijos. Y luego, a la vuelta, ya veríamos si yo quería ingresar en la universidad o no. Quería saber si yo me sentía lo bastante fuerte como para soportar un año de soledad. Le dije que sí, por supuesto. Ardía en deseos de poner tierra de por medio. Fuera de España, no había posibilidad de que cualquier día, en cualquier esquina, un niñato se abalanzara sobre mí y me rajara la cara. Y otra cosa: no pisaría la misma ciudad que Mónica. No deseaba verla más. Cada vez que pensaba en ella, un pinchazo de dolor me atenazaba el cuerpo.

Sospechaba que mi padre hacía todo aquello para librarse de mí, y no podía reprochárselo, puesto que cualquiera en su sano juicio hubiera temblado ante la idea de convivir bajo el mismo techo con dos locas histéricas que se pasaban el día a la greña, y ya que a mi madre no podía quitársela de encima, parecía mejor idea deshacerse de mí. Pero quizá fuese cierto que de alguna manera yo le preocupaba, que deseaba hacer algo para arreglarme la vida. Al fin y al cabo, era su hija, llevaba sus apellidos en mi nombre y parte de sus características impresas en mis genes. Intenté recordar si nos habíamos querido alguna vez, si había existido entre nosotros algún tipo de vínculo paterno-filial. En principio, lo único que recordaba de nuestra convivencia era la más absoluta indiferencia mutua espolvoreada de ocasionales episodios de violencia. Pero, buceando en la memoria a la búsqueda de tesoros escondidos, alcanzaba a recordar otros momentos, me venían a la memoria repentinas ráfagas de infancia.

El Escorial, un verano. El jardín de nuestra urbanización. No sé cuántos años tengo. He recogido un ramo de florecillas silvestres y corro a entregárselo a mi padre. Él me da las gracias con mucha ceremonia, como si se tratase de una ofrenda muy importante. Se me ocurre que debía de querer mucho a mi padre si estaba tan ansiosa por hacerle aquel regalo.

Unas vacaciones de Navidad. Mi padre me regaló un calendario de Adviento, en el que se marcaban los días que transcurrían desde Pascua hasta la Nochebuena. Cada día estaba señalado con un dibujo alegórico en una ventanita, y, al abrirla, se descubría dentro una chocolatina con forma de conejito de pascua. Nunca cedí a la tentación de comerme una chocolatina antes de tiempo, nunca me comí el conejito del día siguiente, y guardé el calendario, inútil ya y vacío, durante mucho tiempo, después de que la Navidad hubiera pasado.

Colegio. Por alguna razón mi madre no pudo venir a buscarme durante una temporada (se me ocurre que probablemente estaba enferma) y durante muchas tardes mi padre se ocupó de venir a recogerme. Llevaba barba entonces, una barba blanca, y mis compañeras le comparaban al abuelito de Heidi. Me molestaba que creyesen que era mi abuelo, pero a la vez me sentía muy orgullosa de él.

Imposible determinar a qué edades corresponden estos recuerdos. Imposible precisar en qué momentos se desgajó ese frágil cordón que nos unía. Imposible convenir cuándo tomé partido por mi madre y empecé a odiarle. Imposible averiguar hasta qué punto le quise, pero una semilla de dolor en el recuerdo me hacía sospechar que sí le quise mucho, cuando era muy pequeña, de esa forma absoluta en que todos los niños adoran a sus padres. Creí que había borrado aquel sentimiento por completo, pero subsistía un poso de cariño en algún rincón de mi subconsciente que me hacía sentir agradecida pese a todo, y quizá él me estaba ofreciendo aquella salida no porque ansiara dejar de verme de una vez, sino impulsado por otro poso de cariño similar.

¡Qué poca importancia tiene ahora todo aquello...! El caso es que habíamos quemado todos nuestros puentes y ya no volveríamos a acercarnos nunca. Una enorme distancia se había abierto entre nosotros. Por supuesto yo habría preferido contar con un padre y una madre que me quisieran, haber podido confiar en un punto de referencia estable, una fuente de afecto permanente a mi disposición. Pero también habría podido nacer en Bosnia, o en Uganda o en Zaire, y haber vivido experiencias muchísimo peores. La casualidad juega un papel crucial en cada historia. Cada proceso evolutivo se caracteriza por una poderosa aleatoriedad. El choque de un rayo cósmico con un gene diferente, la producción de una mutación distinta... nanosegundos de consecuencias profundas, quizá no evidentes al principio, pero cruciales al cabo de unas eras. Cuanto más tempranamente ocurren los acontecimientos críticos, más poderosa será su influencia sobre el presente. Y este axioma se admite para la historia, para la biología, para la astronomía... Para nuestra propia vida.

Nacemos determinados por una serie de condicionantes, materiales y emocionales. Podríamos haber nacido en otra casa, en otro país. Podríamos haber sido más o menos ricos, más o menos queridos. El sitio a donde fuimos a parar, las personas que nos criaron, las enseñanzas que nos transmitieron, la percepción de nuestra persona que nos hicieron admitir, el afecto que nos profesaron... Eso marca.

Pero tiendo a creer, quiero creer, que aunque nacemos con unas cartas dadas está en nuestra mano cómo jugarlas.

Una radiación, bautizada por científicos como el Fondo Cósmico de Microondas, constituye el origen de la vida y lleva en sí la huella de la materia oscura y la materia brillante. Inunda el universo, lo impregna todo, pero no está asociada a ningún objeto en particular. A fin de cuentas todos somos una parte de un todo mucho más grande que nos integra, todos llevamos dentro el caos y el orden, la creación y la destrucción. Todos somos al mismo tiempo víctimas y responsables de nuestra propia vida. Para lo bueno y para lo malo, todas las sendas de lo posible están abiertas a los pasos de lo real. Pero no todos somos tan sabios como para comprenderlo ni tan audaces como para trazarnos un itinerario.

No merece la pena pensar demasiado en todos esos amores no correspondidos que suponen mi infancia, los que me han impedido —supongo— saber dar y recibir amor cuando me he hecho mayor. Y sé que hay gente que ha vivido experiencias similares, y las ha superado. Ralph, quizá. Caitlin, sin ir más lejos. Su madre no debía de quererla mucho si la dejó marchar sin decir una palabra. Ella no hablaba gran cosa de su infancia, de su vida en Stirling, ni yo tampoco me atrevía a preguntarle porque intuía que ella había edificado una muralla que aislaba el pasado, y no quería que se abriese en ella la menor brecha. Pero algunos detalles que advertí en nuestra convivencia me hicieron conjeturar todo tipo de historias de una tenebrosa sordidez... Su madre no la llamó ni una sola vez mientras vivimos juntas, ni tampoco su hermana. Nunca supe el nombre de su padrastro, porque siempre se refirió a él como a «ese bastardo». El hecho de que Caitlin cambiara automáticamente de canal cada vez que aparecía en la pantalla de la televisión una escena violenta, fuera del del tipo que fuere, o su exagerada indignación si leía en el periódico una noticia sobre abusos sexuales a menores... Las leía y releía y las comentaba infinitas veces haciendo gala de un interés morboso que me hacía sospechar. Luego estaba el asunto de sus cicatrices. Tenía muchas, en la espalda y en las piernas, y se negaba rotundamente a hablar de ellas. En fin, dos y dos son cuatro, y aunque una respete el derecho a la intimidad de su novia y opte por no hacer preguntas, eso no evita que presuma las respuestas. No quiero caer en la tentación fácil de asumir que si ella se negaba de una forma tan tajante a mantener intercambios sexuales con hombres fuese por reacción a unas relaciones tempranas y forzadas, ni dar por hecho que su exagerada dependencia emocional se debía a la falta de afecto. Sí sé que me sentía cercana a ella, atraída por una irresistible corriente empática, precisamente por saberla desamparada de alguna manera, y que probablemente no habría estado a su lado si hubiese contado con una familia feliz; de la misma manera que me acerqué a Ralph o a Mónica porque no se trataba precisamente de personas sociables o convencionales o aparentemente satisfechas con su vida. Lo importante era que Caitlin seguía adelante, y se jactaba, además, de ser una mujer fuerte. En su opinión no se debía nunca mirar atrás. La única vez que hablamos del tema, y yo dije que echaba en falta hermanos, o unos padres comprensivos, o una vida familiar algo más convencional, me contó una historia que solían repetirle cuando era pequeña en la escuela dominical de Stirling:

«En el principio de los tiempos los hombres utilizaban armas de piedra, que se quebraban con facilidad; pasados los siglos las sustituyeron por utensilios de hierro, que si bien eran mucho menos resquebrajadizos, presentaban la desventaja de oxidarse rápidamente. Y entonces a un herrero se le ocurrió la feliz idea de crear una aleación de metales que llamó acero. Pero el acero, para llegar a serlo, debe pasar por las pruebas de los elementos: primero por el fuego, para fundirse, acto seguido por el agua y por el aire, para endurecerse, y finalmente por la piedra, para forjarse. Y por fin se convierte en una espada de acero, la más resistente de las armas».

—Y supongo —dije yo, irónica— que la moraleja de la historia es que uno sólo se hace fuerte después de superar todo tipo de pruebas.

—Fuerte no. Fuertes lo eran ya la piedra y el hierro —afirmó ella categórica—. Flexible. Ahí radica la diferencia. No puedes sobrevivir si no lo eres.

Parece que fue ayer cuando dejé Edimburgo. La primavera llegó sin avisar, y la ciudad amaneció un día vestida de novia, cubierta por un manto de flores blancas. Los parques resplandecían bañados de luz. Aún hacía frío pero ya no resultaba un suplicio pasear por las calles, todo se solucionaba con un par de jerseys. Mi estado de ánimo mejoró, y a veces me despertaba tarareando tonadillas pop que había oído en la radio o una canción de Bjork (el amor platónico de Cat) que se había instalado en mi cabeza como un invitado de lujo: *Violently Happy cause I love you*... Pero se acercaban los exámenes, y la perspectiva de todos los ensayos que tenía que entregar y todas las fechas y títulos que tendría que aprenderme de memoria ensombrecía a mis ojos el radiante panorama del Edimburgo primaveral. Prefería concentrarme en mis estudios para olvidar una decisión inminente que debía adoptar: ahora que me licenciaba, ¿qué se suponía que iba a hacer con mi vida?

Ralph también se encontraba muy ocupado redactando su tesis de doctorado sobre Rembrandt. Me lo encontraba a diario en la universidad y escuchaba sus comentarios enfurruñados sobre la ineptitud de los responsables de la biblioteca, incapaces de proporcionarle la documentación que buscaba. Contemplaba el vello que sombreaba sus nudillos y el corazón me daba un vuelco al recordar su tórax cubierto de pelo, y cómo, hacía no tanto, yo me había quedado dormida recostada contra su pecho.

Caitlin había debido advertir de alguna manera el cambio que supuso en mi vida el final de mis amoríos con Ralph, gracias a esa intuición de gato y de bruja que ella tenía y que le ayudaba a interpretar pistas invisibles para el resto de los mortales. Quién sabe, quizá yo ya no despidiera por las noches ese olor a leche agria que sucede al sexo, o quizá mi aura había cambiado de color y ya no era bermellón, sino color marfil. Caitlin había desterrado de su expresión un ceño adusto y preocupado que rondaba sus facciones mientras duró lo de Ralph, y ahora una radiante sonrisa le iluminaba la carita minina, haciendo juego con el blanco de las margaritas que sembraban los Meadows. Remoloneaba por la casa con expresión tierna y perezosa, me preparaba todo tipo de platos exóticos para «que repusiera fuerzas» y se esforzaba (podía notarlo) por sonreír y estar amable. A veces se sentaba en el enorme cojín marroquí del salón, enroscaba las piernas como una contorsionista, y se me quedaba mirando largamente mientras yo ordenaba bloques de folios fotocopiados.

Yo estudiaba a todas horas, tanto en la universidad como en casa. Pasaba las noches a solas con mis libros y mis apuntes, tomando notas y subrayando frases con rotuladores fluorescentes de tres colores: rosa, naranja y verde. Me emborrachaba de datos, de consignas y de fechas, y procuraba no pensar en lo que no debía. Las líneas impresas me mantenían anestesiada.

Una de esas noches recibí una visita inesperada. El timbre sonó a las nueve de la noche, acontecimiento inusitado porque no era normal recibir visitas en casa a la hora en que Cat estaba trabajando. Estuve tentada de no abrir la puerta, dando por hecho que se trataba de una equivocación, pero como los timbrazos eran insistentes no me quedó más remedio que salir a recibir al inoportuno visitante. Mi sorpresa fue mayúscula cuando al abrir la puerta me di de lleno con el rostro ratonil de Barry. Apoyado en el marco de la puerta, los filos de sus facciones pequeñas y angulosas aparecían más cortantes aún debido a la falta de luz. Me dijo que había venido a casa en busca de Cat, explicación que me resultaba absurda porque él debía de saber de sobra que Cat trabajaba aquella noche. Le ofrecí una cerveza y él asintió con la cabeza y se aposentó en una de las sillas de la cocina. Abrí el frigorífico, le lancé una lata de Heineken que cogió al vuelo y me senté frente a él. Sacó papel y una china, y empezó a liar un porro mientras me taladraba con sus brillantes ojillos de roedor.

—Veo que te lo tomas en serio —comentó, señalando con la cabeza la mesa abarrotada de papeles.

—No me queda más remedio, si quiero aprobar.

—Aprobar... ¿Eso es lo que quieres? ¿Lo que quieres de verdad?

—Claro que sí. Lo sabes perfectamente. Llevo tres años esforzándome por este puto título.

—Me sorprende la manera en que la gente se convence de que desea algo que no desea en absoluto. Secadores de pelo, vídeo, hipotecas, matrimonios... *Degrees*. Por cierto, ¿qué estudias? Literatura, ¿no?

—Literatura inglesa.

—Literatura inglesa... Flipo. En primer lugar no entiendo cómo alguien puede estudiar literatura: los libros se leen o no se leen, y punto. No se *estudian*. Lo que es yo, jamás he entendido eso de la crítica literaria. Si alguien tiene que venir a explicarte un libro, es que no has sentido nada al leerlo. Malo.

—Eso es discutible... —le contradije—, un texto no se entiende sin sus condicionantes: sociedad, historia, psicología, grado de libertad...

—Y un huevo. Un texto debería entenderse por sí mismo, o cada lector debería entenderlo a su manera. Pero darle al texto un contexto, una explicación, significa imponerle un límite, dotarlo de un significado final, cerrarlo. O sea, que una vez que la sacrosanta crítica ha dictaminado su opinión, el texto está explicado. Victoria para el crítico, y control del lector, al que no se le permite la existencia de un criterio propio. Toma el *Ulysses*, por ejemplo. Nadie me convencerá jamás que esa gilipollez sin pies ni cabeza es una obra maestra...

—Nadie intenta convencerte. Por si no lo sabías gran parte de la crítica feminista opina que *Ulysses* está sobrevalorado...

—¿Sobrevalorado? No me digas... Ahí sí que fueron listos los irlandeses, eso se lo reconozco. Algo parecido intentamos nosotros con Burns y con Mc Diarmis, sólo que no nos salió tan bien Pero llegan los irlandeses con el librito incomprensible y con la palabra de cuatro críticos asegurando que es la obra maestra del siglo, que Joyce ha descubierto el monólogo interior, que esto y que lo otro... Y todo el mundo se lo cree, todo el mundo acepta el criterio de la autoridad, como acepta la palabra del Gobierno, o como cree lo que ve en televisión. La crítica literaria no es sino una forma más de control del Sistema.

—Estás simplificando las cosas, Barry... —objeté, pero me detuve ahí y no me esforcé en presentar argumentos porque no dejaba de creer que, a su manera, el discurso de Barry tenía un punto de razón—. Y además, a mí me gusta *Ulysses*. Bah, qué más da... El caso es que por absurdos que sean o no sean mis estudios no voy a dejarlos precisamente ahora, cuando tengo mi título al alcance de los dedos, como quien dice.

—No seas ingenua. ¿Para qué te sirve un título? ¿Para trabajar en un McDonalds? ¿Para morirte de hambre como Aylsa?

—¿Aylsa fue a la universidad? —pregunté—. Ni me lo imaginaba.

—Sí, bonita. Nuestra querida, o no tan querida, Aylsa fue a la universidad, por si no lo sabías. Se licenció en Filosofía allá por el jurásico, si la memoria no me falla. Yo también fui a la universidad, te lo recuerdo. Y mira dónde estoy.

—Creí que tú no trabajabas porque no te apetecía.

—No te confundas. Yo tenía planeado ser dentista, pero no tenía dinero para abrir una consulta. Así que acabé como enfermero en el hospital de Glasgow, cobrando un sueldo de mierda. Cada noche llegaban unos cuantos borrachos con la cabeza rota de un botellazo, o yonquis a punto de palmarla porque se habían metido un pico de estricnina. No sé cuántas cabezas cosí ni cuántos vómitos recogí. Luego, cuando se me acabó el contrato, pensé que estaría en el paro dos o tres meses, como mucho. Y ya ves. La universidad no te garantiza nada. Mételo en la cabeza. Nada.

—Pero no parece que te vayan mal las cosas.

—No me van mal, no. Hago mucho dinero. Pero también arriesgo mucho. Esto del trapicheo no es tan fácil como la gente cree, no.

Qué me vas a contar a mí, pensé para mis adentros. Pero seguí calladita.

—No, en esto se puede ser cualquiera. El éxito depende de muchos factores, entérate, y no sólo de los primeros en los que tú pensarías. No se trata de pasar el mejor material, no, ni de servir con la mejor rapidez, ni de ser el más eficiente, ni siquiera de no meterse lo que uno vende, aunque eso, por supuesto, también es importante. Hace falta, por ejemplo, ser un buen psicólogo. Saber cómo es una persona desde el primer golpe de vista. Interpretar sus gestos, sus miradas, su forma de vestir la ropa. Yo, por ejemplo, puedo oler a un policía a kilómetros de distancia. Y sé también cuándo alguien está tan ansioso que me pagaría por el material el quíntuple de su precio con tal de que se lo entregase en el momento.

Me sonaba a discurso repetido, a algo que ya había oído antes, y me acordé de Coco por primera vez en muchos años... ¿Qué habría sido de él? Barry me ofreció el porro. Rehusé con un movimiento de cabeza.

—Por ejemplo —continuó—, la primera vez que te vi, pensé: aquí hay una tía lista. No dijiste nada. Ibas detrás de Cat y me miraste de arriba abajo. Adelantabas las caderas con aire arrogante y te mantenías en tu sitio. Vale, me gustó que permanecieras callada porque la mayoría de la gente hace cantidad de preguntas absurdas para llenar el silencio que les oprime. La gente dice que eres borde. Pero yo no. Yo supe desde el primer momento que eras lista, y valiente.

Me miró a los ojos, creo que esperando una respuesta, pero permanecí en silencio. Así que él pegó una larga calada al porro y el humo se extendió por el comedor.

—Otro detalle esencial es el factor suerte. Yo tengo suerte. He tenido suerte esta noche al encontrarte aquí. A fin de cuentas, hoy es viernes y medio Edimburgo se está emborrachando como cada viernes por la noche. Podías no haber estado. Podías haber salido a bailar. Sin embargo tú, que te crees una chica lista, te has quedado a estudiar. Pero a veces parece que tu inteligencia no te sirve para nada —prosiguió—. Mira a Cat, por ejemplo. Te aseguro que gran parte de ese medio Edimburgo que baila daría un brazo por acostarse con ella. Hombres y mujeres. Y tú, que tienes ese chollo, eres incapaz de valorarlo, joder. No sé si te das cuenta del daño que le haces... Porque ella es una persona muy especial, muy sensible... Cuando yo salía con ella...

Interrumpió de nuevo su discurso y me dedicó otra mirada inquisitiva, como para comprobar que, efectivamente, me sorprendía la afirmación. Yo seguí sin decir palabra.

—Porque yo estuve con ella. Fue cuando llegó a Edimburgo... Caitlin tenía el pelo muy largo entonces, aún me acuerdo... Era muy guapa, casi más que ahora...

Se detuvo, y permaneció unos segundos mirando al vacío como si reviviera aquella imagen frente a sí.

—No lo sabías, ¿verdad? No, no te lo ha contado, claro. Es tan reservada con sus cosas... Podrá contarte la historia de todas sus novias, y explicarte si sus orgasmos eran clitóricos o vaginales, pero nunca hablará de lo que realmente le importa, ya sabes. Y tú eres tan arrogante que ni siquiera te has parado a pensar que el bueno de Barry... No, no nos acostábamos juntos, si es en eso en lo que estás pensando, pero éramos más pareja que muchas parejas que sí lo hacen...

Yo comprendí perfectamente lo que había querido decir: nosotras sí lo hacíamos.

—Bueno, pues la cosa es que Caitlin, porque nadie la llamaba Cat entonces... Caitlin y yo vivimos juntos varios meses, justo cuando yo vine de Glasgow. Ella acababa de llegar de Stirling no tenía dónde caerse muerta. Así que se vino a vivir conmigo, a un *squat* cerca de Leith Walk. Dormíamos juntos, pero no follábamos, y tampoco creas que a mí me importaba. Por entonces estaba muy metido en el coñazo ése del rollo tántrico y estaba convencido de que los ciclos de celibato eran buenos para el espíritu. En fin, a cualquiera le puede dar por ahí, supongo... Además, me metía tanta jaco entonces que ni siquiera hubiese podido follar aunque hubiese querido. Pero me he sentido más cerca de ella que de la mayoría de las mujeres con las que sí me he acostado.

Yo la quería mucho, y la quiero aún. Por eso no me gusta lo que haces con ella. Si utilizases tu cabecita privilegiada para algo, te quedarías con ella. Te darías cuenta de que es lo mejor que puedes encontrar.

—Y tú que la quieres tanto —pregunté yo, por fin—, ¿por qué crees que debo quedarme con ella? ¿No crees que le haría daño?

—No, a ella le vendría bien alguien como tú —me respondió—. Necesita alguien fuerte a su lado.

—Yo no soy fuerte —dije—; tengo un carácter muy débil.

—Reconocer la propia debilidad es un signo de fortaleza —afirmó solemne, inhalando largamente su cigarrillo de hachís.

Acercó su silla a la mía y me acometió un repentino impulso de retroceder, pero lo reprimí.

—No vendría a decirte esto si no creyese que fuese necesario. Casi nunca hablas conmigo, pero sé que me tienes respeto. Lo noto. Creo que estás a punto de cometer una equivocación. Porque tú quieres a Cat, estoy seguro. Aunque a veces tengo la impresión de que tú ni siquiera lo sabes.

No negué ni asentí. Él acercó su silla un poco más, hasta que nuestras rodillas se tocaron.

—Beatriz...

Me sorprendió que me llamase por mi nombre. Nunca lo había hecho hasta entonces. Quizá porque no sabía pronunciarlo.

—No sé —prosiguió— si conoces la historia de cierto pueblecito costero de las Highlands que, durante la guerra, organizó una muralla de defensa en su puerto formada por veinte bombarderos que habían recibido la orden de atacar a todo navío que llegara. Aquel remoto lugar estaba situado en un valle rodeado de montañas y resultaba prácticamente inaccesible por tierra. Era un pueblo tan puñeteramente insignificante que al Almirantazgo se le olvidó enviar por cable la noticia de que la guerra había acabado. Así que que durante años y años el pueblo permaneció incomunicado, atacando a todo barco que intentaba aproximarse...

—Muy bien... ¿Y qué me quieres decir con eso? —le interrumpí, arrogante.

—Que tu guerra ha terminado, y va siendo hora de que retires las defensas.

Y de repente, como si se hubiese dado cuenta de que ésa precisamente y no ninguna otra era la frase idónea para zanjar el discurso que le había traído hasta nuestra casa, se incorporó y anunció que se marchaba. Me alegré, porque su comportamiento me había parecido tan extraño que suponía que iba puesto de algo, y me daba miedo quedarme a solas con él y con su imprevisibilidad. Le acompañé hasta la puerta como una anfitriona modelo, y, ya con un pie en el felpudo, se detuvo, se apoyó en el dintel y volvió a atravesarme con una de sus extrañas y fijas miradas. Me estaba poniendo nerviosa, pero no podía evitar sentirme inundada de una curiosidad que me mantenía clavada en el sitio. De repente, él acercó apresuradamente sus labios a mi cara y me encontré con un inesperado beso en la mejilla. Inesperado por varias razones: porque la situación no lo requería, porque en Escocia el beso no es una cortesía formal de saludo, como en España, y sólo se besa a los amantes y a los niños, y porque de todas las personas que conocía en Edimburgo, Barry era el último a quien hubiera imaginado dispuesto a besarme. Acto seguido adelantó la cabeza muy despacio y me plantó los labios frente a los míos, ofreciéndomelos. Respondí y deposité un beso tímido en el borde de su boca. Seguimos besándonos superficialmente, sin pasar de tímidos jugueteos propios de dos niños y aún tardamos un poco en dejarle paso a nuestras lenguas. Nos fundimos después en un abrazo apasionado, intercambiando el calor de nuestros cuerpos. Ambos sabíamos que no llegaríamos más lejos, que no haríamos el amor. Ambos sabíamos que estábamos besando a Cat.

4. LUZ DESDE UNA ESTRELLA MUERTA

Me gustaría pensar que hay algo de cierto en el aforismo AMOR VINCIT OMNIA. Pero si algo he aprendido en esta corta y triste vida es que el tópico es mentira. Y el que lo crea, un insensato.

DONNA TART. *El secreto*

Cuando llamo al teléfono que me había facilitado Charo y pregunto por Mónica, me responden que no están autorizados a pasar llamadas telefónicas a los internos excepto si se trata de familiares directos o en caso de urgencia, pero me informan de que existe un horario de visitas, los sábados y los domingos por la tarde. Confirmo que tengo intención de visitar a Mónica y me explican cómo llegar hasta allí. Hay que coger un autobús y parar en un pueblo situado a cincuenta kilómetros al norte de Madrid. La granja se encuentra situada a la salida del pueblo, y desde la parada del autobús debo caminar una media hora a lo largo de la carretera. No tiene pérdida, pero en último extremo cualquiera de los lugareños me indicará cómo llegar. Dejo dicho que avisen a Mónica de que iré a verla, porque no quiero que mi aparición la coja por sorpresa.

El autobús, gracias a Dios, tiene aire acondicionado, y a pesar de los baqueteos el viaje no ha resultado demasiado molesto. En el momento de poner pie sobre el camino polvoriento recibo una bofetada de calor. Todo el paisaje a mi alrededor, blanco de luz, irradia una claridad dolorosa y me ciega de sol que reverbera en los muros de piedra. Esta ardiente calina me aprieta la garganta como una garra, y por un momento se me ocurre que quizá no sea capaz de hacer la caminata sin desmayarme.

Pero no me desmayo, y sólo tengo que preguntar dos veces para encontrar el sitio. La granja resulta ser una casa antigua de techo de pizarra rodeada por un muro de piedra. Un jardín enorme se extiende tras la casa, y alcanzo a vislumbrar un reflejo brillante entre la hierba amarillenta que podría ser una piscina, o una alberca. Se trata de un chalet como hay tantos en la sierra de

Madrid, y se parece a cualquiera de los que poseen en El Escorial los amigos más ricos de mis padres. Hay un grupo de chicos y chicas jóvenes que toman el sol sentados en las escaleras del porche. Todos visten chándales o vaqueros y camisetas y la expresión de sus caras exhibe una aterradora uniformidad: los mismos ojos vacíos repetidos en cada rostro, e idéntica expresión insulsa, como si acabaran de despertar. O como si estuvieran sedados. Me dirijo al grupo y afectando la mejor de mis sonrisas les pregunto si conocen a Mónica. Se miran entre sí antes de contestar y finalmente una de ellas me indica con un gesto la puerta que hay al final de las escaleras. Pregunta allí, me dice.

Apoyada en la puerta hay una chica que viste también vaqueros y camiseta. Sin embargo, advierto inmediatamente que no se trata de una paciente. En primer lugar, debe de rondar los treinta y cinco años; en segundo, lleva un teléfono móvil colgado de su cinturón; y, en tercero, la expresión aguda en los ojos, que se enfrentan a los míos sin reparos, la diferencia a las claras del grupo de chicos que he visto. En seguida esboza una sonrisa que sólo puedo calificar de profesional. Para no ser menos le tiendo la mano con exquisita corrección y me presento: me llamo Beatriz de Haya, llamé anteayer para concertar una visita. Vengo a ver a Mónica Ruiz Bonet. Ella me responde con la misma sonrisa impenetrable que Mónica bajará en unos minutos, me felicita por haber sido la primera en llegar, y me explica que los chicos que he visto sentados en la escalera también aguardan visita de sus familiares y amigos.

Me siento en la escalera a una prudente distancia del grupo. En momentos como éste desearía fumar, para poder entretener en algo esta dichosa espera. Al cabo de unos minutos siento una presencia tras de mí. Antes de volver la cabeza ya sé, sin necesidad de mirarla, que se trata de Mónica. Me alzo sobre mis pies y me giro.

Me cuesta reconocerla. Yo hubiese esperado de una heroinómana un cuerpo enflaquecido y un rostro demacrado, y, para mi sorpresa, tengo ante mí a una chica redondita de cara abotargada. Imagino que este aspecto hinchado es el resultado de un exceso de tranquilizantes. El pelo sucio, mal cortado y reseco, le cae sobre la cara como hebras de rafia, las facciones se han ensanchado y los ojos parecen hundidos en la carne, más apagados que entonces: el antiguo brillo de su mirada debe de haberse ahogado como luz en sus venas encallecidas. No queda en ella el menor rastro de su antigua prestancia, de su chic.

Mónica me mira de arriba abajo y me dedica una amplia sonrisa de reconocimiento que parece sincera. «Bea... Cuantísimo tiempo... Me alegra tanto que hayas venido...» Se me cuelga del brazo en un gesto pacato y me propone que vayamos a pasear por el jardín. Me pregunta qué ha sido de mi vida y yo le hago un breve relato de mis años en Edimburgo, de la carrera que he estudiado, de la rutinaria existencia transcurrida entre estudios y frío. No hago ninguna referencia a Cat.

Me lleva a recorrer la granja y me enseña un gallinero donde habitan unas cuantas gallinas raquíticas y su gallo, y un huerto en el que crecen lechugas, tomates, patatas y unos calabacines enormes, tan grandes que parecen el resultado de una mutación genética. Son comestibles, aclara, pero no tan sabrosos como los más pequeños, por eso no los he visto nunca en tiendas. También hay unos cerdos a los que apenas nos acercamos. En todo momento intento disimular la repugnancia que me provoca el olor de la granja, especialmente el gallinero. Se me viene a la cabeza que Cat creció en un ambiente semejante, y pregunto si hay establos. «Hay uno —me responde—. Podemos verlo luego, si quieres. Sólo tenemos una vaca. No hay caballos ni burros, porque no los necesitamos. Ésta es una granja muy pequeña. Más simbólica que otra cosa.»

Nos sentamos en un banco de madera. A nuestros pies crecen unas flores raquíticas. Le pregunto cómo ha ido a parar a este sitio y ella me dice que es una historia muy larga como para contármela, que sólo puede hacerme un resumen sucinto, una historia que no difiere mucho de la que Charo me ha contado. Cómo al principio intentó jugar al juego de la niña buena y pija, y cómo se aburría horriblemente, y cómo después de siete meses de salir con Javier, y de haber ido a esquiar a los Alpes y haber pasado fines de semana en el Algarve y haber montado a caballo en La Dehesa los fines de semana y haber cenado en La Dorada y haber visto películas que tenían a Demi Moore como protagonista, y haber ido a conciertos de Eric Clapton y Joe Cocker, y haber hecho, en suma, todo lo que de la novia de un joven y brillante ejecutivo podía esperarse, acabó por volver con Coco, que no la había palmado en aquel hotel, pero que la palmaría año y medio más tarde de un pico chungo, una cosa absurda porque para entonces Coco llevaba muchos meses sin probar el jaco y se había metido aquel pico casi en broma, para darse un homenaje, como él dijo, y a partir de entonces todo se resumía en una caída vertiginosa, un descenso en picado, la vida consistía en ir a pillar y meterse y volver a empezar, y al principio no había mayor problema porque el dinero le sobraba, pero luego le empezó a hacer falta más dinero y cada mañana resultaba más difícil levantarse, y un buen día ya no sabía quién era, ni con quién se iba a dormir, ni dónde se despertaba. Pero todo eso, gracias a Dios, ha quedado atrás, me dice, pues el servicio a la comunidad le ha proporcionado una felicidad desconocida, y me describe el trabajo diario que realiza —ir a rastrillar la huerta, dar de comer a los animales, limpiar los dormitorios, ayudar en la cocina— con la mayor vulgaridad, sin un asomo de ironía. Relata estas experiencias con un entusiasmo de iluminada y su tono sugiere una conversión religiosa. Una sonrisa estúpida alumbra su rostro mofletudo. Toda la historia hubiese resultado tópica y predecible, ridícula incluso, un guión de telefilme de sábado por la tarde, de no haberse tratado de mi mejor amiga, la misma que ahora, ante mis ojos, cita constantemente lugares comunes, refiriéndose a la entrega a los demás y al encuentro con una misma y la alegría que supone dar, con la entonación exacta que las monjas utilizaban en su día para hablarnos de la trascendencia de la vida cristiana. Definitivamente, ha perdido su antigua gracia de *raconteuse*. Reparo en cómo al hablar se le marcan unas arrugas profundas que le surgen de las sienes, y que aportan a su piel el aspecto de una tierra agrietada y reseca, un territorio yermo en el que nada crece. Tomo una de sus manos en la mía y la siento callosa y áspera. Cuanto más la miro y pienso en la persona fascinante que una vez fue, más me cuesta comprender que se haya convertido en esta especie de campesina regordeta de manos rudas. Comprendo que es absurdo volver sobre las pisadas del tiempo para intentar hallar lo perdido más allá de las grietas que se abran en la memoria, porque la vida sigue, y el destino trama sus intrincadas redes, y lo que buscábamos ha seguido creciendo y nunca más será lo que era, excepto en el recuerdo.

Han pasado las horas sin que nos diésemos cuenta, la tarde está cerrando sus puertas a la luz y sólo permanecen algunos rayos débiles, atrapados entre las ramas más bajas de los árboles. Vislumbro a lo lejos la silueta de la doctora, o lo que sea, que me ha hablado antes. Llega hasta nosotros y me comunica, con su impasible corrección hermética, que ya ha acabado el tiempo de visitas y que debo darme prisa si pretendo coger el último autobús de regreso a Madrid. Mónica, obediente, se alza del banco y me toma de la mano para que haga lo mismo. Se despide de mí con un abrazo y una sonrisa de postal. «Hasta pronto, Betty», me dice, y me hace prometer que pronto volveré a verla, pero lo cierto es que no sé si tendré valor; y la dejo allí, inmersa en su delirio místico.

Sólo me llamaba Betty cuando estaba especialmente cariñosa. Casi lo había olvidado ya.

La he sentido más alejada que nunca, nada mío ya, como una estrella lejanísima, a millones de años luz. La luz de las estrellas más distantes tiene una peculiaridad: cuando nos llega, ha podido tardar en el viaje hasta miles de millones de años y entonces estamos viendo la estrella tal como era hace milenios. Es como un viaje en el tiempo, y lo curioso es que podemos ver la luz de un astro que se extinguió siglos ha, quizás incluso antes de que los dinosaurios poblaran la Tierra. Al despedirme de Mónica comprendo que todo aquel amor que he mantenido vivo durante cuatro inacabables años no ha sido más que la luz de una estrella muerta.

He dormido de un tirón toda la noche y he soñado con gatos de todos los pelajes y colores: gatos persas grises de ojos amarillos, gatos callejeros blancos y negros, gatitos que parecían bolitas de algodón e inmensos gatos de callejón gordos y peleones; gatos de pelo largo, gatos de pelo corto, gatos de todo tipo de raza y condición. Cuando despierto, pienso que quizá Cat está intentando enviarme un mensaje y luego se me ocurre que lo más lógico es pensar que soy yo la que me envío un mensaje a mí misma.

Así que marco el número de la que ha sido mi casa en Edimburgo, aun a sabiendas de que Cat probablemente estará dormida. Una afectada vocecita, meliflua e infantil, me responde al otro lado de la línea. Superada la sorpresa inicial reconozco la voz de Aylsa y pregunto por Cat. Cat está durmiendo, me dice, y no sé si debería despertarla. Se pone nerviosa y al final de la frase el tono digno degenera en un gañidito nervioso. Al percibir la arrogancia que subyace en su voz es cuando me pregunto qué diablos hace Aylsa en *mi* casa, a esas horas de la mañana. Y entonces rectifico mentalmente: *ésta* es mi casa, no aquélla. Haciendo gala de autodominio le encargo a Aylsa que informe a Cat de que he llamado y de que he tenido un buen viaje, y no acabo de pronunciar la frase cuando me doy cuenta de que es demasiado tarde para anunciar que he tenido buen viaje, puesto que yo debería haber llamado a la mañana siguiente de mi llegada, no casi diez días después. El caso es que Caitlin tampoco me ha llamado, aunque tiene este número. ¿No es sorprendente que hasta ahora no haya echado de menos su voz? Quizá Cat no me ha llamado por orgullo, o quizá estaba muy ocupada rehaciendo su vida con la propietaria de esa vocecita que me responde que muy bien, que avisará a Cat de que he llamado, y que corta acto seguido la comunicación, sin darme ni siquiera la oportunidad de despedirme. Aylsa, pequeña zorra, qué poco tiempo te ha hecho falta para correr a ocupar mi cama y adoptar ese tonillo de reina ofendida con el que me has hablado por teléfono. Devuelvo el auricular a su cuna de plástico y me preciso a mí misma que el hecho de que Aylsa haya dormido en mi casa (y vuelvo a pensar en la casa de Cat como la mía) no implica necesariamente que haya dormido con Cat; quizá se haya quedado acompañándola para ayudarla a sobrellevar su recién estrenada soledad. E incluso si hubiera dormido con Cat, ¿con qué derecho me preocupo yo por ello? Yo que tantas noches dormí con Cat arrastrando en mi piel el olor de Ralph. Yo que, al marcharme, dejé claro que no sabía muy bien si volvería y eché de esa manera por tierra tres años y medio de relación. Yo, que contrapuse a la generosidad de Cat todas mis dudas y mis inseguridades. Yo, que jamás he utilizado la palabra amor en un solo párrafo que haya escrito sobre ella.

Evidentemente, yo no tengo derecho a mostrarme celosa.

En el mundo hay millones de parejas que han ido forjando su relación a base de mucha voluntad y de pequeñas renuncias compartidas. Hay millones de seres que no exigen a la persona que está a su lado un cien por cien de compatibilidad y de gustos comunes. Es el ansia de perfección la que asesina los afectos, la sed de absoluto, el miedo a la costumbre, la perenne nostalgia de imposibles, la negativa constante a aceptarnos como somos y a aceptar a los demás por lo que son. Cuando uno no se entiende a sí mismo es imposible que entienda que otros le amen, y es imposible por tanto que respete a aquellos que le quieren. Pero el tiempo nos ofrece sólo dos opciones: o asumir lo que somos, o abandonar; y si no abandonamos, si decidimos quedarnos en este planeta minúsculo y pactar con nuestra aún más minúscula vida, podemos interpretar esta resignación como una derrota, o como un triunfo. Yo ya no aspiro a grandes fuegos, apagado el incendio que Mónica supuso. Ahora sólo espero renacer de mis cenizas y disfrutar de ciertas brasas de pasión, ese rescoldo de calor intermitente que suponen los gestos familiares, los años de experiencia, el calor conocido de los labios y la serenidad tantos días encontrada en unos ojos en los que ya no brillan ni la ansiedad ni el deseo excesivos; una dulzura asociada a la propia rutina, a la asumida carga del peso del afecto, mientras que blandamente va fluyendo el cansancio, la extraña indiferencia ante lo que hemos hecho. La paz, a fin de cuentas. O el amor.

Se me ocurre volver a llamarla más tarde, cuando se despierte, invitarla a que venga a Madrid a visitarme. Sugerirle que tome una semana del mes de vacaciones que su jefe le debe desde tiempos inmemoriales. Enviarle un billete de avión a Edimburgo, un ramo de flores, un anillo de oro. Probablemente es tarde para enviarle nada. Ni siquiera me siento con derecho a esperar nada de ella, y no cuento con nada que pueda prometerle. Y ahora, si lo pienso, no sé qué argumentos podría ofrecerle para rogarle que me hiciese una visita. Puede que ni siquiera sea digna de que Cat entre en mi casa.

Pero una palabra suya bastará para sanarme.

*You want a reason: I'll give you reasons dont't change
your ideals with every season, just look inside yourself for
information and make your own life a celebration, you've
got the power, power to be strong, an education that
should be lifelong, don't be a victim of expectations, just
make your own life a celebration.*

THE BELOVED. *Conscience*

Gracias:

Por ayudarme a escribir mejor: Pedro López Murcia, Miguel
Zamora y Pedro Manuel Villora.

Por aportaciones, sugerencias, correcciones y críticas despia-
dadas:
Laura Freixas, Ana Cuatrecasas, Joaquín Arnaiz, Carlota
Guerrero y Carlos el Lento.

Por la intendencia veraniega: Amorós Mayoral hermanos.

Y sobre todo, gracias a todos mis amigos y amigas, que son
imprescindibles.

IMPRESO EN LITOGRAFÍA ROSÉS, S. A.
PROGRÉS, 54-60. POLÍGONO LA POST
GAVÁ (BARCELONA)